テリ文庫

〈HM⑿-2〉

大　穴

ディック・フランシス
菊池　光訳

早川書房
401

ODDS AGAINST

by

Dick Francis

Translated by
Mitsu Kikuchi
Published 1976 in Japan by
HAYAKAWA PUBLISHING, INC.
This book is published in Japan by arrangement
with JOHN JOHNSON through
TUTTLE - MORI AGENCY, INC., TOKYO.

大穴

登 場 人 物

シッド・ハレー……………………元チャンピオン・ジョッキイ
ハント・ラドナー…………………ラドナー探偵社のボス
チコ・バーンズ……………………同調査員
ドリィ………………………………同課長
チャールズ・ロランド……………シッドの義父
ハワード・クレイ…………………石英の蒐集家
ドリア・クレイ……………………ハワードの妻
ハグボーン卿………………………全英障害競馬委員会の理事長
オクソン大尉………………………シーベリィ競馬場の支配人
テッド・ウィルキンス……………同監督
エリス・ボルト……………………株屋
ザナ・マーティン…………………ボルトの秘書
マーク・ウィットニィ……………調教師
コーニッシュ………………………警部

1

射たれる日まではあまり気にいった仕事ではなかった。その仕事も自分の一命とともに危うく失うところであった。しかし、・三八口径の一片の鉛は私の腸を穴だらけにしたばかりでなく、傷の痛みのほかに烈しい火のかたまりを体内に残した。さもなければ、私がザナ・マーティンに出会うこともなかったであろうし、回顧というクモの糸にがんじがらめになって、自分はもとより、誰にとっても無益な存在で終わっていたにちがいない。

その時はそうは思わなかったが、あの銃弾は私自身にとっては人間解放への第一歩であった。射たれたのは不注意であったからだ。不注意だったのは仕事に嫌気がさしていたからである。

私は病院の個室でしだいに意識を取り戻した。あとで請求書を見たらたいへん高価な部屋であった。目が完全にあききらないうちから、この世から完全に消されなかったことが恨めしかった。ヘソの裏側のあたりに誰かが火をつけたようだった。

私の頭上であたりはばからず大声で議論が行なわれていた。麻酔剤の影響で夏空に浮かぶ綿雲のようにフワッとした頭で、気のりのしないまま議論の内容を理解しようとつとめた。

「もっと早く意識を回復する薬はないのかね？」

「ない」

「彼の話を聞くまでは手の施しようがないのだ、わかるだろう。手術が終わってもう七時間になる。なにか……」

「その前に、四時間も手術台にのっていたんだぞ。銃がし損じたのを、ここで果たしたいのか？」

「ドクター……」

「なんとしても待ってもらうほかはない」

いいことを言ってくれる、と思った。連中は待たせておけばいい。こんなつまらない世の中へ誰が急いで帰りたいものか。一ヵ月ばかり眠って、腹の中の火が消えてからこの世に復帰すればいいのだ。私はしぶしぶ目をあけた。

夜だった。天井の中央で電灯が輝いていた。そのはずだ。ジョーンズ坊やが私を発見して電話をかけたのは朝だった。私の血がまだゆっくりとオフィスの床の上へ流れ出ていた。

最初の救いの注射針が腕にさされてから十二時間はたっているのだろう。二十四時間の余裕で、逆上したチンピラ悪党が無事国外に逃亡できるだろうか、と考えてみたりした。

私の左側に警官が二人いた。一人は制服で、一人は私服であった。二人とも汗をかいていた。部屋の中が暑いのだ。医師は私の右手に立っていて、瓶から私の肘につながっている管をいじっていた。腹のあたりから気味の悪いいろんな管があちこちに延びている。一部は軽いシートの下にかくれていた。入れたり出したり、忙しいことだな、と皮肉な目で見ていた。われながら妙なことになったものだ。

ラドナーがベッドのすそのほうから私を見ていた。警察と医者の議論に不介入のようすであった。ボス自身がわざわざベッドに付き添ってくれるほどの扱いをうけるとは思ってもみなかったが、自社の社員がこんなだらしのない始末になるなどということもめったにないことなのであろう。

彼が言った。「また気がついたぞ、目つきもわりあいにはっきりしている。こんどは多少筋の通ったことが聞き出せるかもしれん」時計を見ていた。

医者が私の上にかがみこんで脈をとり、うなずいた。「では五分だけ。それ以上は一秒たりとも許さん」

私服が一瞬ラドナーに先んじた。「誰に射たれたのですか？」

言葉を口にするのが予想以上に困難だった。しかし、けさ同じ質問をうけた時のように全く不可能というのではなかった。あの時はもう気息えんえんとしていた。今では多少なりとも力を取り戻したらしい。それでも声が出るまでに、警官が質問を繰り返して答えを待つだけの時間がかかった。

「アンドリューズ」

警官にはなんのことかわからぬようだったが、ラドナーは驚きと同時に失望の色をうかべた。

「トマス・アンドリューズか？」ときいた。

「そう」

ラドナーが警官に説明した。「さきほども言ったように、このハレーともう一人が、恐喝事件を解決するために罠をかけていたのだ。二人のようすでは大物を捕えるつもりだったらしいが、どうやら雑魚に終わったようだな。アンドリューズというのはほんの小物だ。人の使い走りをやっている気の弱いチンピラだよ。あんなのが拳銃を持っているとは夢にも思わなかったし、実際に使うとはね」

私もそうだ。彼は馴れない手付きで上衣のポケットから銃を引き出すと、おっかなびっくりで私のほうに向けて両手を使って引き金をひいた。餌を齧りにきたのがアンドリューズ一人だとわかったからこそ、私は洗面所の暗がりからノコノコ出て行ったのだ。午前一時に、クロムウェル・ロードにあるハント・ラドナー社の事務所に不法侵入したのを取り押えるつもりだった。彼がどのような手段にしろ、自分に手向かってくるとは全然考えていなかった。

相手が本気で嚇かしではないと気がついた時はすでに手遅れであった。明かりを消すためにスイッチのほうへ向きかけたところを射たれた。弾丸が私の体を斜めに貫通した。その勢いで体が反転してひざをつき、床の上につんのめった。

私が倒れると、彼はなにかわめきながらけいれんしたような足取りでドアの方へ走った。目のまわりが蒼白であった。自分のしたことに私以上に怯えているようだった。

「射たれたのは何時頃ですか？」警官が改まった口調でたずねた。

間をおいて私が答えた。「一時、ごろ」

医師がハッと息をのんだ。彼から言われるまでもない、私がまだ生きているということは、幸運の一語につきる。九月の冷たい夜を、しだいに力が抜けて行くのを感じながら床の上に横たわっていた。すぐそばの電話で助けを求められないのがいまいましかった。事務所の電話はすべて交換台を通っている。その交換台も私にとっては月世界にあるのと同じことであった。廊下を行き、階段を下りて受付のドアを入ったところにあるのだが、交換手は家に帰ってベッドですやすやと眠っていたのだ。

警官が手帳に記入していた。「ところで、今あなたを煩わさなくても、犯人の人相は誰かにきくことができますが、その時の服装を言っていただけるとたいへん助かるのです」

「黒のぴっちりしたジーンズ。オリーブ色のジャージィ。ぶかぶかした黒い上衣」呼吸を整えた。「黒の毛皮襟、白黒のチェックの裏地。みんな、みすぼらしく……汚れていた」言葉をきった。「上衣の右ポケットに拳銃が入っていた、持って行った……手袋はしていない……前科はないはず」

「靴は？」

「見えなかった。音はしなかった」

「ほかになにか？」

考えた。「なにかバッジをつけていた……地名と海賊のマークのような……上衣の左袖に縫いつけてあった」

「わかりました。よし、すぐ手配しよう」パタッと手帳をとじると、チラッと笑みを見せ、ふり向いてドアのほうに歩いて行った。そのあとに制服、そしてラドナーが続いた。アンドリューズの人相を話しに行ったのであろう。

医師がまた脈を見て、ゆっくりと管を一本一本調べていた。満足そうな表情が見えた。

医師が明るい口調で言った。「馬のような体だな」

「ちがう」ラドナーがもどってきて医師の言葉を耳にすると言った。「馬というのは本当は非常にデリケートな動物なのだ。ハレーのは騎手の体だ。大障害の騎手の体だ。前にやっていたのだ。ショック・アブソーバーのような体をしている……そうでないと、競走のさいの骨折や怪我に耐えられないのだ」

「手の傷もそれだね？　大障害で落馬したんだな？」

ラドナーがチラッと私の顔を見て、困惑した表情で目をそらせた。

オフィスでは、よほどのことがない限り、私のいるところでは手のことに触れなかった。ただ、私といっしょに網を張っていたチコ・バーンズだけは例外である。人の気持ちは意に介しないで言いたいことを言う男である。

「そうだ」と、ラドナーが一言答えて、話題をかえた。「シッド、よくなったら私のところへ顔を出してくれ。急ぐ必要はない」なにかためらうような会釈を私に送ると、医者と二人でドアのほうへ行き、二人で私の方をチラと見返りながら、お互いにゆずりあうような格好で出て行った。

どうやらラドナーは、私に急いで帰ってきてもらいたい気持ちはないようだ。微笑したくてもその力がなかった。彼が私に仕事を申し出た時、私はなんということなしに、かげで義父が糸をひいているのであろう、と思った。しかしその時の私は、どうにでもなれ、という気持ちになっていた。世の中のすべてに関心を失っていた。

「いいですよ」とラドナーに答えると、彼は全く無経験な私を競馬課の調査員にした。ほかの職員には、私が競馬に詳しいので顧問格である、と説明していた。みんなは快く私を受け入れてくれた。あるいは私と同じように、それが私に対する憐憫の情によるものであることを知っていたのであろう。あるいは、私がもっと誇りをもって、そんな申し出は断わるべきだ、と思っていたのかもしれない。私にはそんな誇りはなかった。どうにでもなれ、という気持ちであった。

ラドナー探偵社には、行方不明者捜索、護衛、離婚などの部門のほかに、他の全部門をひっくるめたくらいの大きさの、調査課、というのがある。仕事の大部分は、あまり変哲のない、体力と時間をかけてこまごまと調べて歩く内容のもので、その調査の結果が民事事件や離婚訴訟につながっていく場合もあるにはあったが、通常は周到な報告書を依頼者に送るだけですんだ。刑事事件もあったがごくまれだった。アンドリューズの一件は、三カ月ぶりにでてきた刑事事件であった。

競馬課、というのは、ラドナー独特の創意によるものであった。ラドナーは戦後、陸軍の退職金でこの探偵社を買い取ったのであるが、それ以来、当時小さな部屋が三つしかなかった零細な組織を、今では全国的に有名な探偵社に仕上げたのである。買い受けた頃には競馬課というものはなかった。ラドナーは社の便箋の上部に〈迅速、成果、秘密〉と印刷していた。依頼者にこの三点を約束し、それを確実に実行した。元来、断郊競馬専門の若駒を六頭も所有しているほどの競馬愛好者であるところから、騎手クラブや全英障害競馬委員会に、仕事をくれというのではなく、ご用があればいつでも我が社をご利用下さい、と申し入れてあった。騎手クラブと委員会は、試しに利用してみて、大いに気にいり、以来全面的に活用している。競馬課は大いに繁盛した。そのうちに、とくに本命馬に対するレース前の護衛を始めてからは、公的機関からの依頼よりも、競馬関係者の個人的な依頼の方が多くなってきた。

私が入社した頃には、調査課の中の競馬関係の仕事が大成功を納め、従来の大きなオフィスから隣の部屋に独自のオフィスをもつようになっていた。手頃な料金を払えば、調教師は委託希望者の人格、経歴を調べることができるし、賭け屋は客を、客は賭け屋を、というぐあいに、誰でも必要な調査を依頼できる。今では、「ラドナーがオーケイした」という文句が、競馬界独特の言葉にさえなっていた。正真正銘、とか、信用できる、という意味である。私はその言葉が馬に適用されている場合すら聞いたことがある。

社はいまだかつて私に一人前の調査をやらせたことがない。調査は、人目につかない中年の退職警官が、最少の時間で最大の成果をあげていた。自分がやる気充分なのに、人気絶頂の本命馬の護衛などをやらせてくれなかった。競馬場の警備パトロールもやらせてくれない。競馬場の運営委員から、レース日に好ましくない連中を監視してほしいと依頼されると、私は行かせない。賭け屋の屋台が並んでいる広場でスリを見張る人間が必要な場合、行くのは私以外の誰かである。そういう場合、ラドナーがきまって口にする理由が二つあった。一つは、私が競馬界で顔を知られすぎているということ、もう一つは、たとえ当人の私が気にしなくても、元チャンピオン騎手《ジョッキイ》のメンツにかかわるようなつまらない仕事をやらせるわけにはいかない、と言う。

というわけで、私は時間の大部分をオフィスで他人の報告書を読むのに費やしていた。誰かが顧問格である私の意見をききにくれば、自分の意見をのべた。特定の状況のもとで私ならどうするか、ときかれれば、自分なりの考えを話した。調査員と一人残らず顔見知りになって、彼らがオフィスにやってくるとお互いにとりとめのない噂話をした。私はいつでも時間が余っていた。たまに一日休んでレースへ行っても文句を言う者はなかった。時には、みんな自分がいないことに気がついていないのではないか、と思うことすらあった。

折りにふれて、給料相応の仕事をしていないのだから、むりに私を飼っておいてくれなくていい、とラドナーに言う、彼はそのたびに、私に異論がなければ、彼は現状で満足している、と答える。私は、彼がなにかを待っている、という気がしてならなかった。私がやめるのを待っているのでないとすると、あとは見当がつかなかった。私がアンドリューズの銃弾をくらったのは、そのような調子でちょうど丸二年を過ごした日であった。

看護婦が、管の状態や私の血圧を調べに入ってきた。ノリのきいた制服姿できぱきと能率的であった。彼女は微笑を見せたが口はきかなかった。妻が病院へきて、心配そうに私のことをいろいろきいている、と言ってくれるのを待った。言わなかった。妻はこなかったのだ。いや、くるはずがない。健康時の私ですら彼女を自分に引きつけておくことができなかったのだ、死にかけているというだけのことでかけつけてくるわけがない。ジェニイ。私の妻だ。三年間の別居生活にもかかわらずまだ私の妻である。このようになったことに対する後悔の念から、お互いに離婚という最終手段を講ずることができないでいるのであろう。私たち二人は、熱情、歓喜、意見の相違、怒り、そしてついに爆発という経験をへたのだ。あとに残っているのは後悔だけであったが、それも彼女を病院に来させるほど強力な要素ではなかった。彼女は以前に私の入院姿をいやというほど見ている。体中に管をはめられている今の私の姿ですら、もはや劇的な要素もなく、ショックも感じない。彼女がくるはずがない。電話もかけてこない。手紙をよこすこともありえない。それを期待している私が愚かなのである。

時がゆっくりと過ぎて行くのがいらだたしかった。ようやく腕の一本を残して管が全部とりはずされるようになり、私はしだいに回復に向かった。警察はまだアンドリューズを逮捕していない。ジェニイはこない、社のタイピストが見舞状をよこし、病院が請求書をよこした。

ある夕方、チコがポケットに手をつっこんで前かがみに入ってきた。顔に相変わらず人を小ばかにしたような笑みをうかべていた。ゆっくりと私を見廻すと、顔の笑いがますます広がった。

「おれでなくて、おまえさんでよかったよ」

「この野郎、死んじまえ」

彼は大きく笑った。笑うのが当然である。彼がやるべき仕事を、女友だちとデイトがあるというので私がかわってやったのだ。アンドリューズの一発は彼が受けるべきで、私が腹を痛くする筋合いのものではなかったのだ。

「アンドリューズか」考えていた。「あいつがやるとはな。あの弱虫のチンピラ野郎め。いずれにしても、おれが言ったように洗面所にひそんでいて赤外線写真をとっていれば、あとでらくにとっつかまえることができたし、おまえだってこんなところで情けない思いをしないで、オフィスでゴロゴロしていられたんだ」

「わかってるよ。じゃあ、おまえならどうした？」

ニヤッと笑った。「おなじことをしたろうな。あんなウジ虫は得意のワン・ツーをくらわしゃ、誰に言いつけられたのか、すぐにも泥を吐くと思ったろうな」

「それが今じゃ調べようがない」

「そうなんだ」溜め息をついた。「それに、おっさん、今度の件であまりご機嫌がよくねえんだよ。おれがオフィスに罠をしかけるのを、うまくいきっこねえと思っていたんだ。ところがこんなことになっちまって、ますます斜めなんだ。今度のことを外部に知られないように頭を痛めてるよ。あんなコソ泥でなくて爆弾を放りこまれたかもしれねえ、と言うんだ。おまけにアンドリューズのちくしょうめ、忍びこむ時に窓をこわしやがって、おれがその弁償をしなきゃならねえんだ。あのチンピラ野郎め、錠の破り方もしらねえんだからな」

「窓の弁償、おれがするよ」私が言った。

「そう」ニヤリとした。「おれが言えば、そうくるだろうと思ってたんだ」

部屋の中をうろうろと歩き廻って、あれこれと見ていた。見るようなものはあまりなかった。

「おまえの腕に入れてる、あの瓶の中身はなんだい？」

「なにか滋養分らしいな。なんにも食べさせてくれないんだ」

「胃袋がまた破裂するとでも思ってんだな」

「そうらしいな」

歩き廻っていた。「テレビもねえのかい？　ほかの間抜け野郎がポカポカ射たれるのを見てたら、少しは気が晴れるんじゃねえか？」ベッドの裾の体温表を見ていた。「けさは百二度だぜ、医者はなにも言ってなかったかい？　どうだい、このまくたばるような気がするかい？」

「しない」

「もう少しのところだったって聞いたよ。ジョーンズ坊やの話じゃ、まっ黒いプディングをいくつも作れるくらい血が流れていたそうだぜ」

ジョーンズ坊やの冗談はあまり気持ちがよくなかった。

「また戻ってくるんだろう?」チコがきいた。

「たぶんね」

窓のブラインドの紐をコブに結んでいた。私はその姿をじっと見ていた。細い体にエネルギーが溢れて、じっとしていられないのだ。私が交替してやるまで、彼は二晩無為に洗面所で徹夜していたのだ。仕事に忠実でなければ、とてもあんなにじっとはしていられないはずだ。彼はラドナーの職員の中ではいちばん年少である。たぶん二十四歳くらいだろう、と自分で言っていた、赤ん坊の時、うば車で警察の前に捨てられていたので正確なところは誰も知らない。

チコが時々言っていたが、警察の人たちがあんなに親切でなかったら、大きくなって不良化する機会がいろいろあったそうだ。背が低すぎて警官になれなかった。ラドナー事務所に勤めているのが彼としても最上であろう。また探偵社のほうにとっても、彼はたいへん役にたつ存在である。カンの働きが鋭いし、体の敏捷さでは彼にかなう者は一人もいない。柔道とレスリングが道楽で、ふつうのワザのほかにいろんなテを教わっている。体の小さいことが仕事にはなんら支障になっていない。

「で、例の件はどうなってるんだ?」私がたずねた。

「どれだい?　ああ……あれか。おまえが射たれたら、おさまってきたらしいんだ。あの晩以来ブリントンのところへは脅迫電話も手紙もこないそうだ。あいつにおどしをかけていたやつらも息切れがしたんだろうよ。いずれにしても、やつは急に身の危険がなくなったように思っているらしいし、おっさんに料金のことでさかんにぶつぶつ言ってるようだ。あと一日、二日したら、あいつのお守りをするのもやめるんじゃねえかな。いずれにしても、おれははずされたんだ。あしたニューマーケットからアイルランドへ、十万ポンドの種馬のお供で飛ぶことになっているんだ」

護送という仕事も私は一度としてやったことがない。チコは好きでよくでかけた。それにいつか二百ポンド以上もある大男のいかさま師を七フィートもある壁ごしにぶんなげて以来、ご指名の依頼がひっきりなしであった。

「とにかく、帰っておいでよ」とつぜん言った。

「なぜ?」私は驚いた。

「なんというのかな……」ニヤニヤしていた。「おまえの嫌味のねえ冗談もいいかげんばからしいけど、どうやらみんな、おまえがうろうろしているのに馴れてしまったらしいんだな。みんな淋しがってるんだ、おまえさんにゃわからねえだろうがね」

「ご冗談でしょう」

「そうかな……」窓の紐のコブをほどくと肩をすぼめてズボンのポケットに手をつっこんだ。「こんなところにいると、うすっ気味悪くて、体がゾクゾクしてくるよ。生温かい消毒のにおいが鼻にこもってさ。気持ちが悪いぜ。こんなところで、いつまでゴロゴロしてるつもりだい？」

「まだ少しかかるよ」私は穏やかに答えた。「道中気をつけろよ」

「じゃあ、また」あごをしゃくると、やれやれというようすでドアのほうへ行った。「なにかほしいもの、ねえかい？　本かなにか？」

「べつにないよ、ありがとう」

「べつにないよ……おまえ、そういう人間なんだな、シッド。なんにもいらねえんだ」ニヤニヤしながら出て行った。

なんにもほしくない。そういう人間なのだ。それが私の悪いところだ。自分がこの世でいちばん望んだものを手に入れ、それを取り返しのつかない形で失ってしまったのだ。そのほかにはなにもほしくなるようなものがない。天井を見つめながら、時がたつのを待った。今の私の唯一の望みは、再び元気に歩けるようになって、腹の痛みがなくなることだ。

射たれてから三週間たった頃、妻の父が訪ねてきた。午後遅くやってきて、小さな紙包みをなにも言わずにベッドの横のテイブルの上においた。

「どうだい、シッド、その後の調子は？」椅子に腰を下ろすと、足を組んで葉巻きに火をつけた。

「よくなったようです。もうすぐ出られるでしょう」

「けっこう、けっこう。で、今後の計画は？」

「べつにありません」

「しかし、社のほうへ戻るまでに、多少、なんというか……療養せねばなるまいな」

「そうですね」

「どこか気候のいいところがいいだろう」葉巻きの先を見つめながら続けた。「その間、エインズフォドでしばらく過ごしてくれると嬉しいんだが」

私はすぐには答えなかった。

「では……？」と言いかけて、あとをためらった。

「いや」彼が言った。「彼女はいない。アテネのジルとトニィのところへ行ったよ。きのう見送った。よろしく、と言っていたよ」

「そうですか」私は無表情に言った。例によって、自分の妻に会えないのが嬉しいのか淋しいのか、自分にはわからなかった。しかし、こんな時に外交官のトニィと結婚している妹のジルのところへ出かけるのは、私に対する思いやりがないこともないように感じられた。

「じゃあ、きてくれるかね？　クロス夫人が充分面倒を見てくれるよ」

「そうですね、チャールズ、行かせてもらいます。しばらく滞在させていただきましょう」

葉巻きを歯でかみしめて、煙に目を細めながら手帳を取り出した。

「そうだな、あと一週間でここを出るとすると……充分回復するまではあわてて出ることもないのだが……二十六日になるな……フム……どうだろう、一週間後の日曜日にくることにしたら。その日は一日中家にいるから。それでいいかね？」

「医者がいいと言えば、それでけっこうです」

「じゃ、そういうことにしよう」手帳に書きこむとポケットにしまって、口から慎重に葉巻きをとり、いつものように読みとることのできない無表情な目で私にほほえんだ。黒っぽいビジネス・スーツを着て寛いでいた。退役海軍少将、チャールズ・ロランド、六十六歳には見えなかった。戦時中の写真を見ると、背が高く、体をまっすぐ伸ばし、やせて骨ばかりのようにすら見える。ひたいが高く、黒い髪がふさふさしていた。年月がたつにつれて髪が白く、ひたいがさらに高くなり、肉付きがよくなってかえってりっぱになった。たいていの場合はきわめて魅力のある物腰であったが、時には気を遣いすぎて気にさわることもあった。私はつねにその両方で待遇されてきた。

椅子にゆったりと寛いで、ゆっくりした口調で障害競馬の話をしていた。

「こんどサンダウンで新しく開設したレースをどう思うかね？　きみはどう思うか知らんが、私は組み方がまずかったと思うな。あんな条件ではいい馬はこないだろうし、もしデビルズ・ダイク号が出走しないということにでもなったら、まず絶対に人寄せのきかないレースになるのがおちだな」

彼が競馬に関心をもつようになったのはわずかここ数年のことである。しかし、つい最近一、二の競馬場から運営委員になってくれと言われて、大いに気をよくしている。彼が競馬関係の問題を、競馬界独特の言葉を駆使して話しているのを聞いていて、私は内心、一種の感慨にうたれた。だいぶ以前のことになるが、娘のジェニイが騎手と婚約した時の彼の示した反応、将来娘の婿となるべき私を冷ややかに排斥したこと、私たちの結婚式に姿を見せなかったこと、その後もかたくなに不同意を示し続けた数カ月間、私にほとんど口もきかず顔も見まいとすら努めていたことなど、忘れることはとうていできない。

当時私は、単に上流ぶった気どりにすぎないものと思っていたが、実際はそんなかんたんなものではなかったのだ。彼は、社会的な階級の違いばかりでなく、いろいろな点で私を娘の婿として不的確であるとはっきりきめていたのである。だから、ある雨の降る午後、チェスを一局対局することがなかったら、私たちはお互いを理解し、やがてはお互いを好きになるようなことはとうていありえなかったであろう。

ジェニイと私はある時、めったにしない、気づまりな日曜日の実家訪問でエインズフォドへ行った。誰一人口をきかないような状態でローストビーフを食べた。ジェニイの父親は失礼にも窓の外を眺め、指でせわしなく食卓を打っていた。私は二度とくるまいと決心した。もう我慢がならない。ジェニイが一人で勝手にくるがいい。

昼食が終わるとジェニイが、本箱を新調したから本を整理したいと言って二階へ上がってしまった。チャールズ・ロランドと私は、お互いに相手をうとみながら顔を見合わせていた。まだ午後は長く、叩きつけるような雨では庭やその向こうの公園へ出かけて行くこともできない。

「チェスを知っているかね？」彼が物憂い口調で、できない、という返事を予期して言った。

「駒の動かし方くらいなら」私が答えた。

彼は肩をすぼめた（というよりは困惑に体をちぢめた）が、無理に会話を続けるよりは気苦労が少ないという考えをはっきり見せながら、チェスのセットを出し、私に向かいに坐れと動作で示した。ふつうは上手なのであろうが、その午後は退屈し、イライラしていて、注意力が散漫であったために、私はかんたんに勝った。彼は信じ難い表情でいた。私が詰めをかけた駒に指をあてながら盤に見入っていた。

そのうちに、下を向いたまま、「どこで習ったのだ？」ときいた。

「本で」

「対局を数多くやっているのか？」

「多くはないです。時折り、機会があれば」本当は相当に強い連中とやっているのだ。

「フム」間をおいて、「もう一局やるかね？」

「お望みなら」

また始めた。今度は長い勝負になって、結局は引き分けに終わった。盤上に駒がほとんど残っていなかった。二週間後彼が電話をかけてきて、この次くる時は一晩泊まりでくるがいい、と言った。それが雪どけの始まりであった。それ以来、私たちは今までより足しげく、楽しみにしてエインズフォドへ行った。チャールズと私は時折りチェスを戦わせたが、総体的には勝ち負けは五分であった。と同時に、彼も時々競馬へ行くようになった。皮肉なことにそれ以来お互いに対する尊敬の念が深まり、ジェニイと私の結婚生活が破局に達した後もお互いの気持ちは変わらず、チャールズの競馬に対する関心も年とともに広く深くなっていったのである。

「昨日、アスコットへ行ってきたよ」葉巻きの灰を落としながら言った。「天気を考えれば、相当の人出だった。ハンディキャッパーのジョン・ペイガンという男と一杯飲んだ。なかなかいい男だ。障害のハンデ・レースで、最後の障害を越える時、六頭がほとんど一線に並んだと言って、たいへんとくいそうだったよ。三マイル障害のあとで抗議が出たんだ——最後の直線に入るときに極端な進路妨害があったというんだ。カーターはそんなつもりでやったんじゃないとがんばっていたが、あの男の言うことは信用できないからね。いずれにしても委員が失格にしたよ、ほかに方法はないからね。ウォリイ・ギボンズがハンデ・レースですばらしい追いこみを見せたんだが、新馬レースで、これはまたひどいトチリをやったよ」

「彼は新馬は下手なんですよ」

「しかし、りっぱなコースだね」

「最高でしょうね」腹のあたりから、急に疲労が体中に広がった。シーツの下で足が震え始めた。いつでもこうなるのだ。われながら腹がたった。

「王室の財産だから、土地泥棒に狙われることはないし、ありがたいよ」ニコッとした。

「そうですね……」

「疲れたんだな」彼がとつぜん言った。「長居しすぎたよ」

「いや、大丈夫ですよ、ほんとに」私が反対した。

しかし彼は葉巻きを消して立ち上がった。「私にはきみのことはよくわかっているのだ、シッド。きみの大丈夫というのはふつうの人とちがうのだ。一週間後の日曜日にこれないようだったら知らせてくれ。連絡がなければくるものと思っているから」

「そうします」

帰って行った。相変わらずしごくかんたんに疲れてしまうことを、あらためて思い知らされた。年のせいだな、と一人でニヤッとした。三十一歳の老年だ。ポンコツのシッド・ハレー、哀れな男だ。天井を見ながら顔をしかめた。

夕方の用をすませに看護婦が入ってきた。

「あら、なにかいただいたのね？」と朗らかに、幼い子供に話すような調子で言った。

「あけて見ないんですか？」

私はチャールズの包みのことを忘れていた。

「私があけて上げましょうか？　その手ではあけにくいでしょう」

親切心から言っているのである。「あけてください」と私が言った。

ポケットからハサミを取り出して包みをひらき、中に入っていた黒っぽい表紙の、うすい本をふしぎそうに見ていた。

「あなたへの贈り物なんでしょうね？　なんだか、入院患者に贈るようなものには見えないけど」

私の右手に本を持たせてくれた。表紙に金文字で記してある題を読んでみた。『会社法概説』とあった。

「義父がわざわざおいていってくれたのだ。私あてのものですよ」

「そうね、ブドウの嫌いな人がいたり、贈り物は難しいわね」てきぱきとその辺りを動き廻り、人の意を無視して能率よく仕事を終え、ようやく一人にしてくれた。

会社法概説か。パラパラとページをめくって見た。まちがいなく会社法に関する本である。法律以外になにもない。病人向きの軽い読み物ではない。本をテイブルの上においた。

チャールズ・ロランドは非常に緻密な頭脳の持ち主で、緻密であることに喜びを感じている。彼が当初私に反対したのは私の育ち云々ではなく、ジェニイが騎手を夫に選んだことを自分の知的水準に対する反抗とうけとったのである。彼はそれまで競馬騎手に会ったことはなく、競馬なるものを頭からいみきらい、そんなものに関係している人間はすべて詐欺師か低能であると決めていた。彼が娘の夫に望んだのは、容姿端正とか氏育ちがいい、あるいは金持ちであるということよりも頭のいい男であった。話相手としてたのしめる人間であった。ジルはトニィという満足すべき相手を選び、ジェニイは私を選ぶことによって父の期待を裏切った、と考えた。少なくとも、私が時折りチェスのお相手をつとめられることがわかるまではそうであった。

彼の緻密さを知っているので、私は彼がなにか考えるところがあって持ってきた本であり、うっかり選択をまちがえたり、置き忘れて行ったものでないことはわかっていた。はっきりした目的があって、私に読ませておきたいのだ。いずれは私にとって、あるいは彼にとって役にたつことが計算されているのである。私が探偵社でロクな働きをしていないところから、なにか商売を始めるように私に仕向けるつもりなのであろうか？　あの本で私をつついているのだ。ある特定の方向に私を向けようとしている。

手がかりをもとめて、彼の言ったことを思い返してみた。ぜひとも私にエインズフォドにきてもらいたいようすであった。ジェニイをアテネへ行かせている。競馬の話をした、サンダウンの新設レース、アスコット競馬場のこと、ジョン・ペイガン、カーター、ウォリイ・ギボンズ……会社法にわずかでもつながりのありそうなものはなにもなかった。

私は溜め息をついて目をとじた。あまり気分がすぐれなかった。あの本を読まねばならぬということはないし、チャールズの指す方向に進むこともない。だが……やってみたってどうということもないではないか？　それ以外にとくにしてみたいことがあるわけでもない。骨の折れる宿題にとりかかることにした。明日からだ。

たぶんやることになるだろう。

2

エインズフォドにきてから四日目の日に、午後の休養を終えて階下に下りると、チャールズは廊下のまん中においた大きな箱の中をかきまわしていた。広い玄関の上がり口にたいへんな量のオガ屑が散らばっており、横の低いテイブルの上にそれまでに取り出した貴重品がていねいにならべてあった。私には石のかけらとしか思えないものであった。

その一つを手にとって見た。一面がなめらかに削ってあって、その下のほうにきちょうめんな字で記したラベルが貼ってあった。斑岩と書いてあり、その下に「カーヴァー鉱物学研究所」という字が見えた。

「石英にこんなに興味がおありだとは知らなかったな」

無表情な目で私を見つめた。私の言ったことが聞こえなかったり理解できなかったというのではなく、説明をしてくれる意志がない、という時の目つきである。

「魚を釣るんだ」と言って、また箱に腕をつっこんだ。

石は餌なのだ。斑岩を下において別の石を取り上げた。卵を四角に削ったくらいの小さなもので、美しく、ガラスのように透明であった。ラベルには「水晶」と記してあるだけだった。

「なにか手伝いたいという気持ちがあるなら」チャールズが言った。「私の机の上の無地のラベルに石の名前を書いてくれ。研究所のラベルを水にしめらせてはがし、新しいラベルを貼る。古いほうはとっておくのだよ。石を返す時にはまた貼っておかねばならぬからな」

「はい、わかりました」

次に手にした石は金がまじっていて重かった。「こういう石は高価なものなんですか？」とたずねた。

「ある物はね。どこかに説明書があるはずだ。研究所には絶対安全だと言っておいた。家の中に私立探偵を入れて警備させておく、と言っておいたよ」

私は笑いながら、一覧表を見て新しいラベルを書きはじめた。箱がからになる頃には机だけではたりず、石は床の上にも広がっていた。

「外にもう一箱あるのだ」チャールズがさりげない調子で言った。

「まだ！」

「私は石英の蒐集家なのだよ」チャールズがもったいをつけて言った。「その点を忘れてもらっては困る。もう長年集めているのだ。何十年も。そうだろう？」

「何十年にもなる」私は同調した。「あなたは一大権威だ。一生海で生活していたんだ、岩石の権威にならないのがおかしいですよ」

「これを全部覚えるのに、まる一日しかないのだ」微笑しながらチャールズが言った。「届くのが遅れたのでね。あすの晩までに、完全に暗記しなければならん」

彼が二箱目を持ちこんできた。前のよりかなり小さく、大げさな封印がしてあった。宝石の原石が一つ一つ黒い台座にのせてあった。全体の価値は莫大な数字であった。研究所は私立探偵の一件を真に受けたらしい。今の私の健康状態を知っていたら、一個といえども貸し出してくれなかったであろう。

二人でラベルを貼りかえている間、チャールズは小声で石の名前を呪文でも唱えるような調子で呟いていた。「緑玉髄《クリソプレイズ》、砂金石《アベンチユリン》、めのう《アギット》、しまめのう《オニックス》、玉 髄《カルセドニィ》、虎目石《タイガー・アイ》、紅玉髄《カーニリアン》、黄水晶《シトリン》、紅水晶《ローズ》、緑玉髄《プラズマ》、斜長石《ベサナイト》、血 玉 髄《ブラッドストーン》、角岩《チャート》。どうしてこんなたいへんなことを始めたのかなあ?」

「ほんとに、なぜです?」

また例の目つきで私を見た。言わない。「私に石の名前をテストしてもらおうか」と言った。

二人で一つずつ食堂に運びこんだ。暖炉の両側の本箱に並んでいた革張りの古典書が全部取り除かれているのに気がついた。

「あとで、あそこへ並べる」大きなテイブルの上に厚いフェルトを広げながらチャールズが言った。「ひとまず、テイブルの上に並べよう」

並べ終わると、名前を覚えながら、ゆっくりとテイブルのまわりを歩いていた。全部で五十個くらいある。彼に求められるまま、記憶をテストしてみた。彼はこんがらがって、半ば以上まちがえたり忘れたりした。どれもこれも似ているので覚えるのはたしかに困難である。

彼が溜め息をついた。「一杯いただいて、きみはベッドへ戻る時間だ」先に立って、彼が時折り士官室と呼ぶ小さな居間へ行った。ブランディを注いでくれた。私のほうへグラスを持ち上げて、うまそうに一口飲んだ。心中の興奮を抑えているのが表情にうかがえた。底知れぬ目に鋭い光がうかんだ。私はブランディを飲みながら、彼はなにを企んでいるのであろうと興味をそそられた。

「週末に客が数人くることになっている」目を細めてグラスをすかして見ながら、さりげなくきりだした。「レックス・ヴァン・ダイサート夫妻とハワード・クレイ夫妻。従姉妹のヴィオラがもてなし役をする」

「ながいおつきあいの人たちですか？」私が知っているのはヴィオラだけである。

「そうでもない」サラッと受け流した。「明日の夕食に間に合うようにくるはずだ。その折りに紹介する」

「私が入ると数が半ぱになります。……客がみえるまでに部屋に行って、週末は邪魔にならないようにしていますよ」

「いかん」と、鋭く言った。意外に強い語勢に私は驚いた。その時、さっと頭にひらめいた。石の名前をおぼえたり、私に休養の場を提供したり、すべては私を週末客に会わせる下準備だったのだ。私には休養を提案した。ヴァン・ダイサート氏、あるいはクレイ氏のいずれかには石を見てくれ、と言ったのだ。私たち二人は餌にくいついた。それならば、釣り糸をグイッと引いてみて、釣り人の決意のほどを試してみよう。

「やはり私は部屋にいますよ。ふつうの食事ができないし」今の私の食餌は、ブランディ、ビーフ・ジュース、それに宇宙飛行士のために開発された真空包装の食糧であった。これらの食物は、穴だらけになった私の消化器官に負担をかけないようである。

「人というものは、食事の席では口がほぐれるものだ……気楽に話すし、相手の人物を知るのに都合がいい」用心深く説得の気配を示さなかった。

「私がいなくても、あなたには心おきなく話しますよ——いや、いない方が気がねしなくていいでしょう。それにみなさんがステーキをぱくつくのを見ているのは、とても耐えられませんよ」

彼は深い思いにふけっているような口調で言った。「シッド、きみが耐えられないことはなに一つないよ。それはともかく、興味を感じると思う。退屈しないことだけは保証する。もう一杯どうだ？」

私は首をふったが、相手の希望に従った。「いいでしょう、お望みとあれば、夕食に出席しますよ」

ほんのわずか、安堵の色を見せた。自制された、緻密な人である。微笑を向けると、私が芝居をしていたことに気づいた。

「悪いやつだ」と言った。

彼の場合は賛辞なのである。

宇宙飛行士用のかゆの朝食をゆっくりと食べている時、ベッドの横のトランジスター・ラジオが朝のニュースをせわしなく告げていた。

「シーベリィ競馬場で予定されている今日明日のレースは余儀なく中止されることになりました。昨日の夕刻、競馬場を通っている道路上で、化学薬品を積載したタンカー車が横転しました。そのために、芝生に相当の損傷を与え、今朝実地検証の結果、運営委員はレース実施不能と判断しました。二週間後のレースまでにはいためられた芝生を植えかえるはずでありますが、確実なことは後日発表されるとのことであります。次は天気予報……」

あの不運な競馬場は、いつも厄介なできごとにでっくわしている。レースの前夜に厩舎が全焼したのはわずか一年前のことだ。一夜にして臨時厩舎を建てることは不可能であったし、全英障害競馬委員会がラドナーと相談した結果、付近に散在する厩舎を手当たりしだいに利用することは馬の警備を不可能にすると判断して、レースは中止のやむなきにいたった。

急なコーナーのない長円形の走路で、騎手にとっては乗りやすいコースであった。ただこの春には走路面の損傷で事故があった。障害レース中に排水設備が陥没したとかいうことであった。一頭の不運な馬の前足が十八インチも地中にめりこんで折れてしまったのだ。その上に次々と重なり、あと二頭の馬が再起不能の負傷をし、騎手の一人が頭を打って重体に陥った。馬場の図面にはそのような排水溝があることすら示してなく、調教師の中には、すぐにもつぶれそうな古い排水管があちこちにあるのではないか、と疑う者も少なくなかった。競馬場の理事者側はもちろんないと言い張っていた。

しばらくの間私は横になったまま胸の中で、自分が再びシーベリィを乗り廻っているのを夢みた。今一度現実にそうできることを、無駄と知りつつ、可能性もないのに、胸の痛む思いでねがった。

クロス夫人がノックをして入ってきた。物静かな人目をひかない小柄な婦人で、茶色の髪がやわらかく波うち、灰色がかった緑色の目がわずかに斜視であった。一見いかにも弱々しく無口であったが、人前に姿を見せない通いの手伝い連中を駆使して、この屋敷の家政を油の行き届いた機械のように円滑、正確にとりしきっていた。まだ比較的新しく、ジェニイと私については全く不偏な態度をとっているのがたいへんありがたかった。前任者は狂信的にジェニイを好いていて、私のビーフ・ジュースに下剤を入れかねないような女であった。

「ミスタ・ハレー、提督がきょうは気分がおよろしいかどうか、きいておられました」私の朝食の盆を取り上げながら、切り口上で言った。

「いいです、ありがとう」まずまずである。

「およろしいようでしたら、食堂のほうへおいで願いたい、とのことです」

「石だな?」

チラッと笑みを見せた。「けさは私より早くお目ざめで、あちらで朝食を召し上がりました。おいでになるとお伝えしてよろしいでしょうか?」

「どうぞ」

彼女が出て行き、私がゆっくりと身支度をしているとき、階下で電話がなった。まもなくチャールズ自身が上がってきた。

「今のは警察だった」いきなり眉をひそめて言った。「死体を発見したらしくて、きみに身元の確認をしてもらいたいらしい」

「いったい、誰の死体ですか?」

「言わなかった。ただちに迎えの車をさしむけると言った。きみを捜してここに電話をかけてきたような感じだったよ」

「私には身よりはいないし。なにかのまちがいですよ」

彼は肩をすぼめた。「いずれにしてもすぐわかることだ。下りてきて、私をテストしてくれんか。やっと全部覚えたような気がするのだ」

二人で食堂へ下りて行った。彼の言ったとおりであった。全部を一つもまちがえなかった。私は並んでいる順番を変えてみたが、正確にこたえた。大いに気をよくして微笑していた。

「完璧だな。それでは棚の上にのせよう。価値の低いものからここへ並べよう。宝石のほうは客間の本箱に入れる――ガラス戸の内側にカーテンの張ってあるやつだ」

「金庫に入れておくべきですよ」昨夜も私はそう言ったのだ。

「きみは心配していたが、昨夜食堂のテイブルの上においておいて無事だったよ」

「顧問私立探偵として、やはり金庫に入れることをすすめます」

彼が笑った。「金庫がないことはよく知っているじゃないか。しかし、顧問探偵として、今夜は石を警護してもらおうか。枕の下に入れて寝ればいい。どうだね？」

「オーケイ」私はうなずいた。

「まさか本気ではあるまいな？」

「ええ、まあね……ちょっと固すぎますよ」

「こいつめ……」

「しかし、あなたのところでも私のところでも、二階に上げておくのはいいですね。相当保険料をとられたんでしょうね？」

「それが……かけてないのだ」チャールズが白状した。「こわしたり、なくしたりしたものは必ず現物で返すと約束したのだ」

私は目を見張った。「お金を持っておられることはわかっているが……まず、正気の沙汰じゃないな。すぐ保険をおかけなさい。石の一つ一つが、どれくらいの価値か、知っているんですか？」

「いや、正直なところ、知らないのだ。先方にきかなかった」

「くる人の中に蒐集家がいるのであれば、いくらで買ったのか、覚えていないとおかしいですよ」

「その点は考えたのだ」私の言葉を遮った。「遠縁の従兄弟から遺産としてもらったことにする。そうしておけば、値段とか価値ばかりでなく、鉱物学的なこと、分布、希有度などについても、あまり知識がない言い訳になる。一日ですべてを覚えることはとうていできないと気がついたんだよ。このコレクションだけについてある程度の知識があれば充分だと思う」

「それはそれでいいでしょう。しかし、今すぐカーヴァー研究所へ電話して石の価値をきき、折り返しあなたの保険屋に連絡してください。チャールズ、あなたの困る点は正直すぎるということだ。ほかの人間はそうじゃないんですよ。今のあなたの住んでいる世の中は海軍じゃなくて、悪人がいっぱいいる気の許せない社会なんだ」

「いいだろう」と機嫌よく言った。「きみの言うとおりにしよう。その石のリストをくれたまえ」

彼は電話のほうへ行き、私は石っころを本箱へ並べはじめた。いくつも並べないうちに玄関のベルがなった。クロス夫人が行ってすぐ戻り、警察官が私に面会をもとめている、と言った。

初対面の場合いつもするように、醜い役にたたない左手をポケットに入れて、玄関へ出た。背の高い頑丈な体格の若い男が制服を着て立っていた。屋敷の広壮な構えに威圧されないよう努めているふうであった。私自身が初めて来た時の印象を思い出した。

「例の死体のことですか？」私がたずねた。

「はい、そうです。あらかじめご連絡してあると聞いておりますが」

「何者の死体なのだ？」

「私は存じません。ご案内するように言われただけです」

「それで……どこへ？」

「エッピングの森です」

「ずいぶん遠いな」私が言った。

「そうなのです」顔をくもらせて同意した。

「私にまちがいないのだろうね？」

「まちがいございません」

「よろしい。かけて待っててくれたまえ。コートを取りがてら、行く先を言っておくから」

警官が運転中時折りギヤをならすのが頭にひびいた。オックスフォドの西のエインズフォドからエッピングの森までは二時間かかった。私には長すぎる道のりであった。それでもようやくとある交差点でオートバイの警官に迎えられ、そのあとについて曲がりくねった横道を走った。灰色のしめっぽい日で葉のない森が周囲にひろがっていた。

曲がり角をまがると、乗用車が二台とヴァン・トラックが一台、一列に並んでいるところへ出た。オートバイの警官がとまって下りた。私と警官も下りた。

「到着予定時刻十二時十五分」オートバイの男が時計を見て言った。「遅刻だ。お偉方は二十分も待っているぞ」

「A四十号線がちっとも進まないんだ」私の運転手が言い訳をした。

「サイレンをならせばよかったのに」オートバイの男がニヤッと笑った。「さっ、行こう。

あっちだ」

森の中をほとんど目につかない道跡を案内して行った。足もとの枯れ葉がカサカサと音をたてた。半マイルほど進むと、キャンバスを張った前に一団の男が立っていた。暖をとるために足をふみ、低い声で話していた。

「ミスタ・ハレー?」一人が握手した。感じのいい、仕事のできそうな中年の男で、コーニッシュ警部と自己紹介した。「こんな遠方まで、まことに申し訳ないのですが、動かす前にあなたに、ええ……残骸……を見ていただきたかったのです。あらかじめご注意申し上げますが、たいへんひどい状態になっています」生々しく身を震わせた。

「誰ですか?」私がたずねた。

「確実なところをあなたにうかがいたいと思っているのです。見当はついているのですが……先入感を与えないであなたから聞きたいのです。いいですか?　今すぐでも?」

うなずいた。私を幕の後ろへ案内した。

アンドリューズであった。その残骸と言った方がいい。死後長い期間がたっており、森の動物にくいちらされていた。警察がその場で見せたがった理由がわかった。動かせばバラバラになってしまう。

「どうですか?」

「トマス・アンドリューズ」私が言った。

みんながホッとしたようすであった。「まちがいありませんね？　確実ですね？」

「まちがいない」

「衣類からだけでなく？」

「そうです。髪の生えぎわの形。横に広がった耳。異常に丸味をおびた耳の上部と耳たぶ。非常に幅の狭い眉が鼻のつけねで太くなっている。平ったい親指、爪に白い横線が入っている。指の甲に生えている毛」

「けっこう。決定的ですな。私たちは早くから衣類で見当をつけていたのです――手配書に詳記してありましたからね。しかし、身元を確認するすべがなかったのです。家族は全然いないらしいし、体の特徴を覚えている者は誰もいない――いれずみ、古傷、手術の跡もなく、今まで調べたところでは、生まれて以来歯医者にかかっていないらしい」

「解剖医に引き渡す前にそこまで調べるとは、なかなかご立派ですな」考えを口にした。

「いや、解剖医の意見に従ったままでなんですよ」相手がニッコリした。

「誰が見つけたんですか？」私がたずねた。

「子供たちです。死体を見つけるのは、たいてい子供たちなんですよ」

「いつ？」

「三日前です。しかし、明らかに数週間ここにあったようですな。あなたを射った直後からでしょう」

「そうですね。拳銃はまだポケットにはいっているんですか？」

コーニッシュが首をふった。「かげも形もないのです」

「死因はまだわかっていないのですね？」

「まだです。しかし確認していただいたので、早速そのほうにとりかかれます」

私たちが幕の後ろから出てくると、入れかわりに担架を持った連中が入って行った。たいへんだな、と思った。

コーニッシュが道までいっしょに歩いてきた。運転手はすぐあとに従った。アンドリューズの話をしながらゆっくりと歩いたのだが、八百ヤードの距離が八マイルに感じられた。どうやら、田舎道の散歩をたのしむところまでいっていないようだ。

車のところへ出ると、彼は私を昼食に誘った。私は首をふって現在の食餌を説明し、酒にしようと言った。

「いいですな。あの後じゃ、一杯飲みたいですよ」アンドリューズの方角へ頭を傾けた。

「この先にいい居酒屋があります。あなたの車は私たちについてくればいい」

彼は自分の車にのりこみ、私たちはそのあとに従った。

バアで、私はブランディと水を、彼はウィスキィとサンドウィッチを前にして、黒い樫のテイブルについた。まわりに馬具金具や狩猟用の角笛、古いつぼやなべが飾ってあった。

「こうしてあなたに会っていると、なんだか妙な気持ちがしますよ」サンドウィッチをかじる合い間に言った。「あなたのレースをずいぶん見ましたからね。おかげでだいぶ儲けさせてもらいましたよ。ダンステイブル競馬場が住宅用地に売られるまでは、あそこのレースにはほとんどかかさずに行ったものです。この頃はあまりレースに行くこともありませんがね、競馬場が遠くなってしまったから。午後二時間ばかりちょいとぬけて行けるようなところがなくなりましたね」陽気な笑顔で言葉を続けた。「ダンステイブルではあなたにいろいろとすばらしいレースを見せてもらいましたね。ブラッシウッドに乗って抜きつ抜かれつ、ついにせり勝った日のことを覚えていますか？」

「覚えていますよ」

「あの時は、あなたが馬を起こしてかついでゴールインしたも同然でしたよ」サンドウィッチをかじった。「あの時のような大歓声は聞いたことがないな。まったくあなたは大した乗り手だった。残念ですね、やめるようなことになってしまって」

「そう……」

「しかし、大障害レースでは、そういうリスクはしかたがないのでしょうな。いつかは大きな事故にぶっつかる」

「そのとおりですよ」

「どこでやったんですか？」

「二年前の五月に、ストラットフォード・オン・エイヴンだった」

同情するように、さかんに首をふっていた。「不運でしたね」

私は微笑した。「しかし、それまでは幸運が続きましたからね」

「その点はまちがいないですな」テイブルをパッと叩いた。「三、四年前のボクシング・デイに、女房をつれてケンプトンへ行ったんですよ……」かつて見たレースのことをたのしそうに話していた。本当の愛好者だ。こういう人たちの支持を失うと競馬はつぶれてしまう。そのうちに、ウィスキィを飲み干して残念そうに時計を見た。「もう署に帰らないと。あなたとお話していて、とても楽しかったですよ。しかし、ふしぎなものですね、そう思いませんか？　あなただって馬に乗っている時は、この方面の素質があるとは思ってもみなかったでしょう」

「素質って、なんのことですか？」私は驚いてたずねた。

「えっ？　ああ、もちろんアンドリューズのことですよ。あなたが射たれた直後、彼の衣類を述べましたね。それに、きょうの識別方法。完全な専門家ですよ。大したものです」

彼は大きく笑みをうかべた。

「でも、射たれるようじゃ、大したことはない」私が指摘した。

彼は肩をすぼめた。「あれは、誰だってあることですよ、ほんとに。そんなこと気にしないほうがいい」

運転手がエインズフォドへつれて帰ってくれる途中、私に探偵仕事の素質があるなどと考える人間がいることがおかしくて、思わず微笑した。私に衣類や人相の識別ができるのには単純な理由があるのだ――私が行方不明者捜索や離婚関係の綴りを数かぎりなく読んでいるためである。それらの報告書を作成した元警官連中は、識別には、髪の色とか、眼鏡や口ひげなどでなく、耳とか手のように変えることのできないものを基礎にすべきだということを充分承知しているのだ。彼らの一人が当然のことのように言ったことがある。かつらとか、ひげ、顔かたち、あるいは使用している化粧品には目もくれないのだそうだ。

「耳と手は変えることができないんだよ。試みてもむだなんだ。耳と手に専念したら、まずまちがうことはない」

アンドリューズの場合、残っていたのは耳と手くらいのものであった。それも、軟骨部分のみという悲惨な有様であった。

運転手が屋敷の裏口で下ろしてくれたので、私は通路を通って広間のほうへ行った。階段に一歩足をかけた時、客間の入り口にチャールズが姿を見せた。

「きみだろうと思ったのだ。こっちへきてちょっと見てくれないか」

手すりにかけていた手をしぶしぶと離して彼のあとについて行った。

「あれだ」指さしながら彼が言った。本箱の中に一連の明かりがつけてあった。宝石を照らし、石がよみがえったように光彩を放っていた。開け広げた戸についている絹のカーテンがやわらかな光を放つ枠をなしていた。人目をひく効果的な段取りである。彼にそう言った。

「それなら結構だ。戸を開くと自動的に明かりがつくのだ……気がきいているだろう、どうだね？」彼が笑った。「それに、もう安心していい、保険をかけたよ」

「よかったですね」

彼が本箱の戸をしめると照明が消えた。赤いカーテンが中身を隠した。まじめな表情で私の方を向いて、「誰の死体だ？」ときいた。

「アンドリューズ」

「きみを射った男か？　ふしぎなめぐり合わせだな。自殺か？」

「いや、そうとは思えないのです。いずれにしても、銃がなかったのです」

彼はす早い身ぶりで椅子を示した。「シッド、早く坐りたまえ。なんだか……疲れきったような顔をしているぞ。あんな遠方まで行かないほうがよかったのだ。足を上げなさい、すぐ飲み物を持ってきてあげる」母鶏のようにせかせかと世話をやいてくれた。初めに水、次にブランディ、最後にクロス夫人から温かいビーフ・ジュースをもらってきて、向かいに坐って私が飲むのを見ていた。

「それ、好きかね？」ときいた。

「ええ、だから助かりました」

「私たちが子供の頃、よく飲んだものだ。週一回の儀式のようなものでな。父が肉おろしフォークに皿を斜めによせかけて、もも肉の血をぬくのだ。みんな大好きだったが、もう長いこと飲んだことがないな」

「飲みますか？」カップをさし出した。

彼はうけとって味をみていた。「ああ、うまいな。六十年前に返ったようだ……」椅子に寛いでにこやかにほほえんでいた。私はアンドリューズの死体の状態などを話した。

「なんだか殺害されたような気がするな」ゆっくりと言った。

「私もそういう気がするのです。若くて健康でしたからね。昼寝をしているうちに、エセックスの太陽で日射病で死ぬとは思えませんしね」

チャールズが笑った。

「お客は何時にくるのですか？」時計を見ながらきいた。五時をすぎていた。

「六時頃」

「それでは、私は上へ行ってしばらく横になっています」

「シッド、大丈夫かね？　本当になんでもないのか？」

「大丈夫です。少し疲れただけですよ」

「夕食に下りてこられるかな？」さりげない口調のかげにかすかな失望のひびきがうかがえた。私は彼が懸命に石と取り組んでいたことや、今までの準備工作を考えた。それに私自身、彼の意図を知るまではどんなことがあってもひけない気持ちであった。

「きますよ」立ちあがりながらうなずいた。「私のところへティ・スプーンをおいておいてください」

やっとの思いで階段を上がり、全身汗にぬれたままベッドに横たわった。今の状態がうらめしかった。銃弾が腹部を貫通した時急所はすべて無傷だったのだが、神経系統の一部を焼いて機能を狂わせてしまった。完全に治るのには時間がかかると病院で注意された。今までのところ彼らの言葉が当たっているのがしゃくにさわった。

客が到着したらしい音が聞こえた。それぞれの部屋へ案内される途中の陽気な声、ドアのしまる音、洗面所の水の音、そのほか荷物を整理する音や話し声が付近の部屋から聞こえてきた。それらの音も、みなが着替えを終えて私の部屋の前を通って階下へ下りて行く頃には聞きとれない程度の話し声に変わっていた。ベッドを下りていちばん着心地のいい胴廻りにゆとりのあるズボンとジャージィ・シャツを脱ぎ、白い綿のシャツにダーク・グレイのスーツを着た。髪をとかす時鏡に映った顔は青白くやつれていて、目のふちが黒くなっていた。夕食の席にしゃれこうべ、か。皮肉な笑みを浮かべながら、自分の顔を見返した。さしてかわりばえがしなかった。

3

階段を下りきった時、チャールズと客が客間から廊下を通って食堂へくるところであった。男はみなディナー・ジャケットを着け、婦人連中は長いドレスであった。チャールズはわざと私に知らせてはくれなかったのだな、と思った。私の休養中の支度にブラック・タイが含まれていないことを知っているのだ。

彼は立ち止まって私を紹介しようとはせず、軽くうなずくと彼の横を歩いていた太り気味の小柄な女と愛想よく話しながらまっすぐ食堂に入って行った。そのあとヴィオラと、背の高い、色の浅黒い美人が続いた。チャールズの年上の従姉妹で、未亡人のヴィオラは通りがかりにチラッと私にほほえみを見せたが、なにか困惑したような心配そうな表情であった。私はどうしたのであろうといぶかった。いつもは情をこめて挨拶する人であるし、早く回復することを祈るという温かい手紙をもらったのもつい最近のことである。彼女と並んだ女は私のほうにチラッと視線を送っただけだったが、あとに続いた二人の男は私にいちべつもくれなかった。

考えるのをやめて、みなに続いて食堂に入った。私の席はすぐわかった。スプーンと敷物にグラスが一つとフォークが一本おいてあるだけだった。私の向かいは空席になっていた。席順は、チャールズがいつものようにテイブルの端に、その右にふかふかした感じのヴァン・ダイサート夫人、左に美人のクレイ夫人が坐った。私はクレイ夫人とレックス・ヴァン・ダイサートの間にはさまれていた。人の名前と席はしだいに自分で見当をつけていったのである。チャールズは紹介するようすを全く見せなかった。

テイブルの両端のそれぞれのグループはたちまちお喋りを始め、私の存在などには気がつかないようであった。私は席を立って自分の部屋へ戻ろうかと考え始めた。

このようなときにチャールズがいつも雇う給仕が、海がめのスープの入った深ざらを配って廻った。私の器にはビーフ・ジュースが入っていた。パンがまわされ、スープの音、塩、こしょうを使う音とともに食事が始まった。私に話しかける者はなかったが、客たちがしだいに好奇心を感じ始めているのがうかがえた。ヴァン・ダイサート夫人がチャールズから私へ、またチャールズへと鋭い青い目を向けて紹介を誘いかけた。紹介はなかった。彼は気がつかないようすで、すばらしい魅力を発揮しながら二人の女と話し続けていた。

私の左手のレックス・ヴァン・ダイサートが眉を心持ち上げ、とってつけたような笑みをうかべて私にパンをすすめた。体の大きい男で、平ったい白ちゃけた顔に黒ぶちの眼鏡をかけ、人を威圧するような態度であった。パンを断わるとかごをテイブルに戻し、かすかにうなずいてヴィオラに視線を戻した。

石の話が出る前から、すべての準備はクレイを目当てにしたものであることが想像できた。一目で嫌なやつだと思ったが、その時に感じた毛が逆立つような嫌悪感の激しさにわれながら驚いた。チャールズの企みが私にクレイの下で、あるいは共に、あるいは身近で働かせようというのであれば、もう一度改めて企んでもらうことになる。

四十八か五十がらみのがっしりした男で、肩、ウェスト、ヒップのあたりは四十四歳以下の感じであった。ディナー・ジャケットが貼りつけたように体に合っており、時折り袖口を払う時もキザな感じがなく、そのたびに手入れの行き届いた手が見えた。

灰色がかった茶色の髪をきちっとつめ、横一文字の眉、高い鼻、小さなひきしまった口、ひげを剃ったばかりの丸味をおびたあご。下のまぶたが盛り上がっていて、胸に一物抱いている感じを与えた。

内になにかを秘めたお面のような顔であった。その下になにか邪悪なものが隠されているのであろう。テイブル越しにそれがにおってくるような気がした。数かぎりない罪悪になれきった顔だな、と想像をたくましくした。しかし、表面はまことにスマートであった。人ざわりがよすぎるくらいである。私は、非常に手強い詐欺師である、と断定した。彼がヴィオラと話しているのに耳を傾けた。

「……それで、ドリアと私がニューヨークへ行った時、国連代表部の連中を訪ねたのです。

ああいうマネキンのような外交官は自分の考えで行動することは絶対にないのですから、誰かが導いてやらなければならない。そこで言ってやったのです。片側だけが行動を起こすのは賢明なやり方ではないし、だいいち現実を無視している、とね。しかし彼らには彼ら独持の現実主義がありましてね、外部の妥当な意見に耳を傾けるなどということは、流紋岩に水銀を滲透させるようなもので、まずありえないのですな……」

ヴィオラはさっぱり理解できないまま、もっともらしくうなずいていた。もったいぶった出まかせの言葉は利口な彼女の頭上をふわふわと通り越しただけで、彼女は全然気にするようすはなかった。しかしそのような派手な物の言い方は、非常に大がかりな詐欺をやる手だてのように、私は思えた。まず相手に深い感銘を与えるという常套手段である。チャールズがそのようなテにのっているとは思えなかった。ありえないことである。緻密で聡明で冷静な私の義父にかぎって、そんなことがあるはずがない。

スープが終わるころになると、テイブルの一方の端にいた彼の妻がもはや好奇心を抑えていられなくなった。スプーンを下におくと、彼の方に目を向けたまま、チャールズに低いがはっきりした声で、「あれは誰なのですか?」ときいた。

その質問を待っていたかのように、みんなの顔が彼の方を向いた。チャールズがあごを上げてみんなに聞こえるようにはっきりと答えた。

「あれは、私の娘の夫ですよ」軽い口調で興をおぼえている感じであったが、調子はまことに軽蔑的であった。すでに過去のことと忘れ去っていた私の神経をつきとおすような調子であった。私が鋭い目で彼のほうを見ると、とぼけた無表情な目で私を見返した。

私は視線を上げて彼の頭上を越え、背後の壁に目をうつした。何年もの間、そしてまちがいなく今朝までは、私が馬に乗ってチェルトナムのコースで障害を飛び越えている油絵がかかっていた。私の絵のかわりに、ビクトリア朝時代の古色豊かな海の風景画がかかっていた。

チャールズはじっと私を見ていた。私はチラッと彼を見返して黙っていた。彼は私が黙っていることを予期していたのにちがいない。ずっと以前、彼の無礼に対する私の対抗手段は沈黙をまもることであった。彼は私の瞬間的な反応が以前と同じであることを計算にいれているのだ。

ヴァン・ダイサート夫人がわずかに体をのりだして、内心の悪性が急に頭をもたげたように呟いた。「どうぞ、お続けになって、提督」

ためらうようすもなく、さきほどと同じ苛酷な調子でチャールズは彼女の意にそった。

「彼は、彼の知る範囲では、リバプールの貧民窟で、窓掃除人夫と十九歳の未婚の女性の間にできた子供なのです。彼女は後にビスケット工場の女工をしていたらしい」

「まあ！　ご冗談を」ヴァン・ダイサート夫人が息をはずませて声をあげた。

「本当なのですよ」チャールズがうなずいた。「ご想像のように、私は娘がそのような不似合いな結婚をしないよう、極力とめたのです。ご覧のように体が小さくて、片手が不自由なのです。労働者階級の小男……しかし、娘は決心を変えなかった。この頃の娘は手に負えませんね」溜め息をついた。

「お嬢さんはきっと憐れみにかられたのでしょう」ヴァン・ダイサート夫人が意見をのべた。

「そうかもしれません」チャールズが言った。まだあとがあるのだ。あくまで続けるつもりでいる。「彼が学生かなにかであれば、まだ話はわかるのですが……教育もロクに受けていないのです。十五歳で学校をやめて見習い奉公に行ったようです。もう長いあいだ失業しているのです。当然のことですが、娘は別居しています」

私は皿の底に固まっているスープの残りを見つめたまま、石のように坐って、くいしばったあごの筋肉をゆるめ、混乱した自分の感情をたてなおそうと努力した。彼が私の体を心配し、私のカップに口をつけてからまだ四時間もたっていない。なにものにもまして私が確信をもてるのは、彼の私にたいする愛情が真心からのものであり不変である、ということだ、だから、今私にこのようなつらい思いをさせているのにはなにか理由があるはずだ。少なくとも、そうであることを祈った。

私はチラッとヴィオラのほうを見た。チャールズの口をとめようというようすはなかった。気まずそうにテイブルの上に目を落としていた。廊下での彼女の困惑した表情を思いだした。チャールズがあらかじめ自分のやることを知らせておいたのだろう。私にも知らせてくれればよかったのにと、烈しい気持ちで思った。

当然のことながら、みんなの視線が私に集まった。浅黒い美貌のドリア・クレイが美しい眉を上げて、平板な多少鼻にかかった声で言った。「で、あなたは気にしないのね」と言った。冷笑ともいえる口調であった。私に多少でも性根があれば、腹をたててしかるべきだ、と思っているようであった。

「気にしませんよ」チャールズがこともなげに言った。「本当のことを言われて怒ることはないでしょう？」

「それでは、私生児であることや、そのほかのことも本当なのね？」ドリアが形の整った鼻の横から見下げるように言った。

私は大きく息を吸いこんで緊張をほぐした。

「そうです」

一瞬気づまりな沈黙が流れた。ドリアは、「そう」と言っただけでパンを手に取った。それを合図のように、本当はチャールズがベルを踏んで呼んだのだが、給仕が皿をさげに入ってくると、肺ガン騒ぎのあとの煙草の煙のように、またあちこちでポッポッと会話が始まった。

私はじっと坐って、チャールズが省略した事実に思いをめぐらせた。私の二十歳になる父が余分の収入を得るために超過勤務をしていて、結婚式の二日前に高い梯子から落ちて死んだこと、私がその八ヵ月後に生まれたこと、私の若い母が原因不明の腎臓病のために死期が近いことを知り、私が十五歳の時に学校を退かせ、年のわりに体の小さかった私をニューマーケットの競馬調教師のもとへ見習いに住みこませたのも、自分の死後私に住むところと相談相手になる人を確保するためであった。両親は二人とも私にとっては立派な人間であったし、チャールズも私のその気持ちを充分に知っているはずである。

次のコースは松茸色のソースのかかった魚であった。いっしょに出された私の宇宙飛行士ご愛用の食事も同じ皿にのっているため、ほかの人たちの料理と同じように見えた。ありがとう、クロス夫人、と胸の中で心から感謝した。接吻してあげたいくらいだ。こうしてあれば、片手のフォークだけで食べられる。深い器のときには手に持たなければならない。私の場合には腕と胸の間にはさんだぶざまな格好で食べることになる。今の席で左手をポケットから出すくらいなら餓死したほうがいい。

ふかふかした感じのヴァン・ダイサート夫人は楽しくてならないようすであった。私がみなから孤立したかたちで、その場にそぐわない服装で坐っているのが嬉しいのである。ちぢれた金髪、赤ん坊のような青い目、銀糸で縁どりしてあるバラ色のシルク・ドレス、見たところはいかにも人のよさそうな感じであった。しかし、その彼女がつぎに口にした言葉は、弱い者いじめの好きな根性を露呈した。

「貧乏な親類というのは、ほんとうに困りものですわね」同情の色を示しながら、わざと私に聞こえるような声でチャールズに言った。「私たちのような地位にあるものは放っておけませんしね、週刊紙あたりに金をもらって内状をことさらに歪めて話されたりしたらたいへんですもの。それも、自分の家で養っていなければならない場合はなおさらお困りでしょう……台所で食事をさせるわけにもいかないし。でも、人前に出したくない場合もしばしばありますでしょう。食事を部屋へはこんでやるのがいちばんいい方法かもしれませんわね」

「そうなんです」チャールズがいかにもとうなずいた。「しかし、それで気がすむような人間ばかりではないのですよ」

彼が私を夕食に参加させるためにいかに努力したかを思い出して、私は食べかけた食物が危うくのどにつまりそうになった。そのとたんに、確信がもてると同時に非常な興味を抱いた。彼があのように手をつくして工作した目的は、この客たちに私を完全にくだらない人間と思いこませることにあったのだ。そのうちに自分の気の向いたときに理由を説明するだろう。私は自分の部屋へ帰りたい気持ちがしだいに薄れてきた。

クレイのほうをチラッと見やると、彼の緑がかった琥珀色の目が私を見つめていた。ヴァン・ダイサート夫人の場合のようにあからさまではなかったが、同じものがそこに感じられた。愉悦である。不快感に身がちぢむ思いがした。興味のあるなしにかかわらず、気味の悪い、なぶるようなうす笑いを身に浴びてじっと坐っているのは我慢がならなかった。私は目を落として顔をそむけた。

彼は咳とも笑いともつかぬような音をだすと、チャールズのほうを向いてテイブル越しに石英のコレクションの話を始めた。

「ここから見ている私には残念だが、しかし、ガラス箱に入れておくのはいいことですな。あのまん中の段にあるのは晶洞石ですかな？　ガラスの反射で……よく見えないので」

「ええ……」チャールズも私同様晶洞石がなんであるのか知らないのだ。「いずれお目にかけようと思って楽しみにしているのです。食事が終わってからでも？　あるいは明日？」

「今夜にしてください。あのようなすばらしい品を見せていただくのを、先に延ばされるのはいかにも心残りですよ。コレクションの中に長石が入っていると言われましたかな？」

「いや」チャールズが自信なげに答えた。

「ない、なるほど、それでは範囲を限定した小型コレクションですな。二酸化珪素だけにとどめておられるのは賢明な方法かもしれんな」

チャールズが軽い調子で従兄弟からの遺産で、と煙幕を張ると、クレイは失望の色をみせながら納得した。

「しかし、ロランド、非常に興味の深い分野なのですよ。研究すればするほど価値がある。三畳紀とジュラ紀の頃からの基本的な沈澱物がわれわれの足下の土なのだ。われわれの生命と力の根源なのだ……。私にとっては土地くらい興味深いものはない」

私の右のドリアがかすかに鼻をならしたが、夫には聞こえなかった。彼は再び宇宙の自然現象に関して大げさな単語を使ってわけのわからないことをブチ始めた。

ステーキ、プディング、チーズ、フルーツが出される間、私はなにもしないで坐っていた。会話が私の両側で、時には私を通り越して交わされたが、聾者でも黙って坐っている私の代役はつとまった。ヴァン・ダイサート夫人が、胃腸が弱く食物に苦情の多い貧乏な親類を養うことの困難さについて意見をのべていた。チャールズはわざと私が銃で射たれたことや、私が貧乏でない点にふれないで、扶養される身で消化不良というのは精神状態が悪いのだ、と言った。ヴァン・ダイサート夫人は至極ご満足のようであった。ドリアは時折り下等動物の標本を見るような目つきで私を見た。レックス・ヴァン・ダイサートがまた私にパンをすすめた。ようやく食事が終わった。ヴィオラがドリアとヴァン・ダイサート夫人を客間のコーヒーの方へ案内して行き、チャールズは男たちにブランディを注いだ。不愉快そうに私にブランディの瓶をよこし、私が少し注ぐと不機嫌に口をつぐんだ。二人の客はその間のようすを見逃さなかった。

そのうちに彼が立って本箱のガラス戸を開き、石をクレイに見せた。二人は棚に沿って歩きながら、石の話をしていた。ヴァン・ダイサートは行儀よく適当に関心を示しながらあくびをかみころしていた。私は腰を下ろしたままでいた。坐ったまま勝手にブランディを注いだ。

チャールズは巧みに自分の役を果たし、全然まちがえることなく全部を説明した。次に客間に移った。宝石を入れてある戸棚はみなの非常な関心を集めた。私はあとについて行って、目につかない椅子に腰を下ろし、みなの話を聞いていたが、ぼちぼち自分の部屋に帰らないと一人で階段を上れなくなる、と思った。十一時になっており、私としては多事の一日であった。私が部屋を出るとき、チャールズは知らぬ顔をしていた。

三十分ほどたって、客が何事か話しながらそれぞれの部屋に戻ったころ、彼がソーッと入ってきて、ベッドのそばに立った。私はまだシャツとズボンを着けたまま横になって、着替えをするだけの力を回復するのを待っていた。

彼は立ったまま微笑をうかべて私を見下ろしていた。

「どうだね？」と言った。

「あなたは正真正銘、かけ値なしの性悪だ」私が言った。

彼は笑った。「きみが自分の絵がないのに気づいた時、せっかくの計画がぶちこわされるかと思ったよ」私の靴と靴下をぬがし始めた。「あの時は十二月のベーリング海峡のようなきびしい表情をしていたよ。パジャマは？」

「枕の下です」

海軍式にす早く手ぎわよく脱がせてくれた。

「なぜあんなことをしたんですか？」

私がシーツの間にもぐりこむのを待って、ベッドの端に腰をかけた。

「気にさわったかな？」

「当たり前ですよ、チャールズ。少なくともはじめのうちはね」

「私が考えていたのよりひどいことになってしまったのだ。とにかく、理由を説明しよう。私たちが初めて対局したチェスのゲームを覚えているかね？　きみがしごくかんたんに私を負かした時だよ。なぜあんなにたやすく勝てたか、自分でわかっているかな？」

「あなたが注意を集中していなかったからだ」

「そのとおりだ。私は充分注意を払わなかった。なぜなら、きみを問題にするほどの相手ではないと思っていたからだ。戦略上の失敗だな」ニヤッと笑った。「提督ともあろう者がだ。強い相手を過小評価した場合は、不利な立ち場に立つことになる。相手を極度に過小評価し、全然問題にするにたらぬと思いこんでいるときは、防備を怠り、負けることは必定だ」一息ついて、続けた。「したがって、敵に自分がとるにたらぬ相手であると思いこませることは、賢明な術策だ。私は今夜、きみのためにそれをやっていたのだ」

彼はきびしい表情で私を見つめていた。しばらくして私が言った。「ハワード・クレイに対して、どのような勝負を挑めと言うのですか?」

彼は満足そうな吐息をもらしてほほえんだ。「彼がなににいちばん興味を抱いていると言ったか、覚えているかね?」

思い返してみた。「土地です」

チャールズがうなずいた。「土地。そのとおりだ。彼は土地を集めている。ひとかけやふたかけじゃない、広大な土地だ……」言葉がとぎれた。

「それで?」

彼がゆっくりと言った。「あの男と、シーベリィ競馬場を争いたまえ」

事の巨大さに私は思わず息をのんだ。

「なんですって?」私は信じられない面持ちで言った。「冗談じゃありませんよ。私はたんなる……」

「待て」私の言葉を遮った。「きみが自分をたんなる何者と思っているか、聞きたくない。きみは頭がいいはずではなかったのか? 探偵社に勤めているのだな? シーベリィが閉鎖されるのを見るにしのびないはずだな? それならなにか手を打ったらどうだ」

「しかし、あなたの話では、彼が乗っ取りを策しているように思えるのだが。それなら、誰かロンドンの強力な人物に対抗させたほうがいい……私のような者ではなくて」

「彼はロンドンの有力人物たちに対しては充分に防備を固めているが、きみに対しては完全に無防備なのだ」

私は議論するのをやめた。すればするほど私の不適当な点が論外に押し出されて行く。

「彼がシーベリィを狙っていることはまちがいないのですね？」

「誰かが狙っていることはまちがいない」チャールズが言った。「最近、株の動きが激しいのだ。それに、今年は配当をしていないにもかかわらず、株価が上がっている。あそこの監査役が私に話してくれたのだ。その男の話によると、理事たちは非常に心配しているそうだ。一見すると、特定の人間が株を買い集めている気配はない。ダンステイブルの場合もそうだった。あちらの場合は、土地会社に売り渡すかどうかを票決する時になって、名義人の中の二十名ばかりがクレイの代理人であることがわかったのだ。彼はそれ以外の賛成票も得て、競馬場が土地会社に売られてしまった」

「しかし合法的なのでしょう？」

「裏工作だが、合法的であることにちがいはない。同じことがまた行なわれようとしているのだ」

「しかし、合法的であれば、とめる方法はないでしょう？」

「試してみるといい」

私は無言で彼を見つめた。彼は立ち上がると、きちょうめんにシーツをなおした。「シーベリィがダンステイブルのようになってしまうのは残念だ」ドアの方へ歩いて行った。

「ヴァン・ダイサートはどういう関係があるんですか?」

「あれか」こちらを向いて言った。「なにもない。一、二週間前に会ったばかりだ。南アフリカから来ているので、きみのことを知らないにちがいない、と思ったのだ。それに私が狙ったのはヴァン・ダイサート夫人のほうだ。毒蛇のような舌をもっているからね。あの女なら、きみをやっつける手助けをしてくれると思ったのだよ」ニヤッと笑った。「期待どおりに、滞在中はきみをひどいめにあわせてくれそうだな」

「ご配慮ありがとうございます」私は皮肉な調子で答えた。

「クレイが、きみの顔を知っていないかと、多少心配したのだ。しかし、明らかに知らないようだから、そのほうは心配ない。それに、気がついたと思うが、今夜きみの名前を口にしなかったはずだ。しないように注意している」彼が微笑した。「しかも、彼は私の娘がシッド・ハレーと結婚したことを知らない……。いろんな機会に、彼にその点に言及する誘いをかけてみた。彼が知っていたら、この計画は全然成り立たないからね。しかし彼はまったく反応を示さなかった。クレイに関する限り」彼は満足げに話を結んだ。「きみは哀れな無用者だよ」

「なぜ事前に知らせてくれなかったのですか? 例えば、あんなに思慮深く会社法の本をおいて行った時にでも? あるいは、今夕、私がアンドリューズを見て帰ってきたときにでも、そうすれば私も夕食時に心構えができていたのに?」

ドアをあけて、部屋の向こうから私にほほえみかけた。目は例のごとく無表情であった。

「ぐっすり寝たまえ。お休み、シッド」

翌朝、チャールズは二人の男を狩猟につれて行き、ヴィオラは買物とベネシアン・グラスの展示会を見に女どもをオックスフォードへ案内して行った。私はその機会を利用してクレイ夫妻の部屋を調べてみることにした。

部屋の中に十分くらいいたとき、とつぜん、二年前の自分であったらこんなことをするなど、とても思い及ばなかったであろうと気づいた。今の私はその行動になんら疑念を抱くことなく、当然のことのように実行している。私は皮肉な気持ちでほほえんだ。探偵社でなにもしないでいるだけでも、その物の考え方がいつしか身についている。その上に、自分がいわば本能的に順序よく慎重に捜査しているのに気がついた。そのような自分がなんとなくそら恐ろしくなった。

私はもちろん特定の物を求めて探しているのではない。クレイ夫妻の性格をより深く掘り下げるのが目的である。チャールズが大げさに私になげかけた挑戦に対して心が動き、興味を感じているのではない、と自分に言い聞かせた。そんなことにかかわりなく、私は綿密な捜査を進めた。

ハワード・クレイは、ポケットに白字で自分の頭文字をししゅうしたまっ赤なパジャマを着て寝ている。ドレッシング・ガウンは緋色の金らん地で黒い刺し子の襟をつけ、ベルトには黒い房がついている。洗濯物は隣の浴室にある大きな容器にきちんとたたんで入れてあった。たくさんあってどれも派手な物である。松葉のかおりのひげ剃りローション、コロン、レモンのにおいのするハンド・クリーム、ベタベタした整髪剤などを使用している。いずれも金色の栓のついたカット・グラスの瓶に入っていた。そのほかに、薬用石けん、薬用歯みがき、タルカム・パウダーなどが金色の容器に入っており、体臭どめと高価な電気カミソリが見られた。入れ歯を使用しており、予備のセットを持っている。半分ほど入っている下剤の小罐、うがい薬、みず虫薬、ペニシリン入りのドロップ、膏薬、目ぐすりもあった。体の内外に気を配って若さを保とうとしている。

衣類は、下着のシャツからパンツにいたるまで体に合わせて作ったもので、田舎で週末を過ごす場合のあらゆる可能性に備えて揃えてあった。ディナー・ジャケットとその横につるしてある三着の服のポケットを全部調べたが、きちょうめんな男でなにも入っておらず、それぞれの服の胸のポケットに爪やすりがあるだけだった。六足の靴は全部手縫いで新品同様であった。靴の中を一つ一つ見たが靴型が入っているだけだった。

引き出しの中には、ネクタイ、ハンカチ、靴下がきちんと整理してあった。いずれも高価な品であった。銀の小箱には、金のカフス、タイピンなどが入っていた。宝石類は身につけないようだが、カフスの一組に、石の勉強のおかげで覚えた虎目石がついている。へア・ブラシの裏には煙水晶のかけらがはめこんである。ブラシに、茶色の毛と白髪がついていた。

あと残っているのは、洋服ダンスの横にきちんと並べてある四個のぜいたくな鞄だけである。一つ一つあけてみたが、茶色の牛革の書類鞄が入っている一つを除いてはみんなからであった。触れる前に慎重に調べてみたが、髪の毛や糸をしかけてあるようすがないので取り出してベッドの上においた。錠がかかっていたが、私はそのような事態に対処するすべを心得ていた。ラドナー社のメンバーの一人でいつも情けない顔をしている元巡査部長が、仕事の合い間に事務所へやってきては、ロンドンの煤煙で自分の作っている菊が台なしになるとこぼしながら、段階を追ってしだいに複雑な錠前の破り方を教えこんでくれたのである。私の片手が使えないことが彼の研究心をそそったらしく、特に私のために新しい技術と道具を工夫してくれた。つい最近、押し込み強盗から取り上げた精巧な鍵をひとそろえ私にくれて、どこへ行くにも必ず持って歩けと私に強制した。それが私の部屋においてあった。部屋へ行ってその鍵束を持ってくると書類鞄は難なくあいた。

ほかの持ち物と同じように、中のものが神経質なくらいにきちんと整理してあるので、私は書類の位置などを変えないよう、特に気を配った。株屋からの手紙が数通、株式譲渡証書が一束、その他雑多なもののほかに、昨日の日付けのタイプした書類が一組あった。彼の投資内容に関する最新の報告のようである。金持ちらしく活発に売買をしているらしい。石油、鉱山、不動産、工業などの株を所有している。一枚の紙にはただSRと見出しがついていて、取り引き内容はすべて買い取りであった。各取り引きの横に銀行の名前が記してあった。三度も四度も出てくる名前があり、あるものは一度しか記してなかった。

書類の下に大きな分厚い茶色の封筒があって、中に真新しい十ポンド紙幣の束が二つ入っていた。勘定はしなかったが百枚以上あることはたしかであった。封筒は鞄の底のほうにあり、ほかには吸い取り紙の四隅を金《きん》金具で押えた下敷板があるだけだった。板を持ちあげてみると、下に、日付け、頭文字、金額をタイプした書類が二枚あった。

すべてをもとの位置に戻し、もとの状態のとおりであるのを確認すると、錠をかけてスーツケースに入れた。

美しきドリアは夫とは正反対にだらしのないことがわかった。持ち物はすべて散らかっていて、もとの状態に戻すことは非常に困難であったが、夫の場合とはちがって、多少位置が変わっていても彼女自身気がつく可能性が少ない利点はあった。

彼女の衣類は一見高価なようであったが、すべて既製品で取り扱いも乱暴であった。洗面用具は、歯ブラシ、入浴用品、タルカムの瓶などが入ったジッパー・ケースがあるだけであった。ハワードのコレクションに比べるとなにもないに等しい。薬品はなかった。寝る時はなにも着ないらしいが、きれいな白地の刺し子のガウンが浴室のドアの裏に、今にもずり落ちそうな格好でかかっていた。

彼女はまだ鞄から荷物を出し終えていなかった。スーツケースが口をあけたまま椅子その他によせかけてあって、下着やジェニイと別れて以来お目にかかったことのない女性用品がいりまざっていた。

化粧台の上は、女中が掃除に手を尽したあとが見えたが、高価な品々が混乱状態をていしていた。いろいろな化粧品の瓶、香水、ヘア・スプレイが片側にゴタゴタと立っており、一方にはティッシュ・ペーパーの箱、スカーフや化粧鞄の上の段をそのままひきぬいたのが雑然とおいてあった。ワニ革で金金具のついた化粧鞄自体は床の上に立ててあった。取り上げてベッドの上においた。錠がかかっていた。錠をあけて中を調べた。

ドリアはなかなかたいした女である。付けまつげを二組、爪の予備セット、かつらが一つあった。宝石箱は彼女の持ち物の中で整備されている唯一の物であったが、上の段には前夜身につけていたサファイヤとダイヤの耳飾りと共に、ダイヤの日輪型のブローチ、サファイヤの指輪が入っていた。次の段にはネックレス、腕輪、耳飾り、ブローチ、指輪が入っていた。すべて金、プラチナ、黄水晶などでできている。黄色の宝石はあまり見かけないもので、デザインのけばけばしいところから、特に彼女のために作られたものであろう。

宝石箱の底にペーパーバックの小説が四冊入っていた。いかにもわいせつな内容で、クレイの夫としての能力に疑いを感じるくらいであった。ジェニイは、本当に満足している女はいかがわしいセックス物など読む必要がないのだ、とつねづね言っていた。ドリアは明らかに読む必要があるようだ。

本の横に厚い革張りの日記があった。中に美しきクレイ夫人がいろいろと奇妙な秘事を書きこんでいた。彼女の生活は衣類と同じように乱雑な内容のようで、人並みの社会生活と夢幻と変態的な夫婦生活が入りまじっている。日記の内容が本当であるとすると、彼女とハワードの双方が、ふつうの性行為よりも、彼が彼女を鞭うつことにいっそう深い快感をおぼえるようである。ま、少なくとも似合いの夫婦である、と思った。ハント・ラドナー社が扱った離婚事件のあるものは、夫婦の一方が嗜虐性で、片方がそれを嫌悪するのが原因になっている。

箱の底にあと二つの興味のある品が入っていた。一つは丸めて茶色のベルベットの袋に入れてある、学校の先生がよく使う革紐で、その用途は日記の内容からおして容易に想像できた。もう一つはチョコレートのあき箱に入れてある拳銃であった。

4

私は電話で地元のタクシーを呼び、オックスフォドへ行ってカメラを買った。店は土曜日の午後の多忙な時間であったが、私の用をきいた若い男は、ほかの客には目もくれず、片手写真師の問題と熱心に取り組んでくれた。二人で相談した結果ドイツ製の超小型カメラ、縦一インチ横三インチ厚さ半インチの物にきめた。それならば私が片手でしごく容易にセットし、写し、まきあげることができた。

彼は私に使用方法を念入りに教えると、端に一インチほどのねじこみの露出計をつけ、フィルムを装塡し、黒いケースに入れてくれた。ズボンのポケットに入れてもふくらみは見えなかった。私にフィルムの入れ替えができなければいつでもやってくれると言った。お互いに上機嫌で別れた。

屋敷に帰ると、みんなは客間の暖炉のそばでホット・ケーキを食べていた。食べたかった。私の大好物なのだ。

私が入って行ってみんなが輪をなしている外側の椅子に腰を下ろすのに気づいたのは、

ヴァン・ダイサート夫人だけであった。彼女はとたんに爪をとぎ始めた。早速貧乏人が金目当てで結婚する話を始めたが、チャールズは別に否定するようすもなかった。ヴィオラが探るように私のほうを見て、心配そうに口を開きかけた。私がウィンクすると安心してまた閉じた。

みんなの話のようすで、狩猟のほうはいつもの調子（やまどりが二つがい、かも五羽と兎一羽）らしいことがわかった。チャールズは勢子《せこ》を使う大がかりな猟が嫌いで、自分の所有地の猟場を好んだ。夫人連中はオックスフォドの店の売子の態度が悪いとこぼし、十五世紀のイタリアのガラス器製造に関するパンフレットをもらってきていた。すべてがごくありふれた田舎の週末であった。自分がこそこそと探偵ごっこをしているのが現実の出来事でないように思えるくらいであった。チャールズがでっちあげた私の虚偽の立ち場もそうである。

クレイの視線と、そのうちに手が、宝石の入っている本棚のほうへ伸びた。再び戸が開かれ、チャールズの作った照明仕掛けが順調に作動し、宝石が一つ一つ取り出された。順送りに手渡され、みながそれぞれ観賞していた。ヴァン・ダイサート夫人はことのほか紅水晶がお気に召したようで、光にあててキラキラ光らせてみたり、つややかな表面を指先でなでたりしていた。

「レックス、私にもこんなのを蒐集してちょうだい！」と、ふかふかした外見の奥の鉄のごとき意志を露呈して夫に命じた。人を威圧するようなレックスが弱々しくうなずいていた。

クレイの話が耳に入った。「ロランド、どれもたしかにすばらしい石だ。私が今まで見た中でも最高だね。従兄弟という人は、これだけの石を集めたところをみると、まれにみる幸福な、しかも有力な人であったにちがいない」

「そう、そういう人でしたよ」チャールズが落ち着いて答えた。

「万一これらを手放すような場合には、まず私に値をつけさせてくれませんか?」

「それはかまいませんがね」チャールズがほほえんだ。「手放すようなことはまずないでしょうな」

「まあ、今はそういうお考えでしょう。しかし、私もかんたんには諦めないほうでしてね。そのうちに折りを見て、またあなたを打診します。しかし、万一の時は私にぜひお願いしますよ」

「もちろん」チャールズが言った。「確約します」

クレイは手の石を見つめて笑みをうかべていた。すみれを石化したようなすばらしい紫水晶原石であった。

「絶対に火の中に落としてはいけませんよ。黄色に変色しますからね」彼はみんなに紫水晶の講義を一席始めた。わかりやすく説明をすれば興味のある話なのかもしれないが、人の知らないような単語を使うのが習慣なのか、あるいは考えがあってのことであるのか、私には見きわめがつかなかった。

「……マンガンは南米やロシアなどで異質晶簇あるいはめのうなどの瘤塊として産出していますが、その分布状態は全世界に及んでいるために、当然原始社会では超自然的な属性をもっているものと……」

とつぜん彼が私を直視しているのに気がついた。私自身、自分の表情が感嘆とはほど遠いものであることを知っていた。しいて言えば、冷笑するような表情であった。それが気にいらないようだった。目がキラッと光った。

「自分の理解の及ばぬことをあざけるのは、貧民窟の人間の物の考え方の特徴なのだ」と言った。

「シッド」チャールズが言葉鋭く、うっかり私の名前の一部を口にした。「おまえはほかになにかすることがあるだろう。夕食まで用はない」と言った。

私は立ち上がった。自然な怒りがこみあげたが、言葉にはならなかった。つばをのみこんだ。「わかりました」と呟いた。

「その前にちょっと、シッド、シッド」ヴァン・ダイサート夫人がソファに深々とよりかかったまま言った。「……シッド、なんて下賤な名前なんでしょう、ピッタリだわ……これをテイブルへのせてちょうだい」

彼女は両手に石を一つずつ拳の間に一つはさんでさしだした。私は全部持てないので落とした。

「おや、まあ」私がかがみこんで一つずつテイブルにのせていると、ヴァン・ダイサート夫人は刺をふくんだやさしい声で言った。「私としたことが、あなたの手のことを忘れていたわ」忘れるはずがない。「どうにか治療してもらって、治すことはできないの？　運動をするといいわよ、とても体のぐあいがよくなるから。なんでも辛抱がかんじんだわよ。提督に対しても、やってみるだけの義理があるんじゃない？」

私は黙っていた。チャールズもさすがに口を出さなかった。

「私、とてもいい人を知っているんですの」ヴァン・ダイサート夫人が続けた。「国で陸軍に勤務していた人なのです……仮病を使う兵隊を治すのがとても上手でしてね。あなたにはそういう人が必要なのよ。いかがですか、提督、その人にこのお婿さんをみてもらうようにいたしましょうか？」

「まずむだでしょうな」チャールズが言った。

「そんなことはありませんわ」こぼれるばかりの笑みをうかべて、はっきり言った。「一生なにもしないでぶらぶらさせておくわけにはいかないでしょう。少ししめてもらえばいいのですよ、ほんとに。ところで」私のほうを向いた。「面接の申しこみをするときに、どんなようすかわからないでは話にならないから、その大事な手とかいうのを見せてごらんなさい」

一瞬部屋が静かになった。みなが好奇心にかられて、刺のある視線を私に注いでいるのが感じられた。

「お断わりします」私は穏やかにこたえた。「せっかくですが、だめです」

部屋を横ぎって入り口を出る時、彼女の声が流れてきた。「おわかりになりまして、提督、治す気がないのですよ。ああいうのは、みんな同じですわ……」

私は二時間ほどベッドに横たわって、会社法を、とくに乗っ取りに関する部分を読んだ。病院で読んだ時と同様、決して読みやすいものではなかった。ことに今のように、一つの目的をもって読んでいると、かえっていりくんでいるように感じられた。シーベリィの理事たちが心配しているのであれば、自分たちで調査員を雇っているはずだ。私が競馬のことに明るいのと同じように、株式市場の事情に精通している人間を。つまり専門家を。かりにクレイの意図を阻止しうる人間がいるとしても、私などはぜんぜん見当違いの人間である。そうは言っても……私は下唇をかみながら天井を見つめた……無謀な考えが頭にあった……。

ノックをしてヴィオラが入ってきた。

「シッド、あなた大丈夫なの？　なにかしてほしいことはないの？」静かに、しとやかに、心配そうな面持ちでドアをしめた。

私は起き上がると、ベッドから足をたらした。「ありがとう、でも大丈夫ですよ」

彼女は肘かけ椅子の腕に腰をかけて、優しい、多少憂いをふくんだ目で私を見ながら、口早に言った。「シッド、なぜチャールズにあんなひどいことを言わせておくの？　あなたが部屋にいる時ばかりじゃないのよ。あなたのいないところでも笑い話の種にしているわ。チャールズとあの恐ろしいヴァン・ダイサート夫人が……あなた方二人の間になにがあったの？　あなたが重傷を負った時、自分の子供のことのように心配していたのに……それが今では、あんなに苛酷なひどい態度をとっている」

「ヴィオラ、心配しないでください。チャールズがなにか考えがあってやっていることなんですよ。私は彼の言うとおりにしているんです」

「そう」彼女はうなずいた。「彼が私に注意したわ。あなたと二人で煙幕を張るのだから、あの人たちの滞在中、一言もあなたの弁護をしてはならないって。でも、それは本当ではないでしょう？　チャールズがあなたのお母さんのことを言っている時あなたの顔を見たら、あなたがぜんぜん予期していなかったことがわかったわ」

「そんなに顔に表われていましたか？」私は情けない気持ちになった。「彼と仲たがいをしたのでないことを、断言します。ですから、あまり気にしないで、彼の言うとおりにしてくれませんか？　私の……なんと言うか……経歴で、うまくいってた部分とか、探偵社に勤めていることや射たれたことなど、あの連中に一言も言わないでください。今日オックスフォドへ行った時、なにも話してないんでしょうね?」私はちょっと心配になった。彼女は首をふった。「あなたにきいてから、と思ったの」

「よかった」私は思わずニヤリとした。

「やれ、やれ」彼女は半ば安堵したような、半ば納得のいかない面持ちで声をあげた。

「ところで、あなたのところをのぞいて、必ず夕食に下りてくるように伝えてくれ、とチャールズに言われたの」

「ふーん、なるほど、そう言いましたか? あんな調子で私を部屋から追い出したんで、私がカンカンになっているとでも思っているんだな。それじゃあ、彼のところへ戻って、夕食後、私を入れないでカード・ゲームの段取りをしてくれるなら下りて行くと伝えてくれませんか」

夕食は多少忍耐を要した。客たちは、鮭の燻製ややまどりの料理を味わいながら、またひとしきりシッドいじめを楽しんだ。チャールズとふかふかした怪物女にそそのかされて、クレイ夫妻もこの週末の娯楽ゲームがだんだん上手になってきた。私はチャールズがあんなことを思いつかなければよかったのに、と内心本気で考えた。しかし彼も、コーヒー、ブランディと宝石の観賞がすむとカード・ゲームの準備を始めて、彼のほうの約束を守り、客間のテイブルのまわりに客を坐らせた。

二階に上がり、ゲームが順調に進んでみんなが専念しているのを見きわめると、クレイ夫妻の部屋へ行って書類鞄を取り出し、自分の部屋へ持ってきた。

二度とこのような機会がないので、なにかを見落として後悔することのないよう、鞄の書類を一枚のこらず写真にとった。株屋からの手紙も、投資結果の報告書も。持ち株証書と下敷板の二枚の書類も写した。

特別に明るい電球を使い、露出計で正確な露出をセットしたが、できるだけ鮮明な写真を得るために、重要と思われる書類はいろいろと露出を変えて何枚も写した。小型カメラはたいへんに扱いやすく、カセットに入ったままのフィルムを取り替えることもさほど困難なくやれることがわかった。写真をとり終わった時には、二十枚撮りのフィルムを三本使っていた。一枚写すごとにカメラを下において新しい書類を光の下に入れねばならなかったし、鞄の中に入っていた順序を変えないような慎重を期したので、長い時間がかかった。

十ポンド紙幣の入っている封筒があるので、クレイがカードで負けすぎて金が不足し、部屋へ取りにこないかと気が気でなかった。そのときはなにかばかげたことのように思えたが、封筒から紙幣の束を取り出して、それも写真をとった。封筒に戻す時にめくって見ると、新品の札で、一束に五十枚ずつ、通し番号が入っていた。一千ポンドきっちりあった。

すべてを鞄に戻すと、しばらく中身を眺め、元のようすの記憶をたどって位置をたしかめた。これでよし、と満足すると鞄をしめ、錠をかけ、触ったとおぼしきあたりの指紋をぬぐいとって、鞄をもとの場所へ戻した。

階下の食堂へ下りて行って、夕食の時に断わったブランディを注いだ。酒が飲みたかった。グラスを手にして客間の外に立ち、中の話し声とゲームの音に耳を傾け、二階のベッドへ戻った。

闇の中で横たわったまま、状況を再検討した。ハワード・クレイは石英のコレクションにつられ、田舎に隠退している提督のもとで週末を過ごすべく、招待に応じた。その時、重要書類を持ってきた。そのような他意のない状況のもとで、何者かにスパイされると考える理由は万に一つもないのであるから、書類は非常に重要なものなのであろう。自分の行く先々へ持って行くのがいちばん安全であると考えるほど重要なものなのか？　家においておけないほど重要なのか？　そうであってほしいものだ。

そこまで考えた時、私は眠りに落ちこんだ。

腹のあたり一面が痛んでなかなかとまらない。五時間ほど我慢をしたが、午前中をベッドに横たわってそのことばかりに気をとられているのはかえってよくないと考え、起きて服を着た。

自分の意志に反して私は廊下をジェニイの部屋のほうへ歩き、中に入った。子供の頃からの小さな日当たりのいい部屋だった。私と別れてからは、またこの部屋でくらしていた。私はここで寝たことがない。シングル・ベッド、子供の頃の思い出の品、少女らしいモスリンのひだ飾りのついたカーテン、化粧台、すべて私に関係のないものであった。部屋のあちこちにある写真も、父、亡くなった母、妹、義弟、犬、馬、といったもので私のはなかった。自分の手の届く範囲では、彼女は完全に結婚の思い出を消し去っているのだ。

私はゆっくりと歩きまわり、彼女の持ち物に手をふれながら、自分がどんなに彼女を愛していたかを思い起こした。元の状態に戻ることはありえないし、今この瞬間にドアをあけて彼女が入ってきたとしても、お互いに和解の涙にくれて抱き合うことなどあり得ないのはわかっていた。

片目しかないクマの人形を動かして、彼女の肘かけ椅子に腰を下ろした。一般に結婚がどこでうまくいかなくなったかというのは困難である。表向きの理由が本当の理由ではないからだ。ジェニイと私の口論の原因がつねに同じ一つのことにもとづいていたのは明瞭であった。私の野心だ。体重がふえて平地競馬に出られなくなったので、結婚の前年のシーズンから私は大障害一本に切り換え、チャンピオン騎手になろうと決めた。そのためには食物も酒も控え、早く床に就き、出走の前日は妻に触れないことなどを決意した。彼女がなによりも深夜パーティやダンス会が好きであったのが不運なめぐり合わせであった。彼女初めのうちは気持ちよく諦めてくれたが、そのうちにはさほどさっぱりと諦められなくなり、しまいには行けないと激しい怒りを爆発させた。それからは一人で出かけて行くようになった。

やがて彼女は私に、自分と競馬のどちらかをえらべと言った。しかしその頃には、私はすでに相当以前から望みどおりチャンピオンになっていて、やめるわけにはいかなくなっていた。ジェニイは出て行った。皮肉にも、それから六カ月後、私は怪我で騎手の生活を諦めねばならぬことになった。それ以来私は、結婚というものは片方がパーティが好きで片方が嫌いだから、というような単純な理由で破れるものではないことにしだいに気がついた。今では、ジェニイが華やかな雰囲気を求めたのは、彼女の心の奥底にあるものを私が充たしてやることができなかったからだ、と考えている。そう考えると、私の自尊心や自信が崩れた。

私は溜め息をついて立ち上がると、クマを元の位置に坐らせて階下の客間へ下りて行った。風の強い秋の朝、十一時頃であった。

大きな落ち着いた部屋にドリアが唯一人、窓ぎわの椅子に坐って新聞の日曜版を読んでいた。足もとには新聞が散らばっていた。

彼女が顔を上げて、「あら、どこの穴から這い出してきたの？」と言った。

私は暖炉のほうへ行って相手にしなかった。

「哀れな小人は気を悪くしたのかしら？」

「私にだって人と同じような感情はあります」

「あら、口がきけるのね？」とからかうように言った。「きけないのかしら、と思い始めていたのよ」

「きけますよ」

「それじゃ、悩みをうちあけてみなさいよ、小人さん」

「苦労なんかありませんよ」

窓ぎわの椅子から体を起こして暖炉のほうへやってきた。体に吸いつくような豹皮の模様のパンツと黒い絹シャツが、いかにも部屋の調度にそぐわなかった。

彼女はジェニィと同じくらいの背丈であった。ジェニィは私と同じく五フィート六インチだった。自分が小柄であることが騎手としては利点であったために、私は体の小さいことが一般生活の面でも、肉体的あるいは社会的にも不利な要素であるとは全然考えていなかった。また、背の高さそのものがなぜ重要視されるのか理解できなかった。もちろん、人の精神や感情を身長という尺度で計りたがる世間一般の奇妙な風潮を知らないわけではない。感情の起伏の激しい小男というのはいつでも漫画の主人公にされる。全然理屈に合わないことなのだ。足の骨が人より三インチか四インチ長いからといって、それが人間の基本的な性格にどのような影響を及ぼすというのであろうか？　私の場合は、貧しい幼少時代の栄養不足の結果小柄に終わったことがかえって有利であった点はしあわせなのかもしれない。そうかといって、他の小男が一種の自衛手段として反撥する気持ちがわからないのではない。例えばドリアのような女から、侮辱のつもりで小さい男と言われれば、カンにさわることに変わりはない。

「あんた、すっかり住み心地のいいところへもぐりこんだわね」マントルピースの上の箱から煙草を一本とった。

「そのようですな」

「私が提督なら、追い出してやるわ」

「ご親切なことで」火をつけてやるようすも見せずにこたえた。彼女は憎らしそうに私をにらむとマッチを見つけて自分で火をつけた。

「あんた、どこか悪いの?」

「いいえ、どうして?」

「なにか気味の悪い病人食を食べているし、病みついた動物のようだからそう思ったのよ」鼻から煙をはきだした。「提督の娘さんは、よほど結婚指輪がほしかったのね」

「彼女なりの理由があったんでしょうな」私は穏やかな調子で言った。「少なくとも、自分の倍も年上の金持ちおじさんは選ばなかったんだから」

一瞬彼女が芝居がかった身ぶりで私のほほをひっぱたくのかと思ったが、たまたま利き手に煙草をもっていた。

「このクソ野郎」と言った。たいへん可愛げのあるお嬢さんである。

「そう思う人ばかりでもない」

「私はちがうんだよ」顔がひきつっていた。よほど痛いところを突いたようだ。

「ほかの人たちはどこかな？」誰もいない部屋の中を見廻すように私が言った。

「提督とどこかへ行ったんだ。おまえさんもトットと出て行くがいい。目ざわりだよ」

「行かないね。私はここに住んでるんですよ、お忘れか？」

「ゆうべはトットと出て行ったじゃないの」冷笑した。「提督がとべと言えばとぶ。大急ぎでね。いいざまだよ」

「提督は私に食べ物をくれる手だ。その手をかむわけにはいかない」

「人の靴をなめる犬畜生と同じだ」

私はあざけるようにニヤリと笑って椅子に腰を下ろした。気分がよくなかった。体中がまっ青になってべっとりと汗ばんでいるような気持ちだった。手の施しようがない。そういう状態が通りすぎるのを待つほかはないのだ。

ドリアは煙草の灰を落とすと、次はどうしてやろうかと、私を見ながら考えていた。しかしきりだす寸前にドアがあいて、彼女の夫が入ってきた。

「ドリア」椅子にかけている私に気づかずに嬉しそうな声をあげた。「私のシガレット・ケースをどこへ隠したのだ？　そんなことをすると痛いめにあわせるよ」

彼女が急いで私のほうを指さした。ハワードが私に気がついてハッと立ちどまった。

「こんなところでなにをしているんだ？」ぶっきらぼうに言った。さきほどのうきうきした表情は消えていた。

「出て行け、妻と話があるのだ」

私は首をふってじっとしていた。

「つまみあげて放り出さないかぎり動かないわ。私、やってみたのよ」ドリアが言った。

クレイは肩をすぼめた。「ロランドが辛抱しているのだ。私たちも我慢するんだね」新聞を取り上げると、私に面した肘かけ椅子に腰を下ろした。ドリアはふくれっ面をして窓ぎわの席へ戻った。クレイが新聞を広げて一面を読み始めた。私のほうに向いたその裏側の競馬欄から大きな見出しが目にとびこんできた。

〈ハレーの再現か？〉

その下に二つ、顔写真が並んでいた。一つは私で、片方は昨年の大レースに優勝した若い男であった。

チャールズがいかに私のことをみなに誤り伝えたかをクレイに知られることは、このさい絶対にまずい。今ではもはや冗談だと言い訳をする段階はすぎている。また、珍しく写真がはっきりと印刷されていた。私のよく知っている写真である。古い写真ではあるが実物によく似ているので今までに何回となく使われた写真である。客の誰もが、ドリアもそうらしいが、たとえ競馬欄を読まない連中であっても、あのようにでかでかと出ているのでは、ページをめくっていて気がつく可能性がないとは言えない。

クレイが一面を見終わってページをめくりかけた。

「ミスタ・クレイ、あなた自身も石英のコレクションをお持ちなのですか?」私がたずねた。

彼は新聞を下ろして私のほうへしぶしぶ視線を向けた。

「ああ、もっている」と言葉少なく答えた。

「それでは提督のコレクションに加えるためになにを贈ったらいいか教えてくれませんか? どこで手に入れて、いくらくらいするものなのか?」

新聞をたたんだ。私の写真がかくれた。彼は咳払いをすると、ただ儀礼的に調子を合わせる口調で、提督のもっていない、なにかわけのわからない結晶体の説明を始めた。相手の泣きどころを突けばいいのだな、と思っていたら、ドリアがぶちこわしにした。体をしゃくるようにクレイのところへ歩いて行くと、腹だたしそうに言った。「ハワード、いいかげんになさい。この化け物はお世辞をつかってるのよ。きっとなにかねだりたいのよ。石の話となるとあなたは相手構わずなんだから」

「そうかんたんには私をごまかせないよ」クレイがはきだすように言った。いらだたしそうに目を細めていた。

「そうじゃない、私は提督を喜ばせたいだけなのです」

「こいつはずるっこすいのよ。大嫌いさ」ドリアが言った。

クレイは肩をすくめ、新聞に目をおとして、広げはじめた。

「お互いさまだな」私はさりげなく言った。「可愛子ちゃん」

クレイがゆっくりと立ち上がった。一面を上にして新聞が床にずり落ちた。

「今なんと言った?」

「奥さんをあまり好きじゃないって言ったんですよ」

当然ながら、彼は激怒した。さっと一歩前に出た。日曜日の朝、暖炉の前で三人が嫌味のやりとりをしている以上に緊迫した空気が部屋にみなぎった。

彼に関するかぎり、私がひとはたきすれば事足りる蠅のような存在にすぎないことがわかっていながら、彼の全身が狂暴な意図を電波のように放射していた。落ち着いた社交的なお面が、多弁なインチキくさい外見と共に消え去った。彼の書類に目を通した時の疑念と、初対面の時からの嫌悪感が相重なって、ようやく遅ればせながら、はっきりした映像に変わっていった。これは、非合法すれすれの線で投機的な金儲けをしている口のうまいイカサマ師ではなく、大がかりな悪事を企む、強力で危険な人物なのだ。

相変わらず自分のやりそうなことだ。蟻の巣と思って蜂の巣を蹴とばしたのだ。無害な小蛇と思ってしっぽをふんだら人食い大蛇だった。たかが女房の悪口くらいでなくもっと重要なことで怒らせたら、どんな正体を現わすのだろう、と考えた。

「汗を流してるわよ」ドリアが嬉しそうに言った。「あなたが怖いのよ」

「立て」と彼が言った。

立てば殴られて椅子に崩れ落ちるのがわかっているので、じっとしていた。

「謝りますよ」私が言った。

「だめよ、そんなことですましちゃ」ドリアが言った。

「なにか骨身にこたえる方法はないかな」クレイが私を見下ろしながら言った。

「わかったわ！」ドリアが自分の思いつきに歓声をあげた。「ポケットから手をひきだして見ましょうよ」

二人は私の表情から、それが私のなにより嫌がることであるのを見てとった。二人がニンマリほほえんだ。逃げだそうかと考えたが、それでは新聞を残して行くことになる。

「それがいいな」クレイが言った。かがむと片手で私のシャツの胸ぐらをつかみ、一方の手で私の髪をつかんで引き上げた。私の頭のてっぺんが彼のあごの位置にあった。抵抗するような体の状態ではなかったが、立ち上がりながら一応彼の顔をなぐろうとした。ドリアが私の腕を両手で捉え、すごい力で背中へしめ上げた。頑健な女が人を痛めつけることなど気にしないでやっている。

「私に失礼なことを言ったばちだよ」と満足そうに言った。

向こうずねを蹴ってやろうかと考えたが、よけいひどいめにあうだけだ。どこへ行っているのか知らないが、チャールズが早く帰ってくることを祈った。

帰ってこなかった。

クレイは私の髪を放した手で私の左腕をつかんで引っぱった。役にたたない腕であったが極力抵抗した。肘を体に押しつけた。手がポケットから出なかった。

「もっとしっかり押えなさい」とドリアが言った。「見かけより力がある」彼女は一インチほど私の腕をしめ上げた。私は体を廻してふりほどこうとした。しかし、クレイが胸ぐらをつかんでいて、腕が私ののどを押し上げている。二人の間で私は身動きができなかった。そうかと言って、ただじっと立っていて自分の嫌なことを彼らにやらせておくわけにはいかない。

「ばかにもがくわね」ドリアが嬉しそうに言った。

私はまだもがき、抵抗を続けた。二人はあせってしだいに乱暴の度を加え、私は息がきれてきた。腹の痛みに力がつきた。抵抗する気力がなくなった。烈しい勢いで私の手を引き出した。

「どうだ」と勝ち誇ったように言った。

彼は私の肘を力まかせにつかんで、シャツの袖を手首からひき上げた。ドリアが私の右手を離して望みのものを見に前へ出た。私は憤怒と苦痛と屈辱……その他あらゆる感情に体を震わせていた。

「あら」ドリアが無表情に言った。「まあ」

彼女も夫も、顔から微笑が消えていた。もはや役にたたないしまりのない、ねじ曲げられた手、腕や手首や手のひらの引き裂いたような傷跡や、その後の手術の跡を黙って見ていた。ひどい惨めな有様だった。

「これだから提督がおいてやっているのね、この根性の悪いけだものを」顔をしかめながらドリアが言った。

「だからといって無礼なまねは許されん。今後口を慎むように思い知らせてやる」クレイが言った。

彼は手刀でいちばんひどい、手首の裏側を叩いた。私は全身ビクッとした。

「もう……やめて」私が言った。

「あまり痛めつけると、提督に言うわよ。残念だけど、そのくらいにしておいたほうがいいわ」ドリアが注意した。

「そうは思わんが……」

外の砂利道で音がして、チャールズの車が窓を通り過ぎた。帰ってきた。

クレイが振り払うように私の肘を離した。私は力がつきたように絨毯の上に膝をついた。見せかけばかりではなかった。

「提督にこのことを言ったら、私は否定する」クレイが言った。「どちらの言葉を信じるかは明らかだ」

どちらの言葉を信じるかは、私にはわかっていたが、口にしなかった。騒ぎの原因となった新聞が私のすぐそばにあった。向こうのほうで車のドアがしまる音が聞こえた。クレイ夫婦はその音に窓のほうを向いた。私は新聞を拾い上げると立ち上がって入り口のほうへ行った。誰も止めなかった。新聞のことも言わなかった。ドアをあけ、通ってしめた。よろめきながら廊下を越えて士官室へ行った。二階に上がる元気はなかった。ドアをしめ、新聞を隠すと、チャールズ愛用の肘かけ椅子に倒れこんで、いろいろな精神的肉体的苦痛が収まるのを待った。

しばらくして、チャールズが煙草をとりに入ってきた。

「やあ」戸棚をあけながら肩越しに言った。「まだ寝ているのだと思っていたよ。クロス夫人が、けさは気分が悪そうだ、と言っていたし。ここは暖かくないな。どうして客間へ行かないのだ?」

「クレイ夫妻が……」言いかけてやめた。

「まさかくいつきはしないだろう」煙草を手にしてこちらを向いた。私の顔を見た。「なにがそんなにおかしいのだ?」こんどは鋭い目で見直した。「どうかしたのか?」

「いや、なんでもありません。きょうのサンディ・ヘミスフェア紙を見ましたか?」

「いや、まだだ。見たいのか？　ほかの新聞といっしょに客間にあると思ったが」

「いや、あなたの机のいちばん上の引き出しにはいっています。見てごらんなさい」

ふしぎそうに引き出しをあけ、新聞を取り出して広げた。判断よく競馬欄を見た。

「これは、たいへんだ！」愕然とした。「よりによってきょうとはなあ」す早く記事に目をとおして、微笑した。「きみはもちろん読んだのだろうな？」

私は首をふった。「ただ隠すためにもってきたんです」

私に新聞をよこした。「それでは読んだほうがいい、気分がよくなるよ。いつまでもきみを忘れないのだな。〈若年のフィンチは偉大なるシッドに劣らぬ好判断と天才的な精妙さを発揮した〉どうだい？　それだけじゃないんだよ」

「驚きましたな」私は笑った。「チャールズ、よかったら昼食を失礼させてくれませんか？　もう用ずみでしょうから」

「気分がよくないのなら仕方がないな。連中は遅くとも六時までには帰るはずだ。嬉しいだろう？」微笑を見せて、客間のほうへ行った。

しまう前に新聞の記事を読んだ。チャールズが言ったように、気分をよくした。私の長年の知り合いである筆者が、当時の私の能力を誇張している、と思った。伝説はつねに真実よりふくれあがる。それにしても嬉しかった。とくにその偉大なるシッドがつい先程経験した闘争のいまいましい屈辱的な結末を考えれば。

翌朝、チャールズと私は、荷造りをしてカーヴァー研究所へ送り返すために石のラベルを貼りかえた。終わってみると、ラベルが一枚残った。

「ラベルを替えないで石を箱に入れたのではあるまいな？」チャールズが言った。

「絶対にありませんよ」

「もう一度点検してみよう。それしか考えられん」

大きな箱から再び石を全部取り出した。チャールズが毎夜ぶつぶつ言いながら自分の部屋においた宝石のほうは全部揃っていた。しかし、不足の石がそちらにまぎれこんでいないか調べてみた。どこにもなかった。

「聖ルカの石」私がラベルを読み上げた。「あった場所を覚えていますよ。最上段の右のほうです」

「そう」チャールズが同意した。「こぶしくらいの大きさのつまらない石塊だったよ。紛失してなければいいが」

「紛失したんですよ。クレイが盗んだんだ」私が言った。

「冗談じゃない」チャールズが声をあげた。「そんなことがあるはずがない」

「研究所へ電話して、あの石の価値をきいたほうがいいですよ」

すっきりしない表情でさかんに首をふっていたが、そのうちに電話をかけると、むつかしい表情で戻ってきた。

「先方は、石その物の値打ちはないが、非常に珍しい隕石の一形態なのだと言ったよ。もちろん、鉱山や採石場などからは出てこない。天空から落ちるのを待って、それを見つけなければならない。たいへんややこしい代物なのだ」

「クレイ先生が持っていない石だな」

「しかし、自分にうたがいがかかるくらいはわかっているだろう」チャールズが反論した。

「もし本当に従兄弟から受け継いだものであれば、あなたはなくなったことに気づいていませんよ。棚の上にすきができているわけじゃない。彼が順につめたんですよ。彼がいなくなった直後に、慎重に点検するとは思っていないでしょうからね」

チャールズが溜め息をついた。「取り返す可能性はまずないな」

「ありませんね」私が同意した。

「きみが保険をかけろとうるさく言ってくれたので助かったな」彼が言った。「カーヴァーではあのつまらない石を、ほかの全部をひっくるめたより高く評価しているのだ。あれと同じような隕石は、ほかに一つだけ発見されているにすぎない。聖マルコの石だ」彼はとつぜん微笑をうかべた。「どうやら、私たちはなにも失わないですんだようだな」

5

二日後に、ハント・ラドナー社の円柱の立っている玄関を、この前出てきた時よりはるかに元気よく入って行った。

交換台の女の子から、お帰りなさい、と声をかけられ、口笛を吹きたいような気持ちでらせん階段を上り、競馬課の連中の賑やかなひやかしに迎えられた。われながら意外だったのは、自分の家へかえってきたような気持ちがしたことである。いまだかつて自分が本当に社の一員になったような気がしたことはなく、エインズフォドにいた時も、あまり出社を急ぐ気にはならなかった。気がつくのが遅すぎたのだ。もうすでに手遅れかもしれない。

チコが顔いっぱいに笑みをうかべた。「なんとか、たどりつけたようだな」

「うん……まあね」

「この地獄部屋へさ」

「ああ」

「しかし」時計のほうへ目玉だけ向けて、「例によって遅刻だな」

「よけいなお世話だ」

チコがみんなの微笑しているほうへ大げさに手を広げた。「お愛敬者のわがシッドが帰ってきたぜ。これでやっと社もふだんの仕事に戻れるぞ」

「なるほど、まだ机をくれないんだな」私は部屋の中を見廻して言った。机もなく、根も生えず、人並みの仕事もない。以前と同じだ。

「ドリィの机に腰かけりゃいいよ。そのために毎日ふいていたぜ」

ドリィが大きな目にあからさまに母性本能を見せて、微笑しながらチコを見ていた。この社では二番目に優秀な課長といえる。電子計算機のような正確に整理された頭脳の持主である。体の大きい、力強い、自信に満ちた四十女で、過去に結婚を二度経験しており、今でも望みを捨てない中年の独身者につきまとわれているらしい。彼女は子供ができないために、自分を無益な女だと思いこんでいる。すばらしく優秀な実務家で、女らしい生命力が溢れており、楽しい酒飲み相手でもあったが、心の底では淋しい女なのである。

チコは母親らしいふるまいをされるのを嫌った。母親というものについては一種の反感をもっていた。バーンズ・ブリッジの警察署の前にうば車にのせた赤ん坊を捨てた母親だけでなく、世の中一般の母親に対してである。彼はドリィをからかいながら、彼女が時折り見せる母親的な思いやりを巧みに避けていた。

私は長い間坐りつけたドリィの机の端に腰かけて、足をぶらぶらさせた。

「わが愛すべきドリィよ、探偵商売はどうだね？」私が話しかけた。

「ここで必要なのは、あなたが口数をへらしてもっと仕事をしてくれることだわ」おどけて辛辣な口をきいた。

「じゃあ、仕事をくれよ」

「そうね」考えていた。「あれを……」言葉がきれた。「いや、だめだな……まずい。ランバーンへはチコが行ったほうがいいわ。ある調教師が厩務員の一人を調べてほしいっていうの……」

「じゃ、おれにはなんにもないんだね？」

「そう、今のところは……ないわね」ドリィはこれまでに何百回となく、ない、と言っている。ある、と言ったことはかつてない。

私は舌を出して顔をしかめて見せて彼女の受話器を取り上げ、ボタンを押してラドナーの秘書を出した。

「ジョーニィ？　シッド・ハレー。そう……あの世から帰ってきたんだ。ボス忙しい？ちょっと話したいんだ」

「いばってるな」チコが言った。

ジョーニィのハキハキした声が聞こえた。「いま来客中なの。帰ったら都合をきいて電話します」

「オーケイ」受話器をおいた。

ドリィが眉を上げた。課長として、彼女は私の直属上長である。直接ラドナーに面会を申しこむのは社のしきたりを完全に無視した行動なのだ。しかし、私が仕事を要求するのをつねに彼女が拒否するのは、ラドナーじきじきの命令によるものだと私は信じている。排水のつまりをなくそうとおもえば、自分でつまっている物を除かねばならない。さもなければ、おいてくださいと頼むほか途はない。

「ね、ドリィ、おれはこうやってぶらぶらしているのに飽き飽きしているんだ。たとえこの眺めのいい机の上でもね」彼女は、好んで着る黄色の前合わせの絹シャツを着ていた。若い女の子であれば男が目を輝かす位置で合わさっている。ドリィの場合だって、りっぱな体格と着つけで魅力的であった。

「退職あそばすのかい」チコは単刀直入だ。

「ボスしだいだ。向こうがおれを放り出すかもしれんしね」私が言った。

みんながなにか思案しているかのように、一瞬部屋の中が静かになった。みんなは私がいかになにもしないか、よく知っている。なにもする気がないことも知っている。ドリィは無表情であった。たよりにはならない。

ジョーンズ坊やが、傷一つないきれいな茶飲みカップを満載した盆をもって入ってきた。

十六歳である。騒々しく、無礼で、長幼をわきまえず、無神経な、しかしたぶんロンドンでもっとも優秀なオフィス・ボーイであろう。髪をほとんど肩の近くまでのばしていた。波をうって驚くほど清潔であった。後ろでわずかにカールしている高級なヘア・スタイルであった。後ろからは女の子のように見えたが、当人は全然気にするようすはなかった。正面から見ると、骨ばったにきび面は、まちがいなく無愛想な男の顔であった。給料の半分は日曜日に繁華街で使い、あとの半分はふだんの日の夜、女の子を追っかけるのに使う。彼の言葉によると、獲物は必ず捕えるという。しかしオフィスへ女の子がきたことがないので実証されていない。

女々しい外見の下には強い意志があった。髪をのばした頭の中には、物事にこだわらない頑固さがあった。しかし私が命をとりとめ得たのは、この愉快な、野心的な、非社交的な人間が、一日の準備のためにいつものように定刻よりはるかに早く出社して私を発見してくれたからだ。彼の仕事熱心に救われたと言える。

私をまじまじと見た。「おや、死体が帰ってきた」

「おかげでね」私がけだるい口ぶりで言ったが、本音であることはよくわかっている。しかし、彼にとってはそんなことはどうだっていいのだ。

「あんたの血がリノリュームの割れ目から入って下の板にしみこんじゃったよ。オッサン、木がむれて腐るか、どうにかなるんじゃないかと心配してたよ」

「坊や」ドリィが気味悪がってとめた。「お喋りをやめて、とっとと出てお行き」

彼女の机の電話がなった。受話器をとって聞いていて、わかったわ、と答えてきった。

「ボスが会いたいって、今すぐ」

「ありがとう」私は立った。

「やめんの？」坊やが関心を示した。

「よけいな口をだすんじゃねえよ」チコが言った。

「くそくらえだ……」

私はほほえみながら部屋を出た。例によってドリィが二人の喧嘩をおさめているのが聞こえた。階下に下り、廊下を渡ってジョーニィの小さな部屋を通り、ラドナーのオフィスに入って行った。

彼は窓ぎわに立って、表のクロムウェル・ロードの狂気じみた交通ぶりを眺めていた。依頼者がいろいろと問題を打ち明けるこの部屋は、目にやわらかな落ち着いたグレイで塗られ、緋色の絨毯とカーテン、ゆったりした肘かけ椅子、灰皿ののった手ごろな小卓、壁に絵がかかっており、ほかに装飾や花があちこちにおかれていた。隅にあるラドナーの小さな机を除けば、ふつうの応接間のように見える。この家を借りる時、ラドナーがこの部屋の調度も含めて借りたものだと誰もが思いこんでいる。それほどこのビクトリア朝風の優雅な六階建ての屋敷にふさわしい部屋である。ふつうの堅苦しいオフィスとちがって、このような落ち着いた部屋では、人はあまり誇張したり事実を歪曲したりしないものだというのがラドナーの説である。

「お入り、シッド」と言った。窓を離れなかったので私もそちらのほうへ行った。握手をした。「もう出てきて大丈夫なのかね？　もっと長くかかると思っていたのだが。きみの気性を知ってはいるが……」私を見つめながら微笑をうかべた。

大丈夫です、とこたえた。彼は天候の話、ラッシュ・アワー、政治情勢にふれながら、ようやく本論に入った。

「ところでシッド、当分は世の中のようすでも見ているつもりかな？」

伏線だな、と思った。

「もしここにおいてもらいたい、とすると……」

「もし？　さあ、どうかな」かすかに首をふった。

「同じ条件でなくて結構です」

「結局はうまくいかなかったな、残念だが」本当に残念そうであったが、容易に譲る気配はなかった。

私は慎重に平静な声で言った。「あなたは二年間、なにもしない私に給料をくれた。そのお返しをする機会を与えてください。やめたくないのです」

ポインター犬がにおいをかぎつけたように、わずかに頭を持ち上げたが、なにも言わなかった。私は続けた。

「その償いにただで働きます。ただし、本当の人並みの仕事であれば。オフィスでぶらぶらしているのはもうご免だ。頭が狂いそうになってしまう」

彼はきびしい目で私を見つめていたが、そのうちにホーッと吐息をついた。

「やれやれ。今までかかって」と言った。「それも、銃弾のおかげで」

「どういうことですか？」

「シッド、きみは生き死体《ゾンビィ》が目ざめるのを見たことがあるかね？」

「ありません」彼の言う意味がわかって、私は情けない気持ちで答えた。「そんなにひどかったですか？」

彼は片方の肩を上げた。「私はきみがレースに出ていた姿を見ているのだよ、いいかね。誰の目にも、火が消えたのはわかるものなのだ。感じのいい、気のきいた冗談を言う灰がオフィスの中を漂っていたのだ。それだけのことだった」自分の文学的な表現をはにかむような微笑を見せた。彼は言葉で絵画的表現をするのが好きなのだ。そのために仕事時間がずいぶん無駄になった。

「じゃあ、また火がついたと考えてください」私はニヤッとした。「それに、難問を持ち帰ったんです。なんとかして解決したいのです」

「長い話かね？」

「では、腰かけたほうがいいな」

私に肘かけ椅子をさし、自分も腰を下ろした。彼は平静に、精神を集中して人の話を聞く。その結果、つねに問題の核心をつかむのだ。今その態勢を整えた。

クレイが競馬場を狙っていることを話した。事実と自分の推理を述べた。ようやく話し終わると、彼が落ち着いた口調でたずねた。「どこからその情報を入手したのだ?」

「私が義父のチャールズ・ロランドの家で先週末を過ごしている時に、彼がさりげなく私によこしたのです。その時、クレイを客としてまねいてあったんです」油断のならない古狐め、と思った。人をこんな深みに落とし込んでおいて、目をさまして泳ぐように仕向けたのだ。

「で、ロランドはどこから?」

「株の動きが激しいのを理事たちが心配して、ダンステイブルもクレイの仕業だったところから、今度も彼が動いているのではないかと考えていることなどを、シーベリィの監査役から聞いたのです」

「しかし、きみが話してくれたそれ以外の事は、きみの推察だね?」

「そうです」

「週末のわずかな期間にクレイを観察した結果にもとづいてだね?」

「そうですね」

「部分的には、彼が私に露呈した性格にもとづいています。あとは、彼の書類に目を通した……」ややためらいながら、自分の探偵のまねごとや写真のことを話した。「……それ以外はカンというか、推察です」

「なるほど。調べる必要があるな……。そのフィルムを持っているのか？」

うなずいてポケットから取り出し、横の小卓のうえにおいた。

「現像させよう」椅子の腕を指先で軽く叩きながら考えていた。そのうちに決断したらしく、てきぱきした口調になった。「まず最初に、依頼者が必要だ」

「依頼者？」私はポカンとしていた。

「もちろん。ほかにどうするつもりだ？　われわれは警察ではない。あくまで営利が目的だ。税金でわが社の経費や給料をまかなっているわけではない。依頼者が払うのだ」

「なるほど……たしかにそのとおりですな」

「この場合、いちばん可能性のある依頼者はシーベリィの理事者か、全英障害競馬委員会だ。いずれにしても、まず理事長に当たってみるのがいいと思う。トップに話をもって行って悪いということはない」

「警察に依頼したほうがいいと考えるかもしれませんね、金がかからないから」

「シッド、人々が私立探偵を雇う理由の一つは、秘密裡にできるからだ。内密という点に金を出すのだ。警察がなにか調べ始めると、たちまち知れてしまう。われわれの場合は知られない。警察へ持ち込めば安上がりな刑事事件がわれわれに依頼されるのもそのためなんだよ」

「なるほど。それでは、あなたのほうから理事長に……」

「ちがう」私を遮った。「きみがやるのだ」

「私が？」

「当たり前だ。きみの事件だぞ」

「しかし、あなたが社の……彼は今でもあなたと直接交渉している」

「彼とは面識があるじゃないか」彼が指摘した。

「彼の持ち馬に乗ったことはありますが、この場合にはそれが逆効果になると思うんです。彼の目からは、私は騎手にすぎない。元騎手です。私の言うことなど、まともに受けませんよ」

ラドナーは片方の肩を上げた。「クレイと取り組みたいのであれば、依頼者が必要だ。見つけて来たまえ」

依頼者との打ち合わせとか、注文取りなどには、彼は先任調査員ですら行かせないのだ。ましてや、経験の浅い者など絶対に行かせていない。だからしばらくの間、私を行かせようとしているのが信じられなかった。しかし、彼がそれ以上なにも言わないので、私はしかたなく立ち上がってドアのほうへ歩いた。

「きょうはサンダウンでレースがあるから、彼は必ず行っているはずです」

「いい機会だ」正面を見つめて、私のほうを見なかった。

「じゃあ、当たってみます」

「よし」

まだ完全に私の希望を受け入れてくれたわけではない。といって、追い出すようすもない。部屋を出てドアをしめ、まだ半信半疑でためらっているとき、部屋の中からとつぜん高笑いが聞こえた。短く鋭い、声高な、勝ち誇った笑いであった。

私は自分のアパートへ歩いて行き、車を出して、サンダウンへ行った。乾燥した、太陽の輝く、十一月としては暖かい気持ちのいい日であった。大障害レースに人を集めるのには絶好の日である。

競馬場の門を入って行くと急に気持ちが浮き立ってきた。車（メルセデスＳＬ二三〇で、ノンクラッチ、パワー・ステアリング、後尾に、手信号不能、と記した札がついている）を駐車場に入れると、検量室の外の人ごみに入って行った。もはや、部屋の中に入って行くことはできない。自分の最後のレースの日以後、それまでの十四年間第二の住居であった更衣室や検量室に入れなくなったことが、馴れるまでは非常につらかった。騎手が免許証を返還することは、単に職を失ったということにとどまらず、自分の生活様式が根底からくつがえされることを意味するのだ。

サンダウンには顔見知りが多く、それに六週間もレースを見ていないので、その後の噂話もいろいろ聞いておかなくてはならない。誰も銃撃事件のことを知らないらしいのが私にも都合がよく、黙っていた。私は一時間ほど競馬場の雰囲気を心から楽しんだ。その間クレイのことは頭の隅にひっこんでいた。

といって、本来の目的に目を配っていなかったわけではないが、目当ての理事長、ハグボーン卿は、第三レースが終わるまで人に取り囲まれていて、近づく機会がなかった。

彼の持ち馬に何年も乗っていたし、理解のある公正な人であることは知っていたが、なんとしても近づきのない他人であることに変わりはない。超然とした近より難い人物で、日常人に接することが不得手らしく、残念ながら理事長としては不適格であった。自分自身が職権をふるうというのではなく、背後の権力を気にして、つねにチラッチラッと肩越しに後ろを見ている感じであった。理事長に誰がなっていようとおかまいなく、実際に競馬界の権限を握っている非常に厳格な小グループの人たちの不興をかわないことに専念しているようであった。ハグボーン卿は、もはや手遅れになりそうな時まで決断を遅延し、決断した後も気が変わるおそれがあった。しかしなんといっても、任期が終わるまでは表向きの最高責任者であり、私は彼に話を持ち込まねばならないのだ。

彼が競馬場取締り委員との話を終えたところで、苦情申し立てらしい調教師が近づく先を越して彼をつかまえた。彼は珍しく上機嫌で、苦情のほうにわざと背を向け、いつにないにこやかさで私を迎えた。

「久しぶりだな、シッド。しばらく見えなかったが？」

「休暇でした」と言葉少なに答えた。「ところで、レースが終わったあと、お目にかかりたいのですが？　ぜひともお話ししたいことがあるのです」

「今でいいではないか」苦情のほうをチラッと見て言った。「話したまえ」

「いいえ。時間がかかりますし、慎重に聞いていただかなければならない内容なのです」

「そうか」苦情が諦めて行きかけた。「きょうはだめだな、シッド、まっすぐ家へかえらねばならんのだ。どういうことだ？　いま話したまえ」

「シーベリィ競馬場の乗っ取り工作についてお話ししたいのです」

仰天した面持ちで、私を見つめた。「きみが話したい……？」

「そのとおりです。このような、あなたにいつ用事ができるかわからないようなところではお話しできません。午後のレースの後、二十分だけさいていただければ……？」

「それで、きみはシーベリィとどういう関係があるのだ？」

「べつにありません。覚えておられるかどうか、私はここ二年間ほど、ハント・ラドナー探偵社に関係しています。シーベリィに関していろいろな情報が入ってきますので、ミスタ・ラドナーが、あなたが関心をお持ちになるのではないか、と考えたのです。きょうは彼の代理としてきました」

「なるほど、わかった。よろしい、シッド。最終レースが終わったら理事休憩室へきたまえ。私がいなかったら待っていてくれ、いいかね？」

「はい。ありがとうございます」

私は内心ほほえみながら、斜面を下りて、スタンドの騎手席に通じる階段を上った。代理か。なかなか立派にひびく言葉だ。大使から始まって、どんな階層でも使える言葉だ。何年もまえからセールスマンたちが、会社の代理といたしまして、という口上を使っている。内心笑いながら使っているのであろう。自分の場合は、「田舎の一軒家へ立ち寄った会社代表者の話を聞いたかい……？」といった冗談とは少し感じが違うような気はする。齧歯《げっし》動物担当官、廃品処理係り、衛生係り、ねずみ捕り屋、ごみ集め人夫、道路掃除人夫の新しい呼び名である。とすれば、自分だって……。

「ひとり笑いはばかのすることったぜ」耳もとで声が言った。「なにをまた急に嬉しそうな顔をしているんだ？　この一カ月はどこへ消え失せていたんだ？」

「おれがいなくて淋しかったなんて言うんじゃないだろうな？」私は笑った。ふりかえって見る必要などなかった。騎手観覧席に入り、似た者二人がならんですばらしい競馬場を見下ろした。

「ヨーロッパ随一の美観だな」彼が溜め息をついた。マーク・ウィットニィ、三十八歳、競馬調教師である。数多くの落馬事故で、ボクサーのような傷だらけの顔であった。二年前に騎手を廃業していらい、四、五十ポンドは体重がふえている。デブの醜い男である。共通の記憶は限りなく、数多くのレースで激しく競り合ったものだ。私は彼がたいへん好きだった。

「商売のほうはどうだい？」

「まずまずだな。おれの馬が第五レースで勝てば、世の中はうんと明るくなるがね」

「チャンスはあるんだな」

「本命なんだよ、絶対確実なんだ。足がもつれてひっくり返らなきゃな。まったく不器用な馬だよ」双眼鏡を当てて掲示板を見ていた。「チャーリィのやつ、減量がうまくいかなかったんだな……プラムトリーのところのあの若僧はこの頃よく乗ってるな。あいつ、どう思う？」

「危険を冒しすぎるよ。そのうちに、首でも折るようなことになるな」

「おまえさんからそういう言葉を聞くとはね。……いや、まじめな話なんだが、あいつを専属にとろうかとおもっているんだ。どう思う？」双眼鏡を下ろした。「もうこれからは専属が必要になるんだが、おれのほしいやつは、みんなどこかへとられているんだ」

「いいか悪いかはなんとも言えないよ。おれの好みからすると、ちょっと派手すぎるけど技術はたしかにうまいな。問題は、言われたとおりにするかどうかだろう？」

彼は顔をしかめた。「ズバリだよ。そこが問題なんだ。人の言うことをきかねえんだよ」

「惜しいな」

「ほかに誰か心当たりないかい？」

「そう……あのコットンという若い子どうだい？　まだ若すぎるけど、素質は充分あるぞ……」私たちが彼の抱えている問題をあれこれと話し合っているうちに、まわりの人がふえ、馬がスタートのほうへ行った。

三マイルの障害レースで、以前に私が乗っていた馬の一頭が本命だった。私の後任者が見事なレースを見せてくれた。頭の半分で宅地化の問題を考えていた。

サンダウン自体は、数年前、宅地化にする提案を退けている。有力な後援者が、たくさんいたからできたのだ。ところが、ハースト・パーク、マンチェスターやバーミンガムの競馬場はとうとうレンガやコンクリートの下に消えて行った。株主は利益を、人々は住宅を必要とする、という議論に敗れ去ったのだ。そのような破目に陥らないように、チェルトナム競馬場の場合は、一般株式会社から、非営利財団に変えてしまったのである。その後、それをまねる競馬場が次々に出てきた。

だが、シーベリィは変えなかった。だからシーベリィは今苦境に立っているのだ。ダンステイブルも変えなかったために、今はヴォークスホールのルトン工場の従業員宿舎になってしまった。英国の競馬場の大部分は昔から民間会社ではあるが、株主会の承認がなければ外部の者には株の取得がほとんど不可能な仕組みになっている。しかし、ダンステイブル、シーベリィ、サンダウン、チェップストーの四カ所は株式を一般公開しているので、取引所を通じて誰でも一般市場で株を購入することができる。

サンダウンの場合は、正面きって堂々と宅地会社から譲渡交渉が行なわれ、市及び郡議会が宅地化を否決した。サンダウンは業績もよく利益を挙げて十パーセントの配当をしており、まず絶対心配のない状態にある。チェップストーは周辺に広大な土地があるため、宅地会社の連中に狙われる危険はまずない。ダンステイブルはどんどん広がっていく工場地帯のどまん中のオアシスのような存在であった。

シーベリィは南部海岸地帯の平地にあって、両側数マイルは、小金をためた隠居者の夢を満たすような小さなバンガローが立ち並んでいる。一エーカー当たり十二戸――老人は小さな庭をほしがる――とすると、広大な競馬場の敷地には三千戸以上も建てられる。建築費のほかに、土地代として一戸当たり六、七百ポンド見当の金がころがりこむ勘定になる。

本命が勝って、当然のように歓声が上がった。マークと二人で鉄の階段をカタカタと下りてバアへ行った。

「来週シーベリィへ馬を出すかい？」彼の厩舎はシーベリィの近くなのだ。

「たぶんね。まだわからねえんだよ。すべてはレースが再開されるかどうかにかかっているんだ。しかし、リンフィールドにも出場登録してあるから、そっちのほうへ出そうと思ってるんだ。構えも立派だしね。馬主も向こうのほうを好むんだ。食堂の飯もうまいし、とか言ってさ。シーベリィはこの頃はすっかりうす汚くなっちまってね。この前のレースの時も、カーマイケルに持ち馬の出走を承知させるのに苦労したよ――それがあんなザマだ。レースは中止だし、おかげでウースターへは出そこなってしまうし。おれのせいじゃねえけど、シーベリィのほうが勝つチャンスが多いっておれが説得したんだ。そしたら、おれのせいにして怒ってるんだな。馬がどこへも出ないでむだ飯をくう結果になっちまったからね。彼はシーベリィには悪運がついていると言うんだ。おれんとこの馬主で、あそこへ出したがらないのが、何人かいるよ。馬の側からすれば、あんなすばらしいコースはないと言ってやるんだがね、通じねえんだな。おれたちとちがって、コースの良し悪しがわからねえからな」

飲み終えて、検量室のほうへ戻ってきた。第五レースで彼の馬がハナの差で逃げこんだ。あとで脱鞍所をのぞいて見ると、ハローウィーン祭りのカブラのような顔をして喜んでいた。

最終レースが終わると、理事休憩室のほうへ行った。何人かの理事が妻や友人と茶を飲んでいたが、ハグボーン卿の姿はなかった。理事たちが椅子をすすめて温かく迎えてくれ、例によって早速競馬の話になった。彼らのほとんどが若い頃アマチュアでレースに出ており、一人はつい先年私と競ったことのある男だった。みんなよく知っている連中である。

「シッド、こんどの新型のハードルをどう思う？」

「前よりはるかにいいですね。場慣れのしていない馬にもよく見えるし」

「どこかに障害のうまい若駒はいないかね？」

「ヘイワードのレースぶり、見事だったと思わないかい？」

「池のそばの第三障害を見ていたんだが、あの栗毛は柵の袖の外側から……」

「……一応、出頭させて、事情を聴取すべきじゃなかったかな、ジョージ？」

「……グリーンがきのうまた肋骨を折ったらしいな」

「あの系統の馬は、前から嫌いだったんだよ……」

「ミフィはツイテるな、駄馬に乗っても勝てるよ……」

「うちの近所の乗馬クラブで話をしてくれないか、シッド？　詳細はまた連絡するが、都合のいい日はいつだ？」

やがてみんなが茶を飲み終わり、挨拶して帰って行った。私は待った。そのうちに彼がせかせかとやってきて、理由をのべて遅刻を詫びた。

「ところで」サンドウィッチにかみつきながら言った。「どういう話だったかな？」

「シーベリィ」

「そうだ、シーベリィだったな。たいへん心配しているのだ。頭痛の種だよ」

「ハワード・クレイ氏が、相当数の株を入手していますね……」

「ちょっと待った、シッド。それは推量の域を出ないのだよ、ダンステイブルのことがあるから。取引所を通じて株を買っている連中を調べてみたのだが、クレイが関係しているというはっきりした手がかりはないのだ」

「ハント・ラドナーが持っています」

彼が目を見開いた。「証拠は？」

「あります」

「どんな証拠だ？」

「株式譲渡証書の写真です」うまく写っていなかったらたいへんだな、と思った。

「なるほど」重い口調であった。「確信がもてないままに、私たちの推量が違っていることを心頼みにしていたのだが。その写真はどこで手に入れたのだね？」

「その点は申し上げられません。しかし、ハント・ラドナー社は、シーベリィの乗っ取り工作を、阻止する用意はあります」

「高いことを言うのだろうな」疑わしげであった。

「そういうことになりますね」

「シッド、きみがこういうことに関係しようとは、思ってもみなかったよ」落ち着かないようすで時計を見た。

「私が騎手であったことを忘れていただいて、ミスタ・ラドナーのところからきた人間と考えてくだされば、お互いに話がしやすくなります。シーベリィは全英障害競馬委員会にとって、どれくらいの価値があるのですか？」

驚いたようすで私を見て答えたが、私の質問の意味とはちがっていた。

「そう……まあ、きみも知っているように、立派なコースで、馬も走りやすいし……」

「しかし、昨年は利益を挙げていませんね？」

「いろいろと不運が続いたのでね」

「委員会では、その不運なできごとの……なんと言いますかね……作為による可能性を考えてみたことがありますか？」

「きみはクレイ……いや、何者かが故意にシーベリィに損害を与えた、とでも言うのかね、赤字を出させるために？」

「その可能性がないとは言えないと申し上げているのです」

「たいへんなことだよ」彼は崩れ落ちるように椅子に腰を下ろした。

「故意に損害を与える。妨害行為と言っていただいてもかまいません。産業界にはいくらも前例のあることです。ハント・ラドナー社で昨年のことですが、発酵工程がどうしてもうまくいかないある地方の小さなビール工場の事件を調べたことがあるのです。結果は、起訴された者も出て、ビール工場は無事生産を続けることができるようになりました」

彼は信じられないようすで首をふっていた。「クレイがそのようなことに関係するとは、とうてい考えられん。私と同じクラブに所属しているのだ。裕福で、尊敬されている」

「知っています。会ったことがありますから」

「それなら、彼がどういう人物か、きみにもよくわかっているはずだ」

「はい」わかりすぎるくらいわかっている。

「きみが本気でそう考えているとは……」また始めた。

「調べても無駄にはならないでしょう」私は相手を遮った。「いろんな数字をお調べになっていると思いますが、シーベリィはたいした獲物ですよ」

「きみのほうはその数字をどのように見ているのかね？」

本当に知りたいらしいので、説明してやった。

「シーベリィ競馬場の資本金は八万ポンド、全額払い込み、額面一ポンドです。土地を購入した頃は、あのあたりには人家もなく、現在の地価とは全然問題にならない価格でした。そのような資産内容の会社は、乗っ取りの手が伸びるのを待ってるようなものです。

株主が支配権をかちとるためには、理論的には五十一パーセントを必要としますが、実際には、ダンステイブルの場合のように、四十パーセントあれば充分です。もっと少なくしてもやれるでしょうが、乗っ取り側にしてみれば、自分の意図を公表する前にできるだけ多くの株を持っているほうが利益もそれだけ大きいわけです。

競馬場会社を乗っ取る場合にいちばん困難なことは——実際には、それが無作意の防禦手段になっているのですが——株がほとんど売りに出されない点です。現実には、一般市場でわずかの株でもほとんど買えないと聞いています。通常株主は好きでその株を買ったので、わずかでも配当があれば満足していて、売る気がまったくないらしいからです。しかし、誰もかれもが利益を生まない株に資本をねかせていられるわけではないし、いったん赤字になり始めると、乗り換えを考える人が出てくることは当然考えられます。

今シーベリィの株価は三十シリングで、二年前から四シリング上がっているに過ぎません。もしクレイが、平均三十シリングで四十パーセントを確保しようと思えば、わずか四万八千ポンドでこと足りるわけです。

それだけの株数と、莫大な資産売却利益につられる他の株主の持株数を合わせれば、彼は絶対不敗の立ち場に立って、会社全体を土地会社に売り渡すことができます。宅地造成計画は必ず承認されるでしょう、美観を害するわけでもなく、周囲がすでに住宅地なのですから。私の概算では、宅地会社は百万ポンド程度払うと思います。連中は分譲すればらくに倍にはなるんですから。もちろん所得税もありますが、シーベリィの株主はそのように事が運べば、投資額が八倍になって戻ってくることになります。クレイ氏はたぶん、手取り四十万ポンドくらいになるでしょう。彼がダンステイブルでどれくらい儲けたか、お聞きになりましたか？」

黙って答えなかった。

私は言葉を続けた。「シーベリィは、以前は活気もあり、業績もあがっていたわけですが、今はそうでなくなった。誰かが株の買い占めを始めると同時に、業績が急速度に下降する。昨年は、一株あたりわずか六ペンスの配当しかしていない。今日の株価から見れば、一・七五パーセントの配当率にすぎません。今年は三千七百十四ポンドの赤字です。今すぐにも手を打たないと、来年はなくなってしまいます」

彼はすぐには答えなかった。食べかけのサンドウィッチを手にしたまま、長い間床を見つめていた。

ようやく口を開いた。「だれが計算したのだ？　ラドナーかね？」

「いいえ……私がしたのです。かんたんです。昨日ロンドンでシーベリィのここ数年の貸借対照表を調べてみたのです。株価はけさ株屋に電話してきいたものです。なんでしたら、調べていただいて結構です」

「いや、疑っているわけではない。今になって思い出すのだが、きみは二十歳になる頃には、株でひと財産作っていたんだそうだね」

「いやあ、噂は誇張されますからね」私は微笑した。「私が見習いで行った先の主人が手ほどきをしてくれましてね、それに運がよかったんです」

「なるほど」

彼が決断しかねている間、また沈黙が続いた。私は黙って待っていたが、彼がようやく口を開いて、「きみはラドナーの承認を得て私に会いにきたのだね、彼は今の話の内容は知っているのだね？」と言った時はホッとした。

「知っています」

「よろしい」彼はぎくしゃくした動作で立ち上がって、食べかけのサンドウィッチを下においた。「調査に同意するとラドナーに伝えてくれたまえ。同僚に承認を得られることはまちがいないと思う。すぐにも開始するのだろうね？」

私はうなずいた。

「いつもの条件かな？」

「その点は存じません。ラドナー氏とお話しいただいたほうがいいと思います」

いつもの条件を知らないので、そのほうの話はしたくなかった。

「よろしい、そうしよう。もう一つ、シッド、絶対に外部に洩れないようにしてもらわないと困る。クレイに名誉毀損とかなんとか言われるとまずいからな」

「社はつねに慎重に事を運びますから」私は表と内心でほほえんだ。ラドナーの言うとおりだ。人は内密代を払う。当然のことである。

6

翌朝出社すると競馬課は静かであった。一つにはチコが護衛で出ているせいもある。ドリィも含めて、みんなが机に頭をくっつけるようにして仕事をしていた。

彼女が顔を上げて、溜め息まじりに言った。「また遅刻ね」十時十分だった。「ボスが待ってるわよ」

顔をしかめて見せて、今上ってきた階段を逆戻りした。ジョーニィが時計をさした。

「もう三十分も待っているのよ」

ノックをして、入って行った。ラドナーは机について鉛筆を片手に書類を見ていた。私を見上げて眉をひそめた。

「なぜそんなに遅刻するのだ?」

「おポンポンが痛んだんです」冗談めかして言った。

「ふざけてはいかん」と鋭く言い、こんどは調子をやわらげて、「ふざけているのではないのだな?」

「ええ、しかし、遅刻して申し訳ありません」だが、遅刻を指摘されて本当は嬉しかった。以前であれば、一日中姿を見せなくてもなにも言わなかったものだ。

「ハグボーン卿の方はどうだった？　関心を示したかね？」彼がたずねた。

「ええ。調査に同意しました。条件については、あなたと話してくれ、と言っておきました」

「そうか」卓上の小箱のスイッチを押した。「ジョーニィ、ハグボーン卿を電話に出してくれ。初めにロンドンのアパートのほうにかけてみるほうがいい」

「はい」彼女の声が箱から金属的にひびいた。

「ところで」ラドナーが茶色のボール箱を手にとった。「これを見ておきたまえ」

箱の中に分厚いピカピカした写真の束が入っていた。一枚一枚目をとおしながら安堵の吐息をもらした。念のために露出を変えて写したもの以外は全部はっきりと写っていた。

ラドナーの机の上の電話が静かに鳴った。彼が受話器をとりあげた。

「ああ、おはようございます。ラドナーです。ええ、そうです……」私に身ぶりで腰かけろと示した。私は坐って、彼がいかにも世慣れた、なめらかな、さりげない調子で条件の打ち合わせをしているのを聞いていた。

「ところで、このような調査の場合、私のほうの調査員がふつう以上の危険を冒さねばならない時は、わずかですが、特別料金を頂戴します……。そうです、例のキャンラスの一件の場合と同じです。はい、結構です、四、五日中に予備報告をお届けします。そうですね……では、さよなら」

受話器をおくと、数秒間爪をかみながら考えていたが、まもなく言った。「というわけだ、シッド。すぐにかかってくれ」

「しかし……」私が言いかけた。

「しかしもなにもない。きみの事件だ。早くかかりなさい」

私は写真の束を手にして立ち上がった。「調査課その他に……手伝ってもらっていいですか?」

手ぶりで許可した。「シッド、社のあらゆる機能を利用していい。ただ、経費だけは気をつけてくれ、足を出すようじゃ困るからな。調査員が必要なら、ドリィや他の課長に頼めばいい。わかったな?」

「みんながへんに思いませんか? そのう……社では私なんか、取るに足りない存在だから」

「それが誰のせいだと言うのだ? きみの要求をいれてくれない者がいたら、私のほうに連絡したまえ」無表情に私を見ていた。

「わかりました」ドアのほうへ行った。取っ手に手をかけたままきいてみた。「ところで……誰が……ええ、そのう、危険手当をもらうのですか? 当人ですか、社の方ですか？」

「ただで働くと言ったはずだな」皮肉な口調で言った。

私は笑った。「そのとおりです。経費はもらえますね？」

「きみの車はガソリンをくいすぎる」

「二十マイルでますよ」抗議した。

「社は一ガロン三十マイルで計算しているのだ。そのわりで払う。ほかの経費も払う。会計のほうへ請求したまえ」

「ありがとう」

とつぜん彼がほほえんだ。軍人らしい外見とは全く縁のない、めったに見せないやさしい笑みをうかべながら、一席ぶった。

「スタートしたんだ。レースをどのように展開するかは、以前と同じように、すべてきみの技能とタイミングにかかっている。私は社の名誉をかけて、きみが必ず満足すべき成果をあげてくれると約束した。私としては社の名誉を失墜させるわけにはいかない。その点を忘れないように」

「ええ、わかっています」私はまじめに答えた。

相変わらず痛む腹を抱えて三階の調査課へ上がりながら、ラドナーもうエレベーターを入れてもいい頃だろうと考えた。五階の行方不明課へ行くのでなくて助かった。ラドナーがクロムウェル・ロードの一角に選んだこの立派などっしりした建物はたしかに風流ではあるが、モダンなビルで半エーカーほどの事務所を借りたほうが職員は助かる。もっともそのほうが家賃も十倍以上かかることはたしかだ。

建物のいちばん底から始めると、まず地下室は台所を除いて、全部資料と記録保管に使われている。一階はラドナーとジョーニィのほかに、面接兼待合室が二つと離婚課がある。二階は競馬課、会計、面接室とタイピスト・プール。その上は調査課。その上の二つの階は狭くなっていて、警備課と行方不明課がある。行方不明課だけが多少余裕があった。調査課はいっぱいではちきれそうになっていて、警備のほうへ侵入を試みているが、警備も頑強に抵抗している。

メッセンジャー・ボーイ兼任のジョーンズ坊やは、これだけの階段を上がったり下りたりするのでは鉄製の足がついているのだろう。ただ、以前に階上の子供部屋へ幼児食を運ぶためにつけられた運搬用の小型エレベーターがあるので、坊やはお茶の盆を下から上まで運ぶ必要はない。

調査課では相変わらず一度に六、七人の人間が電話をかけていて騒音にみちていた。課長は片耳に受話器、一方に指をつっこんでいた。体の大きな禿げ頭の男で、半月型の眼鏡が高い鼻の途中までずり落ちていた。例によってくたびれたプルオーバーとぶかぶかのズボンというでたちであった。ネクタイはしていない。古衣裳は無尽蔵にもっているが新しい物は一つもないらしい。ジョーンズ坊やの説によると、彼の女房が、古着市から仕入れてくるのだそうだ。

彼がどこかの専務取締役と、ガラス工場の生産部長の候補者の人物に関して話している長い会話が終わるのを待った。ジャック・コープランドの得難い能力の一つは、何十という仕事の核心をすぐに把握する点である。今もガラス会社の重役と、一生をガラス業界で過ごしてきたような調子で話している。五分後には、役場の書記に必要な条件をとうとうと述べるにちがいない。彼の人物評価は、正直さ、まじめさ、精神状態、思慮分別の有無、というような通常雇傭者が求めるありきたりの評価基準をはるかにこえていた。圧力下における反応、嫌いなことはなにか、よく忘れるのはなにか、といった点を掘り下げた。その結果彼が報告書に付記する意見が評価中もっとも重要視され、その正確さは、彼を絶対信頼している会社が非常に多いことでも、うかがい知ることができる。

彼は非常に強い影響力をもっているが、自分ではそのことに気がつかないらしい。そのためにいっそう人に好かれるのである。ラドナーの次に社でもっとも重要な人物である。

「ジャック」受話器をおいたので私が言った。「一人しらべてもらいたい人間がいるんだけど、やってもらえないかしら？」

「競馬課じゃだめなのか？」親指で階下をさした。

「競馬関係の人間じゃないんですよ」

「ハワード・クレイという男です。一定の職業があるかどうかわからない。投機的な株の売買をやっている。石英の蒐集家でもある」クレイのロンドンの住所を告げた。

彼はす早く書き取った。

「オーケイ、シッド。誰か一人これにかけて、きみに下調査の結果を知らせる。緊急かい?」

「まあね」

「よし」メモの紙をちぎった。「ジョージ? 例の毛糸屋の報告書を作っているんだな? それが終わったら、次はこれだ」

「ジョージ、注意しろよ」私が言った。

二人がハッと動きをとめて私を見た。

「不発爆弾のようなものだ。爆発させないように」

ジョージが陽気な調子で言った。「毛糸の仕事の気晴らしになるよ。心配するな、シッド。薄氷の上を歩くつもりでやるさ」

ジャック・コープランドが鼻にひっかかった眼鏡をとおして私のほうをのぞいた。

「ボスは知っているんだな?」

「知ってる」私はうなずいた。「詐欺行為の疑いだ。ボスにきいてくれてもいいよ」

「へえ? 誰だい?」

チラッと笑みを見せた。「その必要はない。じゃあ、それだけだね？」

「今のところはね、ありがとう」

「念のためにきくんだけど、これはきみの仕事かい、それともドリィか誰かの？」

「そうね……私の仕事だな」

「ふーん。おれのヨミに狂いがないとすると、風向きが変わったんだな？」

私は笑った。「わからないものだね」

競馬課に戻ると、ドリィが机の配置換えを指図していた。どうしたんだ、ときくと、パッと笑みがうかんだ。

「出て行くんじゃなくて、残るらしいわね。ボスがさきほど電話してきて、あなたが仕事をする場所を作れと言うんで、坊やを行方不明課へ机を盗みにやったところなの。今のところそれで、間に合うでしょう？　どこにも余分な机がないのよ」

外のガタガタという音に続いて、坊やがベニヤ板でできた長細い、見栄えのしない机を運んできた。「あの連中、どうやって行方不明の人間を見つけるんだか。自分とこの物がなくなったって気がつかねえぜ」

姿を消すとこんどは椅子をもって現われた。

私の前におきながら、「至れり尽せりだよな。タイピスト・プールの頭の鈍い子が小さな腰かけに坐ってるよ。まるめこんだんだ」

「この社に欠けているのは、事務所用の備品だ」私がつぶやいた。

「冗談じゃないわよ」ドリィが言った。「ボスは机を一つ入れると人間を二人雇い入れるんだから。私が十五年前に初めてここへきた時は、本当にしないだろうけど、一人一部屋だったのよ……」

移動が終わって、私の机はドリィの横の隅にはめこまれた。席について写真をひろげて分類した。社の写真を扱っている連中が例によって見事な腕前を見せてくれた。あんな小さなフィルムから、七インチ×九インチに引き伸ばし、しかも鮮明をきわめているのに驚いた。

露出不適でぼやけているのをより出して破り、ドリィの屑籠に捨てた。あとに残ったのは、クレイの鞄の内容物の写真五十一枚であった。なんとなく見れば、なんでもない写真だが、結果的には爆弾同様の代物となった。

分類がすむと、大きな二つの山は、シーベリィの株の譲渡証書とクレイの株屋からの手紙であった。SRと見出しのついた書類は、譲渡証書の一覧表なので、そちらのほうへ加えた。あとは紙幣と、シーベリィに関係のない株の取り引き、それと鞄の底の下敷板の下にあった数字を並べた二枚の書類であった。

株屋からの手紙全部に目をとおした。チャーリング・ストリート&キング社の一員である、エリス・ボルトという男からであった。クレイとボルトは親密な間柄のようである。

時折り手紙の中に、社交的な会合で会って話し合ったことに言及している部分があった。しかし大部分は、いろいろな株（シーベリィも含めて）の購入の可能性、将来の見込みや、買い手配の完了を知らせるもの、すすめるもの、税金、印紙税、手数料などに関するタイプされた手紙であった。

二通だけ、ボルトの肉筆であった。初めのは十日前の日付けで、

親愛なるH

金曜日に、ニュースを楽しみにして待っている。E。

二通目は、クレイがエインズフォドへ出かける朝受け取ったもので、

親愛なるH

最終稿を印刷屋のほうへまわしたので、パンフレットは来週末か遅くともその翌週の火曜日にはでき上がるはず。いずれにしても、次のミーティングの二、三日前にはできる。それで大体ケリがつくと思う。もう一度不慮の事態が生じたら、みんな完全に浮き足立ってくると思う。そのほうの手配はぬかりなくたのむ。E。

「ドリィ、電話を使っていいかい？」

「どうぞ」

上の階の課長に電話した。「ジャック、もう一人頼みたいんだが？　エリス・ボルト、株屋、チャーリング・ストリート＆キング社の一員だ」所番地を知らせた。「クレイの友人なんだ。同様の注意を要すると思う」

「よし、わかりしだい知らせるよ」

一見ありふれた二通の手紙を見つめた。

〈金曜日に、ニュースを楽しみにして待っている〉どんなニュース、知らせ、だってありうる。新聞、ラジオのニュースでもありうる。金曜日のラジオで、化学薬品を積んだトラックが横倒しになり芝生が焼けたためにシーベリィのレースが中止になった、というニュースを聞いた。

二通目の手紙も同様に内容がつかみにくい。不慮の事態が絶対にあってはならない株主会のことを言っていると考えることができる。あるいは、シーベリィにおけるレース・ミーティングを言っているのかもしれない。再び不慮の事態が生じた場合には、株を売り出す者がふえる。

なにか手品を見ているような気がする。一方からはふつうの物が見え、反対側からはちがった偽物が見える。

なにかインチキ事であれば、エリス・ボルト氏は立派な犯罪者だ。私の疑い深い性格の故に早まった結論をしているとすると、長年店を張っている株仲介人に失礼きわまることになるが。

またドリィの電話を使って外部の番号にかけた。

「おはようございます。こちらは、チャーリング・ストリート&キング社でございます」

と、静かな女の声が言った。

「ああ、おはよう。ミスタ・ボルトにお目にかかって、投資の相談をお願いしたいのですが、ご都合を伺いたい」

「よろしゅうございます。こちらはミスタ・ボルトの秘書です。お名前は?」

「ハレーです。ジョン・ハレー」

「お初めてですか、ミスタ・ハレー?」

「そうです」

「ミスタ・ボルトは明日の午後、事務所におります。三時半ならあいておりますが、そちらのご都合は?」

「結構です。その時間に行きます。ありがとう」

受話器をおいて、ドリィの顔をうかがった。

「きょうこれから、ずっと出かけたいんだけど、いいかしら?」

彼女は微笑した。「シッド、あなたが気を使ってくれるのは嬉しいけど、私の許可なんか求めなくていいのよ。今度あなたは一本立ちだから、とボスがみんなに言い渡したの。この社のなかでは、私にも誰にも関係なくボス直属になったのよ。そりゃ、今まで職員にそんな自由な立ち場を許したのを見たことはないけど、あなたはそういうことになったんだから、好きなようにしていいの。私はもうあなたのボスじゃないのよ」

「気を悪くしない？」とたずねた。

「いいえ」なにか考えているふうだった。「そうね、気にしないわ。私には、ボスがあなたにパートナーになってもらいたがっている、という気がしていたの」

「ドリィ！」私はびっくりした。「ばかなことを言うもんじゃないよ」

「彼だって、年には勝てないことだし」彼女が、理由をあげた。

私は笑った。「だから、自分を補佐させるために、ポンコツ騎手を選んだと言うんだな」

「彼が選んだのは、共同出資者になるだけの資本を持っている人、一つの職業で最高の位置まで昇った人、そして、別な職業でトップへ行ける年齢的余裕のある人」

「気でも狂ったんじゃないか、ドリィ？　昨日の朝、おれはもう少しで放り出されるところだったんだぜ」

「でも、放り出されなかったじゃないの？　今までよりしっかり根を下ろした感じだわ。

それにジョーニィの話では、あなたに会った後、一日中すごく機嫌がよかったそうよ」

私は笑いながら首をふった。「きみは想像力が強すぎるんだ。騎手が調査員になるなどということは、たとえれば、たとえれば……」

「たとえれば、なになの？」彼女が促した。

「競売人になるとか、会計士になるというのと同じで、絶対にあり得ないよ」

彼女は首をふった。「あなたは、自分で気がついているかいないかしらないけど、もうすでに調査専門家になっているのよ。私はこの二年間、ずっとあなたを観察しているのよ、忘れた？　そりゃ一見なにもしていないように見えるわ。ところが、元刑事連中とか、ほかのプロが教えてくれることをすべて、まるで乾いたスポンジのように貪欲に吸収していたのよ。そうね、私の意見を申し上げれば、シッド、あなたは注意しないと、一生ここに根を下ろすことになりかねないわね」

私は彼女の言葉を頭から信用しなかったし、注意も払わなかった。

私はニヤリと笑った。「きょうの午後、シーベリィを見に行くんだけど、いっしょに行かないか？」

「冗談言わないで」溜め息をついた。彼女の箱に六インチほど書類が積み上げてあった。「あなたのロケット・カーでドライブして、海のかおりでもかぎたいんだけど」

写真をまとめて、ネガといっしょに箱に入れた。写真を入れようと引き出しをあけた。

からではなかった。中にサンドウィッチの包みと煙草、それに半分ほど入っている平ったいウィスキィの瓶があった。

私は思わずふきだした。「行方不明課から今に誰かが、行方不明の弁当を探してどなりこんでくるよ」

シーベリィ競馬場は、海へ通ずる幹線道路からはずれて、半マイルばかり内陸に入ったあたりにある。スタンドの最上段から後ろをふりかえると英仏海峡が見え、両側には、ゴミゴミとたてこんだ小さな家々が、ガダラの豚のように海をめざして押し寄せている。一軒一軒の家の中では、退職した学校教師、官吏や牧師——あるいはそういう人たちの未亡人——が、老年を過ごすには寒すぎるとか、見すぼらしすぎるなどと言って、長年下ろしていた根を抜き上げて引っ越してきた、その昔の住居を思い出しながら、暖かい潮風を楽しんでいる。

目的を達したのだ。長年の宿願を。海辺のバンガローで隠居生活を送るという夢を果したのだ。

あいている門をまっすぐ通り抜けて、検量室の外で車をとめた。車から下りると体を伸ばし、競馬場支配人の事務所へ行ってノックをした。

返事がなかった。取っ手をまわしてみた。錠がかかっていた。検量室そのほかも同じであった。

ポケットに手をつっこんだまま、スタンドの端を廻ってコースを眺めた。シーベリィは公式分類では第三グループに入っている。ということは、格式ではドンカスターより下、ウィンザーより上ということで、補助金もその格に応じて交付される。

スタンドの程度は第三級以下であった。トタン屋根をかけただけの木造階段があり、風が吹き通しになっている。しかし、走路は騎手にとっては最高であった。私はかねがね、ほかの施設が走路ほどりっぱでないのが残念であった。

スタンドの付近に人影はなかった。しかし、コースの端に数人の姿とトラクターが見えたので、垣根の中に入って芝の上をそちらへ歩いて行った。芝の状態も十一月のレースに絶好で、やわらかく、弾力が足を通じて感じられた。調教師が馬を走らせたくなるような状態である。いつもであればそうなのだ。しかし現在のような状況では、マーク・ウィットニィに限らず、多くの調教師がここを敬遠している。出走する馬を引き寄せられないような競馬場では、観衆をひきつけることはとうていできない。シーベリィの入場料収入はここしばらく減少の一途をたどっている。その反面、経費は上昇しているので当然赤字になるわけだ。

貸借対照表の示すみじめな状態を頭にうかべながら歩いているうちに作業の現場に着いた。芝の広い部分を掘り起こしてトラクターに積んでいた。不快な臭気があたりにただよっていた。

走路の全幅が、三十ヤードほどの長さにわたって茶色に焼け、芝が枯れている。焼けた芝の半分足らずが掘り起こされ、灰色がかった泥が露出しているが、まだ大量の作業が残っている。あとわずか八日間に芝を植えかえ、レースに間に合わせるのには人手が足りないように思えた。

「こんにちは」誰にともなく声をかけた。「ひどい状態だねえ」

一人が踏みぐわを土中へさして、ズボンで手をふきながら寄ってきた。

「なにかご用ですか？」ややていねいな口調できいた。

「支配人のオクソン大尉を探しているんだ」

彼の態度がいっそうていねいになった。「きょうは不在なのです。おやっ！　あんたはシッド・ハレーじゃないか！」

「そう」

相手が笑うと、こんどは一転して仲間を迎える態度になった。「私は監督のテッド・ウィルキンスです」握手した。

「オクソン大尉はきょうロンドンへ行ってるんですよ。明日まで帰ってこないって言ってましたがね」

「いや、かまわないんだ。ちょうど通りかかったんでね、昔のコースを見たくなっただけなんだよ」

二人で焼けた芝のほうを見た。「ひどいでしょう?」

「どんなぐあいだったのだろう?」

「あそこの道でタンカーが横っ倒しになったんですね」掘り起こされた場所を迂回して、彼がさしたほうへ歩いた。二級道路程度の狭い道が走路の端を横断していた。その向こう側に半円形のコースが広がっている。レース中は、固い路面上を馬が故障なく走れるように、タン皮や泥炭を分厚くしきつめたり、厚い草むしろをしいたりする。ないにこしたことはないのだが、国中のコースでどこにでも見られる便宜上の措置である。エイントリーのコースを通るメリング街道などは広く知られており、ルドロー競馬場あたりは五本の道路が通っている。

「ちょうどこの地点ですよ」テッド・ウィルキンスがさした。「走路のどまん中で、最悪の地点ですよ。薬品がタンカーから流れ出たんですね。完全に横っ倒しになって、その勢いでハッチがあいてしまったんですよ」

「どうして事故が起きたんだろうね? なにかにぶっつかったのかな?」

「それが、誰も知らないんですよ」

「運転手も? 運転手は死ななかったんだろう?」

「ロクに怪我もしてないんですよ。多少ボーッとなってただけです。どうなったのか、なにも覚えていないって言うんですよ。暗くなって通りかかった車が、危うくタンカーにぶつかりそうになったんです。見ると、運転手が頭をかかえてうめいていた、というんです。頭を打ったんだろう、と言ってましたがね。倒れる時にどこかへ頭をぶっつけたらしい、ということになったんです。しかし、運転台がかなりつぶれていて、そこら中にガラスが散っていたんですからね、よくもまあ、あんなことですんだものだと、驚いているんですよ」

「タンカーはよくここを通るのかい？　通るとすると、今までに事故がなかったのが幸運なくらいだな」

「以前は通らなかったなあ」頭を、ポリポリかきながら言った。「しかし、ここ一、二年はよくとおるようになりましたよ。ロンドン街道の混雑がひどくなりましたからね」

「なるほど……それじゃあ、どこかこの近所の会社なのかな？」

「海岸を少し行ったところですよ。インターサウス化学という会社の車でしたね」

「いつごろになったらレースを始められると思うかね？」走路の方に目を移しながら尋ねた。

「来週に間に合うかね？」

彼は眉をひそめた。「あんたと私だけの話だが、まず絶対に望みはないな。大尉に言ったんですがね、人間六人じゃあどうしようもない。ブルドーザーを二台くらいかけなきゃだめだってね」

「私もそう思うな」

彼は溜め息をついた。「金がないんだから、よけいなことを言わずに仕事をしろって言われましたよ。仕方がないからそうしているんですよ。この調子じゃあ、掘り起こすだけで来週の水曜日までかかりますね」

「それじゃあ、新しい芝がつくひまがないな」私が言った。

「芝がはれるだけでも奇蹟ですよ。根がつくなんてことはとうてい考えられませんね」ゆううつな調子で言った。

私はかがみこんで、茶色になった草をなでてみた。腐蝕してぬるぬるしていた。私が顔をしかめると相手は笑った。

「ひどいでしょう？　それに、くさいんですよね」

指を鼻へもっていって後悔した。「最初からこんなにぬるぬるしていたのかい？」

「そうですよ。手がつけられなかった」

「あまり仕事の邪魔をしてもまずいから」私はほほえみながら言った。

「オクソン大尉には、あなたが見えたことを言っておきますよ。会えなくて残念でしたね」

「いや、言わなくていいよ。いろんなことで頭がいっぱいだろうから」

「つぎつぎに事故が起きるものだから」彼はうなずいた。「じゃ、さよなら」くわを取り上げてまた仕事にかかった。私はまっすぐ人気のないスタンドのほうへ四分の一マイルの距離を歩いた。

検量室の前でしばらくためらった。錠をあけて中に入って見ようかと考えたが、調査に有益な手がかりがあるためではなくて、単なる自分の郷愁なのだ、と思った。職業柄覚えた怪しげな技術を、個人的な満足感のために使いたくなることはしばしばあるのであろう。窓をとおしてのぞいて見るだけにとどめることにした。

人気のない検量室は全然変わっていなかった。ガランとした部屋に板敷きの床が広がっていて、一隅にテーブルと背中のまっすぐな椅子が二、三個、その右手に計量機がある。競馬場の計量機は、みな同じ造りのものばかりではない。騎手が台に上がって、係りが次々に分銅をのせるような旧式の物はもはや使用されていない。あれでは時間がかかりすぎるのだ。今では、腰かけるシートが上から吊り下がっていて、それにのると自分が砂糖袋になったような気持ちになるものとか、バネの上にのった台盤に椅子が造りつけてある形式のものに変わっている。いずれの場合にも巨大な時計のような盤面の指針が重量を示す。いわば、台所秤を巨大にしたものと考えればいい。

シーベリィの場合は椅子型の秤で、私はいちばん使いやすかった。あの椅子にレースの前後にのった時のことを思いだした。いい時もあったし、よくない時もあった。競馬というのはそういうものなのだ。

肩をすぼめながらその場を離れた。もうあそこに二度とすわることはないだろう。といって、自分はまだ葬り去られたわけではない。

車に乗りこんでいちばん近い町へ行き、インターサウス化学の所番地を調べた。一時間後には人事課長と話していた。全英障害競馬委員会の代理で、通りがかりに、タンカーの運転手が完全に回復したかどうか、事故当時の状況を思い出したかどうかなど伺いに立ち寄った、と伝えた。

肥満した五十がらみの課長は愛想はよかったが、調査の役にはたたなかった。「スミスはやめました」とポツンと言った。「事故のショックから立ち直るように二、三日休ませたんですが、昨日会社へやってきて、女房が化学薬品を運ぶのはやめてくれと言うのでやめる、と言ったんですよ」不服そうな口ぶりであった。

「ここは長いのですか、彼は？」同情を表わしきいてみた。

「一年くらいでしょう」

「優秀なドライバーだったんでしょうな？」

「この仕事ではふつうですね。優秀でないと私のほうでも使いませんしね。スミスもいい運転手だったが、とりたてて言うほどのことじゃなかったですな」

「それでは、事故の原因などわかっていないのですね」

「そうなんです」相手は溜め息をついた。「うちのタンカーをひっくり返すのは、なかなか容易なことじゃないんです。道路からは手がかりはえられなかったしね。オイルとガソリンと薬品におおわれていましたから。なにか跡が、例えば車輪がスリップした跡があったとしても、クレーンでタンカーを持ち上げたあとにはなにもなかったんです。そのまま道を洗ってしまったものだから」

「お宅のタンカーはあの道をよく通るんですか？」

「最近まではね。しかし、あの件以来通ってません。だいたいあの道順を最初に見つけたのはスミスでしたよ、今にして思えば、あそこを通ると交差点の混雑が避けられるとかいうことでした。ほかの連中も見習っていたようですよ」

「すると、シーベリィを通ることはしばしばあったんですね？」

「そうです。サザンプトンへは一直線だし、そこからファウレイの精油所へも行けますしね」

「ほう？　スミスのタンカーは何を積んでいたんですか？」

「硫酸です。精油に使うんですよ、ほかにももちろん用途はありますがね」

硫酸。ドロッとしてオイルのようだ。焦げたように腐蝕する。シーベリィの芝へながすのにこれ以上効果的なものはない。もっと弱い化学薬品なら、芝の上へ砂やタン皮をしいてその上を馬を走らせることもできる。しかし硫酸のしみこんだ地面の上を馬を走らせる者はいない。

「スミスの住所を教えてくれませんか？　記憶が戻ったかどうか、きいてみたいのです」

「いいとも」綴りの中を探して教えてくれた。「もしその気があるなら、またもどってきていい、と伝えてください。けさもう一人やめると言ってきたんですよ」

伝えることを約し、礼を言って、スミスの住所のほうへ廻ってみた。郊外住宅の階上の二部屋であった。しかし、スミスと妻はいなかった。昨日荷造りをして行ってしまった、と頭にカーラーをつけた若い女が教えてくれた。どこへ行ったか知らない。行き先の住所を知らせて行かなかった。自分なら彼の健康状態なんか心配しない、事故の翌日は夜遅くまで酒を飲んで騒いでいた、脳震盪もかんたんに治ったらしい。喧しいので苦情を言ったら、命が助かった反動だ、と言っていた、と言う。

すでに暗くなっていた。ロンドンを溢れ出るヘッドライトの流れに逆行して、ゆっくりと車を走らせた。社のすぐ近くの近代住宅区域内にあるアパートへ戻り、地下駐車場に車をおいてエレベーターで五階の我が家へ帰った。

南向きに二間《ふたま》、寝室と居間があり、その後ろにあるバスルームとキッチンの窓は建物の内側に面している。日のよく当たる感じのいい部屋で、木の地の色と涼やかな色調の調度がおいてあり、全館暖房で、掃除代は家賃に含まれている。食料品のきまったものは、毎週キッチンの小窓を通して配達され、屑物はシュートを落ちて行く。インスタント生活である。面倒もなく、汚れることもないし、責任もない。ジェニイとの生活の後では、たまらなく淋しい生活である。

彼女がここに住んでいたというのではない。来たこともないのだ。私たちが主に住んでいたバークシャの家は夫婦の争いの思い出があまりにも生々しく、彼女が出て行くとすぐ売ってしまって、気持ちもらくになった。探偵社に勤めるようになって、近いというところからこのアパートに入った。高価であったが、どうせ独り者のことである。

ブランディの水わりに氷を入れ、肘かけ椅子に腰を下ろし、足を台にのせてシーベリィのことを考えた。シーベリィ競馬場、オクソン大尉、テッド・ウィルキンス、インターサウス化学、それにスミスという名の運転手。

次にクレイのことを考えた。人当たりのいい世馴れた殼の中には、冷酷な欲望が秘められている。水晶に対する激しい熱情を土地に対しても抱いている。心の汚れのうめあわせに病的なほどに体を清潔にする。変態的な性生活。不自由になった手をじっと見つめたあげくそれを叩くことのできる異常な性格。

クレイという人間はどう考えても我慢がならなかった。

7

「チコ、特定の地点でトラックを横倒しにするのにはどうしたらいい？」私がきいた。

「えっ？　簡単さ。なにか持ち上げる道具があればいい。ジャッキの大きいやつとかね。クレーンでもいいさ。なにかそんなものがあればわけはないよ」

「時間はどれくらいかかるだろうね？」

「かりに、トラックとクレーンが同じ場所にあるとしてかい？」

「そう」

「一、二分だな。どんなトラックだい？」

「タンカーだ」

「ガソリンを運ぶやつ？」

「ガソリンのタンカーより少し小さいやつだ。牛乳運搬車くらいかな」

「わけないさ。もちろんそういう車は、重心が低いよ。しかし、ぐっと持ち上げることができれば、あとはかんたんさ」

ドリィの方を向いた。「きょうチコは忙しいかしら、かしてくれないかな？」

ドリィは前かがみに、鉛筆の端をかじりながら、仕事の分担表を見た。例の前合わせのブラウスがこういう時にものをいう。

「ケンプトンへは誰かほかの者をやれるから……」私の視線の方向に気がついて、笑いながらわずかに体を起こした。

「いいわよ。どうぞ」やさしい目でチコを見た。

「チコ、シーベリィへ行って、先週の金曜日に競馬場の近所で、起重機のような器材の車輪の跡を見た者があるかどうか調べてくれ……あの辺のバンガローの住民は、表を眺めているしか用のない人間ばかりなんだ……あの付近でそういう器材を雇った者がいるかどうかも調べてくれ、まずないとは思うがね。タンカーが横倒しになる前の数分間は、車が通れないようになっていたかもしれない。そういうことに気付いた者はいないか……例えば、迂回、の札が立っていたり。それが終わったら役場へ行って、排水溝に関する古い図面がないか、調べてくれ」図面で見つけられるよう、この前の障害レースで大事故を起こした地下排水溝の位置を教えてやった。

「気づかれないように注意してくれよ」

「言われなくてもわかってるよ」ニヤニヤしていた。

「相手は手強いからね」

「気づかれないように、背後に忍びよるってわけだろう？」

「そのとおりだ」

「このチコさんは心配ないよ」半ば本気で言った。

彼が出かけると、ハグボーン卿に電話をして、シーベリィの芝の状態をありのままに伝えた。

「今すぐにもなにか土を掘り起こす器材が必要ですが、手許金には雇うだけの金がないようです。できれば本部のほうから……？」

「本部だってそう簡単には出さんよ」私の言葉を遮った。「しかし、なにか考えてみよう。半分もできていないって？　しかし、オクソン大尉がウェザービィ商会（競馬資料出版社）に、この次のレースには間に合うと確言しているのだが、考えを変えたのかな？」

「会っていないのです。どこかへ行っていました」

「なるほど」ハグボーン卿の口調がいちだんと冷ややかになった。「では、彼に頼まれて私に連絡しているのではないのだね？」

「ちがいます」

「となると、私の介入のしようがないぞ。できる、できないは、彼が支配人の責任において判断することであって、他の者が介入することはよくない。それに、もし必要があれば競馬場取締り委員に相談すればいいのだ」

「取締り委員のミスタ・フォザートンはブリストルに住んでいます。あちらの競馬場の取締り委員も兼ねていて、きょうと月曜日はあちらでレースがあるので手が離せないようです」

「そう、そうだったな」

「あなたのほうから、さりげなくオクソン大尉に電話をして、作業のほうはどうなっているか、おききになったらいかがでしょう?」

「どうかな……」

「今の状態で作業を続けたら、来週末のレースは絶対に開催できないことを、私が誓って断言します。オクソン大尉は作業の進行度が遅れているのに気がついていないと思います」

「わかっているはずだな。ウェザービィ商会に確言したのだから……」

「この次、またぎりぎりになってレースを中止するようなことになると、シーベリィはおしまいですよ」私は力をこめて言った。

しばらく無言でいた。そのうちにしぶしぶと言った。「そうも言えるな、よろしい。私のほうからオクソン大尉とフォザートン氏に、作業の進行状態に満足しているかどうか、きいてみることにしよう」

それ以上直接的な手段を講じさせることができなかった。あんなことではもちろん不充分である。手続きにこだわっているとシーベリィはおしまいになってしまう。

ドリィの電話を占有して、次にエッピング警察署に電話をし、コーニッシュ警部と話した。

「その後、アンドリューズのことでなにか新事実でもありませんか？」

「あなたが個人的な関心をもたれる理由はありますね」笑い声が伝わってきた。「やっと、姉がいることがわかったんですよ。親戚ということで、昨日の検死査問会へ身元確認のために呼んだんですがね、確認どころじゃなかったですよ。死体置場であの残骸を一目見たら、その場で吐いてしまったんですよ」

「可哀相に、むりもないですよ」

「そうなんです。結局、確認するだけじっくり見ていられなかったのです。しかし、すでにあなたの証言があるので、むりに見せることもしなかったんですよ」

「死因はわかりましたか？」

「わかりました。背後から射たれています。弾は肋骨でそれて、胸骨にめりこんでいました。そちらのオフィスの壁から取り出した弾と比べさせました。そちらのほうは壁で多少つぶれてますがね、同じ弾であることはまちがいないですな、あなたが射たれた銃で殺されたんですよ」

「銃はありましたか、体の下にでも？」

「なかったですよ。結局、犯人不明の殺害事件ということになっているのです。これはあなたと私の間だけですがね、そういうことに落ち着きそうですよ。全然手がかりらしいものがありませんからね」

「でも、なにかあるでしょう?」

声に微笑が感じられた。「姉が言ってたことくらいのものですな。彼女はイズリントンの小さなアパートに住んでいるんですがね、彼はお宅のオフィスへ入りこんだ日の夕方を姉のところですごしているんですよ。姉に拳銃を見せているんです。姉の話によると、えらく自慢そうにしていたらしい。多少頭の単純な男だったようですな。大男の兄貴分が、お使いに行くのに貸してくれて、邪魔するやつはかまわず射てと言った、と姉に話したそうです。姉は本気にしなかったんですね。子供の頃から出まかせばかり言っていたそうですよ。だから姉は、その大男のことも、どこへ行くかというようなこともきかなかった、と言うんですな」

「弾の入った銃を前にして、ばかに落ち着いていたものですね?」

「近所の話によると、弟のすることより、次々にやってくる男友だちのほうに興味を集中していたようですな」

「近所の人というのは親切ですからね」

「まったく。あなたが射たれた週にアンドリューズを見かけたというものを一人残らず調べたんですがね、拳銃や大男のことやクロムウェル・ロードへ使いに行くというようなことは全然話していないようです」

「事件の後で姉のところへは行っていないんですね？」

「行ってない。客が来るから、と姉が言ってあったらしいですな」

「午前一時に？　近所の連中の言うことが当たっているんだな。競馬場のほうも当たったんでしょうね？　アンドリューズは、よく知られていましたからね、よた者の使い走りなどして」

「ええ、競馬場を中心に調べたんですよ。なんにも出なかった。あのような無害な男が殺されたというんで、みんな驚いてましたよ」

「無害！」

彼は笑った。「あなただって無害と思えばこそ出て行ったんでしょう」

「そのとおりですな」本当であった。「しかし、あれ以来、人間がすべて悪党に見えるんですよ。困ったものですな」

「みんな大なり小なり悪党ですよ」朗らかな調子で言った。「おかげで、こっちも忙しい。ところで、今年のヘネシー・レースでスパークルは勝つチャンスがありますかね……？」

やがて受話器をおくと、すかさずドリィがとって、皮肉な調子で、「使っていい？」ときき、交換手にたて続けに三つ番号を呼ぶように言いつけ、「ハレーにわりこまれないようにね」と念を押した。私はニヤニヤしながら引き出しから写真をとりだしてまた眺めた。相変わらずなにもうかんでこなかった。エリス・ボルトからクレイあての手紙、わかるようでわからない。大なり小なりみんな悪党だ。肩越しに誰が見ているかわからない、こっそり、すべてを秘密裡に運ぶ、ということだなと思った。なぜこのように不安な疑念が頭から離れないのだろうと考え、イライラした気持ちで、腹の傷のせいで神経質になっているのであろうときめた。

ドリィの電話が終わると、その手の中から受話器を奪い返して、自分の銀行の支配人に電話をかけた。

「ミスタ・ホッパー？　シッド・ハレーです……ええ、おかげさまで、そちらは？　結構ですな。ところで、私のほうの預金残高はどうなっていますか、当座と両方で？」

「だいぶありますよ」ザラザラした低い声で答えた。「最近二、三の配当がはいっていますしね。ちょっとお待ちください、正確な数字を見てみます」誰かと話をしていて、電話に戻った。「もうそろそろ投資されたほうがいいようですな」

「その投資を考えているんですよ。そのことでお電話したのです。ところで、今回は銀行を通じてでなく、別な株屋から株を買おうと考えているんです。……そちらに不満があるわけじゃない、とんでもない、たいへんよくしてもらっているんだから。社のほうの仕事に関係があることなんです」

「わかりました。それで、私のほうはどうすれば？」

「問い合わせ先にそちらの名前を出したいのです。相手はもちろんきくでしょうからね。そこで、銀行取り引きの相手としての私のことを、できるだけ事務的に話してもらいたい。私の過去や現在の職業に絶対にふれないように。その点が非常に重要なのです」

「わかりました。ほかには？」

「ないですな……あっ、そうだ。自分の名前をジョン・ハレーと言ってあります。問い合わせがあったら、その名前で対応してもらいたいのです」

「大丈夫です。そのうちに詳しく話をきかせてください、楽しみにしていますよ。時に、一度お出かけになりませんか？　いい葉巻きがありますよ」ひくい声に好奇心が感じられた。「ああ、数字がきました……」総額を知らせてくれた。珍しく自分が思っていた額より多かった。そういう嬉しい状態も、ラドナーから給料をもらわないで二年くらすとなると長続きはしないな、と思った。誰が悪いのでもない、自分のせいだ。

皮肉にお辞儀をしてドリィに電話を返すと、階上の調査課へ行った。ジャック・コープランドの土色のジャージィの胸のあたりに黒い糸でかがったあとがあり、ゴム編みの部分が尻の方にたれ下がっていた。彼がほぐれた糸をひっぱるので、いっそう妙なことになっていた。

「クレイのことでなにかきていないかい？　まだ、早すぎる？」

「ジョージがなにか予備報告に書いていたよ。誰かハサミを持ってないか？」ジャージィの一部がハシゴになった。「ちくしょう」

笑いながらジョージの机の方へ行った。予備報告というのは、ジョージの跳ね上がった筆蹟で書いた一枚の紙だった。「法婚二年、前二、離一、自一」で始まり、続いて名前や年月日が列記してあった。

「へえ、なるほど」私が言った。

「わかったかい？」彼がニヤニヤしていた。「クレイは二年前にドリア・ドーン、旧姓イースタマンと正式に結婚。その前に二度結婚している。一人は自殺、一人は虐待を理由に離婚」彼は名前と年月日をさした。

「明瞭だね。読み方さえわかっていれば」

「そちらがもう少し辛抱していたら、きちんとタイプして渡したんだがね。ま、いいだろう」指で示しながら説明してくれた。「地質学者連中は彼を多少変人だと思っている。石英というのは、宝石の原石を除けば、それ自体なんら価値がなくて、どこにでもあるものだ。しかしクレイはあちこちを廻って、気にいると大量に買い上げる。地質学博物館ではよく知られている。不正事をやっているという噂は全然ない。クラブはこの三つに所属している。会員仲間に好かれるというのではないが、大部分の者は、口もたつし頭がいい男、と見ている。クロックフォードで賭けをやるが、だいたいトントンできているらしい。旅行はつねに一等で、飛行機に乗らず船を使う。特に職業はなく、専門職の名簿や大学の名簿にものっていない。投資や株の売買で生活しているらしい。人にはあまり好かれず、大部分の者は頭のいい、教養のある人間と見ているが、一、二の者は偽善的なホラ吹き、と言っている」

「悪事をはたらくという噂はないんだね？」

「全然ない。もっと掘り下げるかい？」

「相手に知られないようにできればね」

ジョージがうなずいた。「尾行をつけるかい？」

「いや、つけないほうがいい。今のところは」二十四時間尾行は社の人手にも影響するし、依頼人にとっても高くつく。それに相手に気づかれて用心される危険がある。「若い頃のことは？」

ジョージは首をふった。「皆無だ。今彼を知っている連中も、つきあいはみんな十年たらずだ。生まれが英国でないか、生まれた時の名前がクレイでなかったかのどちらかだ。親戚もないらしい」

「どうもありがとう、ジョージ。たった一日でたいしたもんだよ」

「顔だよ、顔。あちこちへ電話をかけ、居酒屋へちょぃと出かけ、近所の商人と立ち話をしたり……かんたんだよ」

ジャックはむっつりとクモの巣のようになったジャージィに指をつっこんでいた。半月形の眼鏡ごしに私を見て、担当の元巡査部長カーターから電話が入らないのでボルトのほうはまだだ、と言った。

「連絡があったら知らせてくれないか？　ボルトと三時半に会うことになっているんだ。行く前にようすがわかっていると助かるからね」

「オーケイ」

部屋に戻って、三十分ばかり表のクロムウェル・ロードを通る人車を眺めながら、クレイの調査に関して自分がやっていることははたして妥当なのであろうか、と思案した。おれはグランド・ナショナル初出場の馬のようなものだな、と皮肉な気持ちで考えた。そういえば、自分はあの大レースで初出場の馬に乗ったことがあるし、あの時もなんとかやりとげた。そう考えると多少気が軽くなった。ドリィをつれて空港へ行き、スナック・バアで一杯飲んでサンドウィッチを食べた。二人で坐って、どこかへ出かける連中を羨望の目で眺めていた。みんな希望にみちた顔をしている。苦労はすべて地上に残しておいて飛んで行けると思っているらしい。幻覚なのだ、と皮肉な気持ちで見ていた。苦労はいっしょに飛んで行くのだ。気持ちが宙にういているだけだ……不自由な手をポケットに隠しているのと同じ気休めだ。

いつものようにドリィを相手に冗談を言い、笑った。それ以外にどうしたらいいというのだ？

チャーリング・ストリート&キング社は、大きな会社が使用している建物の中の二部屋をつかっていた。いるのはボルト、書記一人と秘書だけであった。

教えられて秘書の部屋に入った。変哲のない整頓の行き届いた箱のような部屋で、蛍光灯の冷ややかな光が白っぽい四囲を照らしており、汚れた窓のすぐ外に非常階段が見えた。右手の壁ぎわの机に、窓に面しこちらに背を向けて女が一人坐っていた。その椅子の一ヤード後ろにエリス・ボルトと記したくもりガラスのドアがあった。私から見ると、一番不便な位置に机をおいているように思えるのだが、あるいは窓の隙間風をまともに受け、人が入ってくるたびにふり向くのが好きなのかもしれない。

しかしふり向かなかった。わずかに顔を私の方に向けて、「なにか？」とたずねた。

「ミスタ・ボルトとお約束があるのです、三時半に」

「ああ、ミスタ・ハレーですね。どうぞおかけください。ミスタ・ボルトの都合をうかがってみますから」

私の前にある大きな椅子をさすと、机上のスイッチを倒した。電話で聞いた静かな声でボルト氏に私がきていることを伝えているのを聞きながら、彼女を見た。三十代の後半に入っているのであろう、ほっそりした背をまっすぐのばして坐っていて、やわらかい黒髪がまっすぐ頬まで下がっている。どうみても彼女の年配では若すぎる髪のかたちである。指に指輪はなく、爪も染めていない。衣服は黒っぽく地味なものである。努めて人目をひかないように心がけている感じであったが、ミスタ・ボルトの部屋へどうぞ、と言った時にこちらに向けた横顔は人好きのする顔だちであった。茶色な目の片方が動いて色のうすい唇に笑みらしいものがうかぶのがチラッと見えただけで、クルッとまた背を向けた。

なにかすっきりしない気持ちでエリス・ボルトのドアをあけて入った。こちらも外の部屋と大差はなかった。やや広くて、リノリュームの上に緑色の絨毯が敷いてあった。それ以外は、くすんだ白っぽい壁、整頓の行き届いたありきたりの部屋である。二つある窓から、路地をへだてた向かいの壁の非常階段が見える。変哲のない部屋の調度がまじめさを表わすものであるとすれば、ボルトは、正直な株屋であるといえる。それに、私が出かける直前に電話してきたカーターの報告でも、悪事をはたらいているようすはない、ということだった。

ボルトは机の後ろで手をさしだして立っていた。握手をすると肘かけのついた椅子をさし、煙草をすすめた。

「けっこうです、煙草はすわないのです」

「うらやましいですな」と温和な口調で言い、すいかけの灰をおとすと、細いたてじまの服をまとった大きな体を椅子に下ろした。

彼の顔はどの部分も丸味をおびている。鼻、頬、大きなあご、平らな部分は一つもなく、骨の形は全然見えない。人並みはずれた太い眉、肉付きのいいよく動く唇、顔に自信ありげな笑みをうかべていた。

「さて、ミスタ・ハレー、私はざっくばらんなたちでしてね。どういうご用件ですか?」甘ったるい声で、自分でそれが気にいっている感じであった。

「伯母が遺産相続の形を嫌って、そのかわりに最近多少の金をくれたのです。それを投資したいと思っているのです」

「なるほど。それでなぜ私を選んだのですか? 誰かに紹介でも……?」言葉をきって、鋭い目で私を見つめた。ばかではない。

「いやあ、それが……」私は口をモグモグさせて、相手の気持ちを傷つけないよう、バツの悪い笑みをうかべた。「実は、正直なところ、針の先であなたを選んだんです。株屋さんは一人も知らないものだから、職業別の電話帳をひらいて針をたてたんですよ、そうしたらあなたの名前だった、というわけです」

「ほう」無知を憐れむような調子だった。ここへくるのに借りたチコの二番目に上等な服が私の体に合っていないのを見て取り、子供時代の発音で話している私の口調を聞いていた。

「どんなものでしょう?」

「そうですな、なにか考えてみましょう。ところで、その贈り物の額は？」人を小ばかにした態度がわずかに現われ、興味のない顔つきであった。時間がむだだと考えているようである。

「千五百ポンドです」

心持ち顔が明るくなった。「なるほど、なるほど、それならなにか考えられますな。ところで、将来性に重点をおきますか、それとも利回りのいいほうを？」

私はあいまいな表情をしていた。彼がその二点のちがいをかなりうまく説明してくれたがどちらがいいとは言わなかった。

「将来性でいきましょう。年とったところに一財産になるように」

気ののらない笑みを見せると、紙を一枚手もとに引きよせた。

「お名前は？」

「ジョン・ハレー……ジョン・シドニィ・ハレー」本当の名を告げた。書きつけていた。

「住所は？」教えた。

「銀行？」それも教えた。

「どこか照会先がありますか？」

「銀行の支配人でいいですか？」とたずねた。「二年ばかり口座をもっているのですが……私のことは、よく知っています」

「けっこうですとも」ペンのふたをした。「どういう会社がいいか、お考えがありますか、それとも私に一任してくれますか？」

「あなたさえよろしかったら、全部お任せしたいのです。ほんとうになんにもわからないものですから。ただ、それだけの金をなんにもしないで積んでおくのがもったいないと思ったんですよ」

「いや、そのとおりです」もう用はない、というようすであった。チャールズ得意の弱味を装う作戦を実行しているのを見たら彼は喜ぶであろうと内心ほほえんだ。「ところでミスタ・ハレー、お仕事は？」

「ええ……その……工場で働いているんです。男物の衣料品なんです。なかなか面白い商売です」

「そうでしょうな」あくびをころしている声だった。

「来年は仕入れの方の副主任にしてもらえるはずなんです」私は嬉しそうに言った。

「それはけっこうですな」しびれがきれたらしい。煩わしそうに立ち上がって、ドアのほうへ案内した。「わかりました、ミスタ・ハレー。安全な長期成長株をみつけておきましょう。書類はのちほどお送りします。一週間か十日くらいしたらご連絡いたします。それでよろしいですか？」

「けっこうです、ミスタ・ボルト。いろいろとありがとうございました」私はていねいに言った。彼が静かにドアをしめた。

外の部屋に人が二人いた。相変わらず背を向けた女と、口をキュッと結んだやせた中年の男がいた。筋ばった首のカラーがきつそうであった。馴れた態度で珍しがるようすもなくゆっくりと私の方を見て、入れかわりにボルトの部屋へ入って行った。書記であろう、と思った。

女は封筒に宛て名をタイプしていた。打ち終わった二十枚ばかりの封筒が左手に、いまにもずり落ちそうに重ねてあった。右手に広げてある綴りは名簿であった。さりげなく肩越しに見て、急に興味をかきたてられた。シーベリィの株主名簿の第一ページである。

「なにかご用ですか、ミスタ・ハレー？」控え目な動作でタイプの封筒をはずして新しいのを入れながら、ていねいな口調できいた。

「ええ、そうなんですが」はにかみながら私が言った。机の横を廻ると、誰も机の前に立てないようになっていた。足のふくらんだ大きな旧式のテーブルが壁と机の間においてあった。その仕組みを見て理解すると同時に、同情を感じた。「投資について、あなたにいろいろと教えていただけないかと思っているんですが。ミスタ・ボルトは忙しい方なのであまりきかなかったのです。多少知っておきたいと思いましてね」

「お気の毒ですが、私にはできかねます、ミスタ・ハレー」顔をそむけてシーベリィの株主名簿をのぞきこんでいた。「ごらんのように仕事がありますから。新聞の経済欄か本をお読みになったらどうですか？」

本は持っている。『会社法概説』である。その本で覚えたことの一つは、当の会社を除いて、株主に株式情報を送れるのは株屋だけである、ということだ。なんでもない一般市民がやれば違法になる。シーベリィの株主に、手持ちの株を買いたいという印刷文書をクレイが発送すれば違法だが、ボルトならできる。

「本を読んでも、人から説明を聞くようなわけにはいきませんからね」と私が言った。「今お忙しければ、会社がひける時間にもどってきますから、夕食をごいっしょにいかがですか？　お願いできればたいへんありがたいのですが」

身を震わせたように思えた。「残念ですが、ミスタ・ハレー、行けないのです」

「あなたの顔の全体が見えるように、私のほうを向いてくれれば、もう一度お願いします」

ピクッと頭が上がった。そのうちに、向きを変えて私のほうを直視した。

私は微笑した。「そのほうがいい。さてと、今夜夕食をごいっしょにいかがですか？」

「おわかりになったの」

うなずいた。「家具の置きぐあいでね……きてくれますか？」

「これでもまだお誘いになるの？」

「もちろん。何時にしまうんですか？」

「今夜は、六時頃」

「戻ってきます。下の入り口で待っています」

「いいわ」彼女が言った。「本当にそうおっしゃるのなら、ありがたくお供しますわ。今夜は何も用がありませんから」

そのなんでもない言葉に、長年の希望のない淋しさがむきだしに感じられた。なにも用がない、今晩も、どの晩も。そんなにひどい顔ではなかった。私が予想していたようなひどさではなかった。片目がなく義眼を入れている。ひどい火傷と顔面の骨折の跡があるが、プラスティック整形で損傷が相当程度治してある。それに遠い以前のできごとであった。傷跡は古い。治っていないのは心の傷である。

そう、私自身も経験のあることだ、程度はもっと軽いが。

8

彼女は六時十分すぎに入り口を出てきた。仕立てのいい黒っぽいオーバーコートを着て、無地の絹スカーフで頭をつつみ、あごの下で結んでいた。スカーフは顔の傷のごく一部しか覆っていない。事務所の中にしつらえた隠れ場所を離れ、いわば無防備でいる彼女を見て、毎日毎日勤めに通う時の苦悩が痛いくらいに感じられた。

私がいることを期待していなかった。出てくると、私を探すようすもなく、まっすぐ地下鉄の駅のほうに向かった。私は後を追って腕にさわった。低いヒールでも彼女のほうが背が高かった。

「ミスタ・ハレー！　おいでになるとは……」

「まず、飲み物を一杯どうですか？　飲み屋はあいていますよ」

「あら、困るわ」

「困ることはない。さ、行きましょう」腕をとって道を渡り最寄りのバアに入った。くすんだ樫材、やわらかな照明、真鍮のハンドルの付いたポンプ、昼食時の葉巻きのにおいが残っている。家路につく都会人が寄らずにはいられない雰囲気である。すでに六人ばかり、裕福そうな黒っぽい服の男たちが一日の疲れをいやしていた。

「ここはだめだわ」と反対した。

「さっ」隅のテイブルの椅子にかけさせて、飲み物をきいた。

「それじゃ、シェリイをいただきます」

彼女のシェリィと自分のブランディを、一度にグラスを一つずつ、二度運んだ。彼女は落ち着かないようすで椅子の端に腰かけていたが、私が坐らせた席ではなかった。部屋に背を向けて坐っていた。

「グッド・ラック、ミス……」グラスを上げた。

「マーティンです。ザナ・マーティン」

「グッド・ラック、ミス・マーティン」私は微笑した。

彼女もチラッとほほえみ返した。醜さがいっそうひどくなった。傷ついた半面の筋肉が動かないで、唇の端を持ち上げることすらできず、目のまわりにしわをよせることもできない。悪運に見舞われていなければ、三十代の容姿の整った自信にみちた女性として、夫や家族の愛を一身にうけていたであろう。長年の失意の結果、はにかみの強い淋しい老嬢が、わざと人目を避けるために衣服も考慮し、行動している。しかし、その笑みにならない悲しい表情を見ていると、彼女との結婚を考えなかった男たちや、彼女自身の人目を避ける努力も、あながち非難することはできない、と思った。

「ミスタ・ボルトのところは長いのですか?」なにげなくたずねた。私が椅子でゆっくりと寛ぐと、彼女のほうも少しずつ体をほぐした。

「まだ四、五カ月です……」しばらく私の質問に答えて、仕事の話をしていた。よほどの芝居上手でないかぎり、チャーリング・ストリート&キング社で行なわれている不正事は知らないようだ。宛て名をタイプしていた封筒のことにふれて、中になにを入れるのだときいてみた。

「まだわからないのです。文書が印刷屋からとどかないんです」

「文書の原稿はあなたがタイプしたんでしょう?」

「いいえ、ミスタ・ボルトがご自分でおやりになったんだと思うわ。そういうところはとても親切なの。私が忙しいときは、手紙などは自分でお書きになるんです」

なるほど、そうであろう。彼ならそうであろう、とおもった。私の見るかぎりでは、ミス・マーティンは潔白だ。もう一杯飲み物を運んで、株屋としてのボルトに関する彼女の意見をきいた。堅実だが、さほど忙しくないと言う。今までにも何軒かの株屋に勤めたことがあるらしく、判断するだけの知識はあるようだ。

「この頃では、自分で事務所をもっている株仲介人は少なくなったわ」と説明した。「私自身は大きなオフィスで働くのは好きじゃないんです……だから、自分に合ったような勤め口を探すのがだんだんむつかしくなってきたわ。たいがいの株屋は二、三人あるいはそれ以上の人と合名会社を作るんです。経費がはるかに少なくてすむし。自分たちは一人の時より取引所で長い時間をすごせるし……」

「ミスタ・チャーリング、ミスタ・ストリート、ミスタ・キングはどこにいるんですか?」

チャーリングとストリートは亡くなったらしいし、キングは数年前に引退したようだ。会社にはエリス・ボルトのほかにはいない。彼女はボルト氏の事務所が大きな会社の間借りをしている点は気にいらない。他から完全に独立していないからだが、今時はみんなあのような仕組みになっているらしい。経費が少なくてすむし……と話し続けた。

都会紳士のほとんどが家路についた頃、私とザナ・マーティンはバアを出て人気のない道をタワーの方角に歩いた。静かなこぢんまりしたレストランを見つけ、彼女もそこで食事をすることに同意した。前とおなじように隅のテイブルに直行し、部屋に背を向けて坐った。

メニューの値段を見て、「私の分は自分で払います」と彼女が言った。「こんなに高級な店とは知らなかったわ。知っていたら入るなどとは言わなかったのに……。ミスタ・ボルトが、あなたが工場に勤めておられる、と言っていたわ」

「伯母の贈り物がありますよ。今夜は伯母のご馳走ということにしましょう」

彼女が笑った。顔を見ていなければ楽しそうな笑い声であった。しかし、自分が常に彼女の顔を意識しないで話ができるようになっているのに気がついた。しばらくすればすぐに慣れるものなのだ。そのうちに機会があったら、そのことを話してやろう、と思った。

私はまだ食物を制限されているので、片手しか使えない点を除いても、人のおつきあいは困難なことだったが、スープと、給仕がていねいに骨を取ってくれたひらめで苦労もなく食事ができた。ミス・マーティンは遠慮気兼ねをすてて、ロブスター・カクテル、ステーキ、果物は桃を注文した。時間を気にすることなく、ゆっくりとワインを味わい、コーヒーとブランディを飲んだ。

途中で彼女が嬉しそうに言った。「こんなに楽しく食事をするの、ほんとに久しぶりだわ。父が時折りつれて行ってくれたけど、父が亡くなってからは……自分一人でこのようなところに行けないし……。時には、うちの近くの食堂へ行くの、みんな私を知っているし……料理もとてもおいしいのよ、チョップや卵料理、チップスなどね……そういった料理だけど」彼女が一人で、傷を壁のほうに向けて食べている姿が目にうかぶようだった。孤独で不幸なザナ・マーティン。なにかしてやりたいと思った——どんなことでもいい——彼女を楽しくしてやれるなら。

コーヒーをかきまわしながら彼女があっさりした口調で言った。「これ、ロケットのせいなの」と顔にさわった。「花火のね、立てておいた瓶が飛び出す瞬間に傾いて、私めがけて飛んできたの。頬骨に当たって破裂したの。誰が悪いのでもなかったわ……十六の時だった」

「上手に治療してありますね」

首をふって、顔を歪ませた悲しい笑みを見せた。「そうね、治療前の状態に比べればね……でも、もう一インチ高く当たっていたら、目から脳へ入って死んでいただろうって。死んでいたほうがよかったと、時々思うことがあるわ」

本心であった。平静な声であった。事実をのべているにすぎない。

「そうでしょうね」私が言った。

「ふしぎね、今夜は顔のことをほとんど忘れていたわ。人といてそういう気持ちになることはめったにないのに」

「そう言っていただくと私も嬉しい」

コーヒーを飲むとカップを下において、なにか考えるように私を見ていた。

「あなたはなぜいつも手をポケットに入れていらっしゃるの?」

彼女には見せる義理がある。手のひらを上にして手をテイブルにのせた。内心いやであった。

「まあ!」と驚いて言った。しばらくして私の顔を見た。「わかっていらっしゃるのね。だから私……あなたといると寛げるのね。あなたにはわかっているんだわ」

私は首をふった。「一部分だけですよ。私にはポケットがある。あなたにはない。私は隠すことができる」手のひらをかえして（甲の方はそれほど気味が悪くなかった）やがてひざの上に戻した。

「でも、かんたんなことがおできにならないのね」と声をあげた。憐憫の気持ちが溢れていた。「靴紐が結べないでしょう。レストランでは、誰かに切ってもらわなければステーキも食べられないわ……」

「やめたまえ」激しい口調で言った。「やめなさい、ミス・マーティン。自分が我慢のならないことを人にするものではない」

「憐み……」唇をかんで悲しそうに私を見つめた。「人に与えるのはやさしいのね」

「受けるほうは困惑しますよ」私はニヤリと笑った。「それに、私の靴には紐はないのだ。だいいち、ああいうのは時代遅れなんでね」

「あなたは私と同じようになにもかもわかっているのに、それを私が……」すっかり滅入ってしまった。

「元気を出しなさい。親切心からですよ。同情だ」

「憐みと同情は同じものだとお思いになって？」ためらいながらきいた。

「たいがいの場合はね。しかし、同情は思慮のある態度だし、憐みのほうは無作法ですよ。いや、失礼しました」私は笑った。「いうなれば……自分の食物を切れないのが気の毒だと思ったあなたは同情したのだが、口にしたのは思慮を欠いていた。いい例ですな」

「人の無作法を許すのはそんなには難しくないわね」考えていた。

「そうですね」思いがけない言葉に同意した。「難しくないと思いますね」

「たんなる無作法だけであれば……それほど気持ちを傷つけられないかもしれないわね？」

「かもしれない」

「それに好奇心も……それも無作法のさせることだとおもえば、気持ちがらくになるのかもしれない、そうお思いになりません？　気がきかないとか無作法というものは我慢がしやすいわ。逆に、お行儀をしらないその人たちを気の毒に思うことだってできるわ。ほんとに、どうしてもっと早く気がつかなかったのでしょうね、今にして思えばかんたんなことなのに。筋も通っているし」

「ミス・マーティン」私は感謝をこめて言った。「もう少しブランディを召し上がれ……あなたは解放者だ」

「どういう意味かしら？」

「たしかにあなたが言うように、憐みは無作法なのだから気にすることはないのだ」

「あなたが言ったんだわ」反対した。

「いいや、そのようには言わなかった」

「いいわ」と朗らかに言った。「二人で新しい時代のために乾杯しましょう。大胆に世の中に立ちむかう。私は机を入社したときにおいてあったように、ドアの方に向けておくわ。誰にも見えるようにするの。そして……」決意の声が高まった。「あからさまに私を憐む人はみんな無作法者だと思ってやるわ。それでいいんだわ」

ブランディを飲んだ。彼女はあすの朝、今と同じように決意をもち続けているであろうかと内心考え、疑った。長い年月、人から隠れるようにくらしてきている。彼女も同じようなことを考えていたらしい。

「私、一人でやれるかどうか、自信がないの。でも、あなたがあることを約束してくださったらできると思うわ」

「いいですよ」私はなにも考えずに言った。「どんなことですか?」

「あした一日、ポケットに手を入れないこと。みんなに見せるの」

私にはできない。明日はレースへ行くのだ。私は愕然として彼女を見た。その時初めて、机を動かすということが彼女にとってどのように苦痛か、どのような犠牲を払うことになるのかがわかった。私の表情に拒みを読みとると、彼女の心の中の光も消えていくようだった。陽気さが消え失せて、うちひしがれた、よりどころのない表情に戻った。解放はなくなったのだ。

「ミス・マーティン……」言葉をのみこんだ。

「いいんです」疲れた声だった。「いいの。いずれにしてもあしたは土曜日だから。ちょっと行って郵便物を見たり、緊急を要する取り引きがあったかどうかを見るだけなの。机を動かしても無意味だわ」

「月曜日は？」

「たぶんね」否定である。

「明日机の位置を変えて来週いっぱい続けたら、私もあなたの言うことを実行する」考えただけで身震いした。

「あなたにはできないわ」悲しそうに言った。「わかってるわ」

「あなたができれば、私もやらねばならない」

「あんなことを言うんじゃなかったわ……工場にお勤めなんでしょう」

「ああ」私は忘れていた。「かまいませんよ」

また気持ちの盛り上がりが感じられた。

「ほんとうにそうおっしゃるの？」

うなずいた。彼女のためになにかしてやりたい――どんなことでも、と思っていた。どんなことでも。たいへんなことだ。

「約束？」疑わしそうだった。

「約束します。そちらは？」

「いいわ」決意がよみがえってきた。「あなたも同じ立場だとわかっていないと、私にはできないわ……わかっていれば、あなたを裏切ることができないから。わかっていただけるかしら」

勘定をすませると、断わるのを家まで送って行った。地下鉄でフィンチレイへ行った。まっすぐ人目につかない席へ行って、傷のないほうを車内に向けた。そのうちに独り笑いをしながら謝った。

「いいですよ。新時代はあすから始まるんだから」私も臆病者らしく手を隠した。

彼女の部屋は駅の近くで（歩く距離の短い場所を選んだのだ）郊外住宅らしい立派な家の中にあった。彼女が門のところで立ち止まった。

「お入りになる？　まだそんなに遅くないし……それにお疲れになったでしょう？」

たってすすめるというのではなかったが、招きに応じると嬉しそうだった。

「じゃあ、こちらへどうぞ」

なにもない整頓された庭を通って、けばけばしい色ガラスのついているドアのほうへ歩いた。ミス・マーティンは長い間、バッグの中の鍵を探していた。彼女があけるのと同じくらいの早さであの錠が破れるな、ととりとめもなく考えていた。中に入ると、暖かい廊下に脱臭剤のさわやかなにおいがただよっていた。そのつきあたりに、「マーティン」と記したカードのついているドアがあった。

ザナ・マーティンの部屋は予想外のものであった。住み心地のいい大きな部屋で、隅から隅まで、絨毯が敷きつめてあり、装飾も新しく色彩豊かであった。大きな室内灯とバラ色のテイブル・ランプをつけ、フレンチ・ウィンドウに多少色のうすれたオレンジ色のカーテンをひいた。最近造ったばかりのバスルームと小さなキッチンを満足げに見せてくれた。両方とも自分で金を出したのである。家主はたいへん理解があるのだ、と言った。親切な人である。彼女はもう十一年もここに住んでいる。自分の住み家なのだ。

ザナ・マーティンの住み家に鏡はなかった。一つもなかった。

キッチンの中を動き廻ってコーヒーをいれていた。じっとしていられないのだろうと思った。私は長いゆったりしたモダンなソファに寛ぎながら、長年の習慣で、肩まである黒髪が顔をかくすように常に前かがみになっている彼女を見ていた。盆を持ってきておくと、ソファの私の右側に腰を下ろした。無理もないことである。

「泣くことがおありになる？」とつぜん言った。

「ありません」

「自分をはかなんで……泣かない？」

「泣かない」私は微笑した。「嘘じゃない」

彼女は溜め息をついた。「私はよく泣いたわ。このごろは泣かないけど。だんだん年をとってきたのね。もうすぐ四十よ。バスルームとキッチンを造った時、自分はなにもかも諦めたんだな、と思ったの。それまではいつも自分に言い聞かせていたの。そのうちに……たぶんいつかは……でも、もうそういう期待はもたないことにしたの」

「男は目が見えないから」あまり適当な言葉ではない。

「こんなお喋りをしていて、気になさらない？　誰かがこの部屋へくることはほとんどないし、本当にお話しできる人っていないんですものね……」

彼女の思い出や経験、影に覆われた生涯の話をききながら一時間ほどいた。

自分に起こった不運は、この人の十分の一以下だ、と反省した。自分の場合はもっと運のいい生活であった。

そのうちに彼女がたずねた。「あなたの場合はどうだったの？　そのお手は……」

「ああ、事故でした。鋭い金属片がね」時速三十マイルの馬の足についている、カミソリのように鋭い競馬用の蹄鉄である。なんでもない落馬で地面を転がっている時に、強い力で切りつけるように蹴られたのだ。

馬が競走する時は、ふだんつけている分厚い蹄鉄ではなくて、うすく軽い俗にプレートというのをつけている。蹄鉄屋が馬が出走するたびに、その前後に取り替えるのだ。調教師の中にはわずかばかりの金を節約するために、一枚のプレートを何回も使うのがいる。その場合に端がしだいにうすくなって、しまいにはナイフの刃のようになる。それもなめらかな刃ではなくてデコボコである。人体などは手斧のように切り裂くことができる。

切り裂かれた手首から血が噴き出し、折れた骨が白く見えているのを見た瞬間に、本当は、自分の騎手生活もこれでおしまいだな、とわかっていたのだ。それでも諦めずに、その時すぐにも手首を切断しなければならないと言う外科医たちに強く言い張って、縫わせてしまった。二度と使いものにはならない、と彼らが言ったが、その言葉が正しかったのだ。あまりにも多くの筋や神経が切断されていた。その後二度も彼らを説得して結合や移植を試みさせたが、二度とも無益な苦痛をまねくだけであった。それ以後は彼らも受けつけなかった。

ザナ・マーティンは今にも詳細をききそうであったが、思いとどまったので助かった。そのかわりにたずねた。「結婚していらっしゃるの？　私、自分のことばかり喋っていて、あなたのことはなにも知らないんですもの」

「妻は、アテネの妹のところへ行っています」

「いいわね、私も……」と溜め息をついた。

「そのうちに行けますよ」私がキッパリと言った。「貯金をすれば一、二年のうちに行けるバス旅行かなにかで行けばいいんですよ。大勢の人といっしょにね。一人はだめですよ」

時計を見て立ち上がった。「今夕はたいへん楽しかった。つきあって下さってほんとうにありがとう」

彼女が立って握手をし、この次に会うことには一言もふれなかった。それまでに卑下している。期待は自ら捨てているのだ、と感じた。気の毒な女である。

「あすの朝……」ドアのところで彼女がソーッと口にした。

「あした」私はうなずいた。「机を動かしなさい。私も……必ず約束を守ります」

ザナ・マーティンのような人間にひきあわせた運命を呪いながら家に帰った。チャーリング・ストリート&キング社の秘書は、お互いに深入りすることなく、食事や映画につれて行って面白く遊べるような、若い、場合によってはきれいな娘であろうと考えていたのだ。予想に反して、エリス・ボルトの内情を探るためには、思いのほか高価な代償を払わねばならないようである。

9

「きみ、そう言うがね」ケンプトンのレースのざわめきの中でハグボーン卿が言った。「私はオクソン大尉と話をしたのだ。彼は現状で満足している。私としてはそれ以上介入できないのだよ。その点はわかってくれるだろう?」

「いいえ、わかりません。オクソン大尉の気持ちがシーベリィ競馬場より大切であるとは考えられません。たとえ彼を無視しても、コースを早く修理しなければたいへんなことになります」

「オクソン大尉は」皮肉が感じられた。「自分の仕事に関しては、きみより詳しいのだ。きみが走路をちょっと見ただけの意見より、私は彼の言葉を重視するね」

「それでは、ご自分で見ていただくわけにはいきませんか。手遅れにならないうちに」

せきたてられるのは気にいらないのだ。表情にはっきりうかがえた。これ以上言えば、彼がラドナーに電話して調査依頼を取り消すおそれがある。

「そうだな……月曜日なら時間がとれるかもしれない」しぶしぶと言った。「考えておこう。ところで、シーベリィの事故が作為によるものだという証拠は見つかったかね？」

「まだです」

「考えすぎだと、私は思うがね？」不機嫌に言った。「覚えていると思うが、私は初めからそう言っているのだ。近いうちになにか確証をあげないと……すべてがむだな出費になるのだからね」

通りがかりの理事がわりこんできて、彼を別な問題のほうへつれて行った。私は後に残されて、確証と言えるものがまったくないことを、ゆううつな気持ちで思い返していた。あるものは否定の裏付けにしかならない。

ジョージはまだクレイの殼を破る手がかりをつかんでいない。元巡査部長カーターは、ボルトに悪事の気配がないと言い、チコはなんら手がかりをつかめないままシーベリィから帰ってきた。

その朝、私がケンプトンへ出かける前にみんな集まったのだ。

「なんにもねえよ」チコが言った。「あの道路沿いに一軒残らず入って行って、もう舌がちぎれそうになっちまったよ。手がかりは全然ねえよ。走路を横断している部分に、迂回の看板が出ていなかったことは確かだ。だいたいあの辺は車があんまり通らねえや。数えてみたんだ。一時間平均四十台だぜ。しかしそれだけでも、なにかあれば付近の連中にはわかるからな」

「横倒しになる前にタンカーを見かけた者はいないか？」

「近頃はみんなしょっちゅうタンカーを見てんだよ。中にはそのことでブーブー言っているのがいたっけ。しかし、あの特定の車を見かけたという者はいねえな」

「偶然ではないな……いちばん困る地点で、あの時機に。それに、一日か二日後に運転手が荷物をまとめて、行く先も告げずに引っ越して行ったんだ」

「そうだな……」チコがなにか考えながら耳をかいていた。「起重機のような物を雇った形跡はねえよ。だいいち、そんな器材はたくさんねえし、ある物は全部足どりがはっきりしてんだ。バンガローの連中もなんにも見ていない。見たのは、タンカーを起こしにきたクレーンだけだ」

「排水溝のほうは？」

「排水溝なんかねえよ。天地開闢以来作ってねえんだ」

「いいぞ」

「えっ？」

「もしおまえが地図の上で見つけていたら、障害レースの時の事故は、正真正銘の事故ということになる。ないとなると、落とし穴のにおいが強くなってくる」

「暗くなってから、シャベルで一仕事したってわけだな？　だいぶ手がこんでやがる」

私は眉をよせた。「そうなんだ。しかも、溝の線が見えなくなるように、土が落ち着く期間が必要だから、レースのだいぶ前にやっていることになる……」

「それに、トラクターが上を通れるくらい丈夫にしとかないといかんし」

「トラクター?」

「きのう一台いたぜ、掘り返した芝を積んだトレーラーを引っ張っていたよ」

「そうか、そうだな。トラクターが通れるくらい丈夫な……しかし、車輪は馬の足のように地中にめりこまないからな。重量が分散しているから」

「そういうことだ」

「芝の掘り起こしはどの程度進んでいた?」

「進んで? 冗談じゃねえよ」

気が滅入った。ハグボーン卿のにえきらない態度もそうだ。とくに、ザナ・マーティンとの約束を守ったから、一日中がゆううつな日であった。憐憫、好奇心、驚き、当惑、嫌悪感、すべてを経験した。そのうちのいくつかは、無作法とか無礼というふうに考えてみようと努めたが、うまくいかなかった。そんなに神経を使うのはバカバカしいことだと自分に言い聞かせたが、だめだった。もしマーティン嬢が約束を守っていなかったら首をしめてやる、とさえ思った。

午後も相当たった頃、二階の大きなバアでマーク・ウィットニィと一杯飲んだ。

「なるほど、ずっとポケットや手袋で隠していたのはそれなんだな」彼が言った。

「そうだ」

「ちょっとひどいな」

「ああ」

「まだ痛むのか？」

「いや、ぶっつけなければね。時々ズキンズキンすることはある。関節というのはみんなそうなんだな」

「だろうな」同情的に言った。「おれの踵もまだ痛むよ。治るけど、なかなか許しちゃくれねえんだよ」ニヤリと笑った。「もう一杯どうだ？　時間はある。第五レースまではおれの馬は出ねえから」

馬の話をしながらもう一杯飲んだ。みんな彼のようだと気が楽なのに、と思った。

「マーク」二人で検量室の方へ歩きながら言った。「ダンステイブルが閉鎖になる前に、なにか事故はあったのかい？」

「だいぶ前のことだな」考えていた。「最後の一、二年は全くだめだったな。入場者はへる一方だったし、修理に金をかけなかったし」

「とくに事故があったというわけじゃないんだね？」

「事故と言えるかどうか、あそこの取締り委員が睡眠薬をのみすぎた、という事件はあったな。そうだ、思い出したよ。あそこがだんだん傾いたのは監査役の精神異常のせいだと言われていたな。たしか、ブリントンという名前だったよ。人の知らないうちに、しだいにおかしくなっていたんだな、競馬場のことで、およそ妙な指示を下していたよ」

「覚えていないなあ」私は陰気な声で言った。マークは検量室に入って行き、私は外の手すりによりかかった。取締り委員が自殺をするなどということは、とうていクレイの仕業とは思えない。しかし、そのことでシーベリィ乗っ取りを急ぐ気にならせたのかもしれない。ダンステイブルの場合は時間が充分あった。しかし最近の政界の動きで、建築用地の国有化が取り上げられているところから、一刻も早くシーベリィを手中に納めねばならないと考えるのは当然であろう。私は溜め息をついて、かつて私が騎乗していた馬の持ち主の娘のティーンエイジャーが、魅入られたような恐怖の表情を示したのを忘れようと努めながら、パドックの方へ馬を見に行った。

長かった一日が終わると、アパートに帰り、いつもより多めに飲み物を注いで、いろいろと考えながら一夕を過ごしたが、世間を震撼させるような考えはうかばなかった。

翌朝遅く、同じように考えにふけっているとドア・ベルが鳴った。外にチャールズが立っていた。

「どうぞ」驚いて言った。アパートにくることはめったになかったし、週末にロンドンにいることはほとんどなかった。「昼食をどうですか？　下の食堂はなかなかうまいですよ」

「かまわないが、先にちょっと用がある」オーバーと手袋を脱いでウィスキィを受けた。

なにか態度に落ち着きがなく、洗練された容姿にかげが見え、高いひたいによせたしわから心中の動揺がうかがえた。「ところで、問題はなんですか？」私が言った。

「ああ……エインズフォドからまっすぐ車を運転してきたのだ。珍しく車が少なかったよ。天気がいいのでドライブでもと……えいくそ、まずいな」大きな声を出すと、グラスをドンと下においた。「用件を片付けよう……昨夜ジェニイがアテネから電話をかけてきたのだ。向こうである男と知り合いになった。離婚してほしいときみに伝えてくれ、と言うのだ」

「へえ」私が言った。チャールズに最後の斧をふらせるところがいかにも彼女らしい、と思った。現実的なジェニイだ、新しく火をかきたてるのに枯れ枝を払ってしまう。完全に枯れていないのがあったって仕方がない。

「とにかくきみは徹底しているよ」チャールズが緊張をほぐしながら言った。

「なにが」

「どうなったってかまわないという態度だよ」

「かまわなくはないですよ」

「しかし人にはわからないね」溜め息をついた。「私が、妻が離婚を求めている、と言うと、きみは、へえ、と言うだけだ。その時も」私の腕のほうに首をまげた。「私が心配と同情で胸がいっぱいになってかけつけた直後にきみが言ったことは、私は忘れもしないが、元気を出してください、チャールズ、だいぶ儲けさせてもらったんだから、だった」

「そうでしたね」私はごく幼少の頃から同情を示されるのを避けた。不要であったし、信用しなかった。同情をうけると人間が甘くなってしまう。不義の子には甘くなっている余裕はないのだ。学校で泣くこともあるし、恥辱から回復できないような打撃をうけることもある。だから、貧困も嘲笑も、あるいは成人してからは妻に去られることも、職業を諦めねばならぬことも、肩をすぼめてやりすごし、本心は人には見えない胸の中にしまっておかなければならないのだ。ばかげているようだが、致し方ない。

陛下で離婚の手続きなどを他人のことのように話し合いながら、二人で親しく昼食をとった。ジェニイは、彼女の同居拒否という理由を使ってもらいたくないようだ。私のほうでなにか適当な方法を考えるべきだ、と言っていたそうだ。探偵社に勤めているんだから、なにかいい知恵があるだろう、と言う。チャールズは申し訳なさそうであった。ジェニイの今度の結婚相手は、トニィと同じように外交官なので、できることなら彼女が離婚されたという形は避けたいらしい。

チャールズが、私がジェニイに対して不貞をはたらいているか、と遠廻しにきいた。いいえ、残念ながら、と彼が葉巻きに火をつけるのを見ながら答えた。いろいろなことがあってそういう元気もなかった。面白そうに、筋の通った申し開きだな、と彼が言った。

ジェニイの望むようになにか手段を講じよう、彼女のほうに影響があっても自分の将来には影響のないことだから、と伝えた。彼女も感謝するだろう、とチャールズが言った。彼女のことだから、当然のことと思っているにちがいない、と私は思った。

その問題ではほかに話もないので、話題をクレイにかえた。あれ以来会ったか、とチャールズにたずねた。

「そう、きみに話そうと思っていたのだ。木曜日にクラブで彼と昼食をしたのだよ。偶然だった。二人ともたまたま一人でいたのだ」

「初めて会ったのは、そのクラブなんですか？」

「そうだ。もちろん、週末の礼などを言っていたよ。石英の話もした。なかなか興味のあるコレクションだ、と言っていた。しかし、聖ルカの石についてはおくびにも出さなかったな。彼の反応が見たくて、単刀直入にきいてやろうかと思ったくらいだよ」微笑しながら葉巻きの灰を落とした。「話の途中できみのことにふれたら、急に愛想がよくなってね、きみが彼ら夫妻にたいへん失礼なことを言ったが、もちろん楽しみを妨げられるようなことはなかった、と言っていたよ。悪どい言い方だと思ったな。きみをひどいめにあわせていたのだから。あるいは、そのつもりだったんだからな」

「そうです」私は朗らかに言った。「しかし、私もたしかに失礼なことを言ったし、スパイもやったんですから。彼が私に関して言っていることは、みな当を得ているのですよ」

そこで私は、写真をとったことや、先週中に発見したり、推量したことをチャールズに話した。葉巻きの火が消えた。呆然としていた。

「あなたは、私にやらせたかったんでしょう？　あなたが始めたことですよ。なにかほかに考えていたのですか？」

「いや、以前きみがどんな人間だったかを……自分が忘れていたことに驚いたのだよ。決意が堅い男だった。無慈悲でさえあった」彼がニッコリ笑った。「私の休養ゲームが、予想以上にうまくいったようだな」

「クレイのようなのが普通薬とすると、あなたのほかの患者は大変だな」

二人で道をチャールズが駐車しているほうへ歩いて行った。まっすぐ家へ帰るという。

「離婚に関係なく、時折りお目にかかれますか？　会えないのは残念です。元義理の息子として、エインズフォドへ行くわけにもいきませんからね」

彼はびっくりした。「シッド、きてくれないと怒るよ。ジェニイはジルのように、世界中を廻って歩くことになる。いつでもきたい時にきてくれたまえ」

「ありがとう」と言った。本心からそう思ったし、言葉にもその気持ちが表われていた。

彼は車のそばに立って、六フィートの高さから私を見下ろしていた。

さりげない調子で、「ジェニイは愚か者だな」と言った。

私は首をふった。ジェニイはばかではない。彼女は自分のほしいものをよく心得ている、それが私でないだけだ。

翌朝定刻に出社すると、交換手につかまって、ラドナーが待っている、と言う。

「おはよう。今ハグボーン卿から電話があって、そろそろ確証をつかんだらどうだ、ということだった。それと、今日は車の手入れをしているのでシーベリィへは行けない、と言ってたよ。腹をたてる前に聞きたまえ、シッド……今すぐきみが自分の車でご案内する、と言ってやったのだ。すぐ行ったほうがいい」

私はニヤッと笑った。「気にいらなかったでしょうな」

「言い訳を思いつく余裕を与えなかったんだよ。思いつかないうちに行って、つれて行ったほうがいい」

「わかりました」

私は大急ぎで競馬課へ行った。ドリィが口紅をなおしていた。きょうは前合わせのブラウスを着ていない。失望した。

行く先を告げて、チコを貸してくれと頼んだ。

「どうぞ、ただし彼の注意をひくことができればね。会計でジョーンズ坊やと喧嘩してるのよ」

しかしチコは注意深く私の言うことを聞いて、指示を復唱した。「ダンスティブルの取締り委員がどのような失敗をしたか、正確につかむ。競馬場が赤字に転落したのは、それ以外に原因がないことを確認する」

「そのとおりだ。それと、おれが射たれた時、おまえが扱っていた一件とアンドリューズの綴りを探し出しておいてくれ」

「でも、もう完結になっているんだぜ。綴りは地下の資料室へ行ってるよ」

「坊やをとりにやらせればいいさ」私はニヤリと笑って提案した。「たんなる偶然かもしれないが、調べたいことがあるんだ。あしたの朝見るよ、いいね？」

「おめえがそう言うんならな」

アパートに帰って車にガソリンを入れると大急ぎでハグボーン卿の住居へ車を走らせた。彼はていねいに、多少冷ややかに朝の挨拶をかわし、車に乗りこんでシーベリィに向かった。気の進まないことを無理強いされた不機嫌さがなおるのに十五分ほどかかったが、そのうちにホッと吐息をもらし、体を動かして私に煙草をすすめた。

「けっこうです。すわないのです」

「すってもかまわないかね？」

「どうぞ、おかまいなく」

「なかなかいい車だな」

「もう三年になります。最後のシーズンに買ったんです。今までの中ではいちばんいいようです」

「それにしても車の扱いがたいへん上手だね」悪意のない調子で言った。「片手でこのような車が運転できるとは思わなかったよ」

「エンジンに力があるから扱いいいんです。昨年はこれでヨーロッパを旅行しました……あちらの方は道もいいですね」

車や休暇、演劇や本の話などした。彼は珍しく暖かい人間味を見せた。二人ともシーベリィを話題にすることは避けた。向こうへ着くまでは上機嫌でいてもらいたかった。なにか議論しなければならないとすれば、帰りのほうがいい。彼もそう考えているようだった。

シーベリィの現状を見ると、彼はゆううつに黙りこんでしまった。オクソン大尉と芝の焼けたあたりへ行って見た。大尉は体をこわばらせて、丁重であった。彼は愚か者だと思った。直ちに理事長の援助を求めればよかったのだ。

オクソン大尉は、私は初めてであったが、向こうは私を見て知っていると言った。五十がらみのほっそりした感じのいい外見の男で、あごが長く、目に水がたまる傾向があった。その場での気持ちを傷つけられたような頑固な表情は、怒りというよりは子供っぽい感じであった。大佐のできそこないだな、とひどいことを考えたが、当然だという感じもあった。

「私などが口を出す筋ではないと思いますが、ブルドーザーを使えば、あんな芝は二時間くらいでかんたんに掘り起こせると思いますね。新しい芝が落ち着く期間はないが、二、三トンもタン皮を入れれば、らくにその上を走れますよ。どうせ道路にかぶせるタン皮を買うんだから、注文量を少しふやせば事足りるんじゃないですか？」

オクソンはいらだたしそうに私を見た。「そんな余裕はないのだ」

「ぎりぎりになって中止するような余裕がないはずですな」私が訂正した。

「中止の場合は保険がカバーしてくれる」

「保険会社がこんどの場合、補償するかどうかは疑問ですよ。やるべきことをやっておればできたはずだ、と言いますね」

「きょうは月曜日だな」ハグボーン卿がなにか考えながら言った。「レースは金曜日だ。かりにあしたブルドーザーを呼ぶとする。水曜日と木曜日にタン皮を入れて敷きつめる。そう、間に合うな」

「しかし……経費が」オクソンが言いかけた。

「金はなんとかしなければなるまい」ハグボーン卿が、言った。「ミスタ・フォザートンがきたら、経費の支出は私が承認したと言いたまえ。どんな方法にしろ、支払いはする。やれるだけのことをやらない理由はない」

オクソンが最初からブルドーザーを入れていれば、人夫六人の一週間分の労賃が節約できたのだ、と口まで出かかったが、当初の目的を果たしたので黙っていた。しかし、オクソンが愚か者だという気持ちはなくならなかった。競馬場の管理者に陸海軍の元将校を選ぶという奇妙な慣習も、ふつうはうまくいっている。しかし、この場合は明らかに失敗だったようだ。

私たち三人はスタンドへ上った。ハグボーン卿は見すぼらしい有様を立ちどまって見ては唇をひきしめていた。シーベリィの取締り委員がブリストルの住人で、繁栄しているブリストル競馬場しか念頭にない人間であるのが残念だった。もし私にその権限があったら、一年前にシーベリィが赤字に転じた時に、誰か全精力を集中できる人間、いや、その運営に自分の生活がかかっている人間を取締り委員に選んでいたであろう。シーベリィの当事者たちが露呈した不手ぎわ、遅延、混乱、人の気持ちにこだわって必要な処置をとらなかったことなどは、ひそかに陰で動いているクレイにとっては計り知れない利点であった。

フォザートン氏は自分で言うように心配をしてはいたのだろうが、どこかの会議に委員として出席していたチャールズに話す以外には、なんら手段を講じていない。そのチャールズが、腹の傷から私の気をまぎらわすようなことを探していたのと、たぶんシーベリィのことを本気で案じてであろう、早速私にその事実を放ってよこしたのだ。それももちろん彼独特のやり方によってである。

競馬場全般にわたる放任状態はゾッとするほどであった。私はフォザートン自身が、シーベリィの株を大量に持っていて、閉鎖になることに利害関係があるのではなかろうか、と考えた。株主名簿をいっそう慎重に調べてみることにして、ハグボーン卿とオクソン大尉の後についてスタンドの端まで歩き、競馬場の門を出てオクソン大尉のアパートへ行った。大尉の住居は、門から三百ヤードほどの距離にある厩舎区域の中の食堂の階上にあった。

ハグボーン卿に言われて、彼は地元の土建業者に私たちのいるところで電話をかけ、翌朝緊急に掘り起こし作業をやってもらう手配をした。彼の態度は相変わらず不機嫌で、彼がすすめたハムとチャットネのサンドウィッチを私が断わったためにますます冷ややかになった。うまそうなサンドウィッチで、本当はのどから手が出るような気持ちであることを彼は知るよしもなかった。退院してから二週間たったが、ハム、からし、チャットネがまともに食べられるようになるのにはまだあと二週間待たねばならなかった。気づまりなことである。

食べ終わると、ハグボーン卿は全体を巡視することにした。三人で厩舎区域へ行き、厩務員の宿泊所から食堂、台所を通り、厩舎関係の事務室を全部見て廻った。どこもようすはみな同じであった。火事で焼失した馬房の列を間に合わせに新築してある以外には修理や新しい塗装の形跡は見られなかった。

道を歩いて行き、正門を通ってスタンドとその背後にある検量室、食堂、バア、洗面所を見て廻った。その端に事務局と記者室、続いて理事室がある。トンネルのような幅の広い通路が建物を貫いている。片側は数多い部屋の入り口がならび、反対側はスタンドへ上る階段になっている。私たちはくまなく全体を、ボイラー室からオイルの貯蔵庫まで見てあるいた。おかげで私は、なつかしい検量室や更衣室の中に入ることができた。

巨大な建物全体がじめじめと冷たく、吹きさらしで、ほこりのにおいがたちこめていた。新しいと思われるものはなに一つなかった。ほこりさえも古っぽい感じであった。これ以上ゆううつな環境はあまりないのであろうと思ったが、付属建物の中にはもっとひどいのがあった。

オクソン大尉が、全般的な老朽化は半マイルと離れていない海からの潮風のせいだ、と言った。たしかにその点もあるであろう。ただ問題は、長期間その潮風の思いのままに放置しておいた点である。

やがて私たちは門のすぐそばに駐車してある私の車のところへもどってスタンドを眺めた。孤独な、人に見離された姿が、十一月初めの冷たい午後、ちょうど降り始めた塩気まじりの霧雨の中にかすんで、惨めな印象をさらに深めていた。

帰途バンガローの列の間を走っている時、ハグボーン卿が陰うつな面持ちで言った。

「どうしたらいいのだ?」

「わかりません」私は首をふった。

「完全に死んでいる」

議論の余地はなかった。とつぜん、シーベリィはもはや救える段階をすぎているという気がしてきた。これで金曜日と土曜日のレースは開催することはできるが、現状では経費をまかなうだけの入場料収入はとうてい見込めないであろう。どのような会社でも、永久に赤字を続けていくことはできない。シーベリィの場合、予備費に手をつけることによって急場をしのぐことはできるが、私が見た予備費はわずか数千ポンドしかない。事態がさらに悪化することは明らかである。破産は目前である。シーベリィの将来性はないものと判断して、できるだけ早い機会に土地を最高値で売却するほうが現実的なやり方かもしれない。市民は口々に海岸の平地を求めている。また株主に対して、長年株を持ち続けてくれた気持ちに報いるためにも、最近の低配当を償うためにも、一ポンドの投資に対して八ポンド払い戻すのは当然なことかもしれない。シーベリィが宅地となって益を得る者は多く、損をする者は一人もいない。シーベリィを救うことはもはや不可能である。それによって益する人のことを考えるべきだ。

ここまで考えてきて、私はハッとした。これが監査役のフォザートン氏、管理者のオクソン大尉、そしてすべての理事者たちの考え方なのだ。だからこの競馬場を救うために、驚くほどなんの手段も講じていないのだ。あっさりと敗北を認め、閉鎖は害をもたらすどころではなく、多くの人に益をもたらすのだ。他の競馬場も、ハースト・パークやバーミンガムのような大所でさえそうだった、シーベリィとて例外ではない、と考えている。

また一カ所、カーディフ、ダービィ、ボーンマス、ニューポートなど、今世紀の亡霊に加わったってどうということはあるまい。ダンスティブルのコーニッシュ警部のような忙しい人間が、近くに競馬場がなくなってレースに行けなくなったところでたいした問題ではあるまい。休みをシーベリィですごしていた連中がビンゴ・ホールへ行くようになったからといって騒ぐことはない。

馬主たちが、自分たちの馬にとってシーベリィほど優秀なコースがないことを考えて、結束してその存続を要求するべきだ。もちろんそんなことをやるはずはない。馬主たちにすばらしいコースなのだといくら説明しても、騎乗の経験のある者以外は理解し得ないであろう。彼らの目にうつるのは老朽した施設であって、馬が自分のほうから跳びたくなるような、すばらしい配置と造りの障害物ではない。自分たちの馬が足下の短く弾力に富んだ芝をどのように楽しんでいるか、あるいはコーナーの曲がりぐあいや走路のそりぐあいが平均したスピードを維持するのに理想的であることなどは知らない。他のコースでは、コーナーで馬が外にふくらみ足並みを乱すところが多いが、シーベリィではそういうことはない。当初にこのコースを造った人間が非常に優秀で、以来コース検査官が定期検査を通じてその良さを維持するように努めてきたのだ。走路記録がよく、実力が発揮できて危険のないレースができるところ、それがシーベリィなのだ。

いや、であったのだ、クレイが現われるまでは。

クレイと理事者たちの無気力の双方で……私は怒りにかられて思わずアクセルを踏みつ

け、車は丘の斜面を鳥のように上って行った。この頃では以前と違ってあまりスピードは出さないのだ。なんとしても両手を使えないのが不便である。頂上に上ると、同乗者の気持ちを考えて五十マイルまでスピードを落とした。

「私も同じ気持ちだ」と彼が言った。

私は驚いて彼の顔を見た。

「まったく憤慨にたえない有様だ。もともと非常にいいコースなのに、今となっては手の打ちようがない」

「まだ救えますよ」私が言った。

「どうやって？」

「考え方を変えるのです……」言葉がとぎれた。

「言ってみたまえ」彼が促した。しかし、シーベリィの運営に関係のある人間を全部クビにしてしまえという意味のことを、穏当に表現するのは困難であった。その中の多くは彼の学友とか個人的な友人であるにちがいない。

「かりに」何分かたって彼が言った。「思いどおりにやれるとしたら、どういうことをするかね？」

「思いどおり、というのが絶対にありえないのです。問題の半ばはその点なんです。誰かがいい案を出すと、誰かが必ずそれをつぶしてしまう。結局はなにもしない、ということに終わってしまうんです」

「そうではないのだ、シッド。私がいうのはきみ自身のことを言っているのだ。きみならどうする？」

「私が？」私はニヤッと笑った。「私がやりたいことを聞いたら、全英障害競馬委員会のお偉方は貴婦人のように気絶しますよ」

「聞きたいのだ」

「本気ですか？」

うなずいた。本気以外のなにものでもないという表情であった。

私は溜め息をついた。「それじゃあ言ってみましょう。まず、ほかの競馬場でやっている客寄せのアイディアを拝借して、全部を一日のレースに実施します」

「例えば？」

「予備費を全額引き出して、当日の呼び物レースの賞金にします。その際の出走馬はトップ・クラスの障害馬を確実に集めます。それらの馬の調教師に事情を説明して支持を懇願します。ゴールド・カップ・レースの主催者のところへ行って、当日の他のレースに五百ポンドずつの賞金を出してくれるように頼みこみます。全体を一つのキャンペーンの形で宣伝します。シーベリィを救え、という訴えをテレビや新聞のスポーツ欄で取り上げてもらいます。一般市民の関心を盛り上げてこの運動に参加してもらいます。この運動に参加することを一種の流行のように仕立てていきます。例えばビートルズのような連中にきてもらって、トロフィを授与してもらいます。無料駐車、無料プログラムを宣伝します。当日はボロ隠しに、会場を旗とまん幕と花で埋め尽します。事務局や係り員に、お客に心のこもった歓迎をさせます。また、出店者はとくに趣向をこらすように言いつけます。それを四月の始めに予定して、晴天であることを祈ります。まず手始めにそんなところでしょうね」息がきれた。

「その後は？」私の考えがいいとも悪いとも言わない。

「融資を受けます。銀行からでも個人からでもいいです。しかし、当事者たちは、まずシーベリィが昔のように立ち直れるということを示さなければなりません。臨終まぎわの企業に金を貸してくれる者はいませんからね。融資を受ける前に活況を取り戻す必要があります」

「よくわかる」ゆっくりと同意した。「しかし……」

「そうです。その、しかし、なんです。結局はその、しかしに落ち着くのです。しかし、シーベリィの当事者はそれをやる意志がない」

長い間無言で走った。

そのうちに私が言った。「こんどの金曜日と土曜日のレースですが……ぎりぎりになって事故が起こるとたいへんなことになります。ハント・ラドナー社のほうでなんらかの警備態勢をととのえることはできます。警備パトロールのようなことが」

「金がかかりすぎる」とすぐさま答えた。「それにきみたちは、その必要があるということをまだ実証していない。シーベリィの事故は単なる不運の結果だと私はまだ思っている」

「パトロールすれば、これ以上の不運を防ぐことができますがね」

「今はなんとも言えん。考えておく」彼はそこで話題をかえて、ロンドンに着くまで、他の競馬場のレースのことを話し続けた。

10

火曜日の朝、ドリィがあきらめたようすで電話を私によこした。内線で行方不明課を呼んだ。

「サミィ？　競馬課のシッド・ハレーだ。いま忙しいかい？」

「最後のティーンエイジャーがグレットナから連れ戻されたばかりだ。言ってみな。誰だい、いなくなったのは」

「スミスという男なんだが」五階で悪態をついているのが線を伝ってきた。

私は笑った。「本当にスミスという名前らしいんだ。職業は運転手。ここ一年間、インターサウス化学会社のタンカーを運転していた。先週の水曜日に退職して引っ越したんだ。移転先不明」事故のこと、疑わしい脳震盪のこと、夜中のバカ騒ぎのことなどを話した。

「一年前から、その目的のために入り込ませてあったんじゃないだろうね？　そうだとすると本名はスミスじゃない可能性が強いし……かんたんにいかなくなるぜ」

「その点はわからないんだ。しかしおれの考えでは、本物の化学会社の運転手で、特別サービスのために買収されたんだと思う」

「オーケイ、まずその線から当たってみよう。どこかへ就職した場合、照会先としてインターサウスの名前を出しているかもしれんし、組合の線からも調べてみるよ。女房も働いているかもしれんしね。知らせるよ」

「すまないな」

「ところで、ボスが金張りの重役机を買ってくれたら、おれの机を返してくれよ、いいね」

「まず諦めたほうが無難だな」私はほほえみながら言った。あれはサミィの弁当だったのだ。

問題の机の上に、ジョーンズ坊やが地下室から掘り出してくれた、アンドリューズの一件の薄い綴りがおいてあった。私は部屋を見廻した。

「チコは？」とたずねた。

ドリィがこたえた。「賭け屋の引っ越しを手伝っているのよ」

「えっ？」私は目を丸くした。

「言ったとおりよ。前からの予約なの。賭け屋が金庫を持ってるの。運搬車の中で、チコにその上に坐っていてもらいたいんですって。チコ以外の人間じゃだめなの。お客は王様、だからチコはいないのよ」

「困ったな」

彼女が引き出しの中に手を入れた。「テイプをおいて行ったわよ」

「じゃあ、困らないや」

彼女が笑ってテイプをよこした。レコーダーのところへ持って行って空リールにかけ、事務所のルールどおりにイヤフォーンで聞いた。

「踵をすりへらして歩いた結果」チコの陽気な声が聞こえてきた。「ダンステイブルの監査役が犯した過ちは、優秀な出走馬を集めるのに逆効果があるようなレースの組み方をしたこと、あらゆる人間に非常に無礼であったこと、くらいのものだ。自殺をする前年まではみんなに好かれていた。人の話では、以来だんだんとおかしくなったそうだ。競馬場で働いている連中にも失礼な口をきくので、大半は我慢できないでやめてしまったらしい。それに、近所の商店の連中は、彼の名前を出したらつばを吐いたよ。会って詳しく話すが、シーベリィとは全然ようすがちがっていて、事故とか損傷といったことはなかった」

溜め息をついて、テイプの録音を消し、ドリィに返した。机の上の綴りを開いて内容を検討した。

リーディングのマービン・ブリントンなる男が、危害を加えられると信ずる理由があって、社に保護を依頼した。危害を加えられる理由を説明する意志がなく、社のほうで調査することを拒否した。ボディガードを派遣してもらえばいい、ということだった。ブリントンがしろうとくさいゆすりを試みて、やぶへびになったという可能性が強い。そのうちにようやく、一通の手紙を持っていて、誰かがおそってそれを盗まれるのを恐れているのだ、と言った。一生護衛してもらうわけにはいくまいというチコ・バーンズのたび重なる説得の結果、ある人物に対し、問題の手紙はハント・ラドナー社の競馬課のある机の引き出しに入っている旨を伝えることにようやく同意した。実際には入っていなかったし、社の誰も見ていない。しかし、アンドリューズが手紙を取りにきて、あるいは派遣されて、J・S・ハレーに見つかり（銃撃して傷を負わせ）逃走した。二日後にブリントンが電話してきて、もはやボディガードを必要としないと言い、社に関するかぎり、本件は完了である。

前記資料は、ハレー銃撃に関し警察で調査した際提示された。

私は綴りをとじた。哀れな男が分不相応なことをやった、つまらない話である。

ブリントン。

ダンステイブルの取締り委員の名前もブリントンであった。

私はじっとすわったまま、うすっぺらい綴りを見つめていた。全然関係がないかもしれない。ダンステイブルのブリントンは、もう一人のブリントンが保護を求めた二年前に死んでいる。多少でも共通点があるとすれば、ダンステイブルのブリントンとアンドリューズは、ともに競馬場を収入源としていた、ということだ。たいしたことではない。全く無関係なことかもしれない。しかし、なんとなく気持ちにひっかかった。

アパートに帰り、車を運転してリーディングへ行った。

おずおずした白髪の老人が、チェインをかけたままドアをあけてのぞいた。

「なにか？」

「ミスタ・ブリントン？」

「なにか用ですか？」

「ハント・ラドナー社の者です。ちょっとお話をうかがいたいと思いまして」

不揃いなごま塩の口ひげをつけた上唇をかみながらためらっていた。疑い深い目つきで私を見廻し、道に駐車してある白い車に目を転じた。

「小切手を送ったが」やっと口をきいた。

「そのほうは問題ではないのです」

「これ以上ゴタゴタにまきこまれたくないのだ。あの男が射たれたのは私のせいじゃない」確信のない口ぶりであった。

「そのことであなたをどうこう言ってる者はいませんよ。あの男もすっかり回復して、また仕事に戻っています」

隙間を通してさえ、彼の安堵が感じられた。「では、どうぞ」ドアをいったんしめてチェインをはずした。

彼のあとについて、テラスつきの家の表部屋に入った。空気がカビ臭く、静止しているようだった。家具は詰め物を固くつめた茶塗りの頑丈な物で、ベニアの家具で暮した子供時代に、手の届かない最高級品と私が思っていた代物である。熱帯産の蝶の標本が壁にかかっており、小さなテイブルにジャワかボルネオの彫り物がのっていた。海外で生活し、本国で隠居しているのだな、と思った。極彩色と熱暑の生活から、リーディングの落ち着いた郊外生活に移ったのだ。

「妻が買物に出ているので」と落ち着かないようすで言った。「もうすぐ帰ってくるはずです」帰りを待ちわびるようすでレース・カーテンのかかった窓の外を見ていたが、ブリントン夫人は彼の救援にかけつけてこなかった。

「ミスタ・ブリントン、あなたとダンステイブル競馬場の取締り委員をしておられたミスタ・ウィリアム・ブリントンと、なにかつながりがおありになるかどうか、お伺いしたいと思ってまいったんです」

彼は苦痛にみちた目で長い間私を見つめていたが、そのうちに驚いたことに、ソファに腰を下ろして泣き始めた。震える手で目をおおい、涙がツイードのズボンのひざに落ちた。

「いや、これは……どうも、失礼をしました。ミスタ・ブリントン」私は当惑して言った。

鼻をすすり、咳をし、ハンカチをひっぱり出して目をふいた。発作がしだいに納まると、聞きとりにくい声で言った。「どうしてわかったのだ？　調べてもらっては困ると言っておいたのに……」

「まったくの偶然なんです。だれも調べたわけではないのです。嘘は申しません。そのことをお話しねがえませんか？　そうすれば、これ以上誰にきく必要もなくなるのですから」

「警察が……」自信がなさそうに泣き声で言った。「前にきた。私がなにも話さないのでそのまま帰ったのだ」

「お話の内容は絶対に秘密を守ります」

「私はほんとうにばかだった……正直なところ、誰かに聞いてもらいたいのだ」

気を張りつめ、罪の意識にかられた数週間を想像すると、発作的に泣き出すのも理解できる、というよりむしろ当然のことのように思えた。

「一通の手紙なのだ」軽く鼻をすすりながら言った。「ウィリアムが私に書きかけて、ついに出さずじまいだった手紙なんだ……。自殺して……後に残したトランクのなかから見つけた。その時、私はサラワクにいて、電報がきた。ショックだった。たった一人の弟がそんな……だいそれたことをするなんて。私より年下だった。七つも。子供の頃は別として、それほど親密ではなかった。私がいたら……もう手遅れだが。そんなことはいいとして、私は帰ってくると、あちこちから彼の持ち物を集めて、天井裏の物置きにしまった。競馬関係の資料その他の物も。どうしたらいいか、わからなかったのだ。私としては関心はなかった。ただ……なぜだかわからないが……焼き捨てる気になれなかった。それから何ヵ月かたってようやく整理を始め、その手紙を見つけたのだ……」声が切れて、許しを求めるかのごとく、訴えるような目で私を見た。

「妻のキティと二人で、自分の年金ではとても生活ができないことに気がついた。とても物価が高い。私たちは買ったばかりだったが、家を売ることに決めた。キティの実家はみんな仲がよく助け合う。その時、家のかわりに……手紙を売ったら、と思いついた」

「金をもらうかわりに脅迫された、というわけですな」

「そう。手紙の内容が、私にそういう気持ちを起こさせた……」口ひげをかんでいた。

「だが、その手紙はもう手許にない」想像ではなく知っているのだという口ぶりで、私がさりげなく言った。「最初に脅迫された時、ハント・ラドナーが護衛してくれれば、まだ手紙は売れると思った。ところが、だんだん恐ろしくなって相手に手紙を渡し、危険がなくなったので護衛を断わった。そうですね？」

情けない面持ちでうなずいていた。「あの男が射たれたので手紙を渡した……あんなことになるとは夢にも思わなかった。すっかり恐ろしくなってしまった。ほんとうに悩んだ。一通の手紙を売るということが、そんなに危険なことだとは夢にも思わなかった……あの手紙を見つけないでいればよかったと、どれくらい考えたかしれない。ウィリアムが書いてくれなければよかった」

と思う気持ちは私も同じであった。

「で、手紙になんと書いてあったんですか？」私がたずねた。

恐怖を表わしてためらっていた。「また面倒なことになるかもしれない。やつらがまたやってくるかもしれん」

「私に話したとは、連中にはわかりませんよ。知りようがないじゃありませんか？」

「それもそうだな」私を見て決心したようだ。体が小さいことの利点が一つある。人が怖れないことだ。もし私が大男で威圧するような態度であったら、彼も危険を冒す気にはならなかったであろう。今の場合、彼の顔がやわらいで緊張がほぐれ、ためらいを振り払った。

「私はすっかり暗記している。よければ、書いて上げよう。話すよりはそのほうがらくだ」

彼がボールペンと便箋をとりだして書いている間、私はじっと坐って待った。手紙が目の前に再現することに、激しい心の動きを感じているのがわかった。恐怖か悔恨か悲しみであるのかは知るよしもなかった。一枚に書き終えると、ひきちぎって震える手で私によこした。

私はその内容を読んでみた。二度読み返した。その短い絶望的な文章に、死がすぐそばにいるのを無感動に感じた。

「ありがとうございました、ほんとうに」礼を言った。

「見つけないでいたらと思っている。ウィリアムも哀れな男だ」

「この男に会いに行ったのですか？」紙入れにしまいながら手紙をさした。

「いや、手紙を出した……探し出すのはかんたんだった」

「いくらよこせと言ったんですか？」

恥ずかしそうに呟いた。「五千ポンド」

五千ポンドがよくなかったのだ、と思った。五万ポンドを要求しておれば、まだチャンスはあったかもしれない。五千ポンドでは大物とは思われない、ありきたりの人間であることを知らせるようなものだ。だから、すぐさま踏みつぶされてしまったのだ。

「それで、どういうことになったのですか？」

「ある日の午後四時頃、大きな男が手紙を取りにきた。怖ろしかった。金を持ってきたかときいたら、ただ笑って私を椅子に押し込んだ。金はない、すぐにも手紙を渡さないと、一つ二つ痛いめにあわせてやる、と言った。一つ二つ痛いめにあわせる、と言ったのだ。手紙は銀行の金庫に入れてある、もう銀行はしまったから、あすの朝でないと出せない、と言ってやった。翌日私といっしょに銀行へ行くと言って帰って行った……」

「それであなたはすぐ社に電話をしたんですね？　そうでしょうな。なぜハント・ラドナーを選んだんですか？」

驚いた表情であった。「名を知っているのはあそこだけなのだ。ほかにもあるのかね？誰だって、ハント・ラドナーの名は知っているものと思ったが」

「なるほど。それでハント・ラドナーがボディガードをよこした、しかし、大男は諦めなかった」

「やつは電話をひっきりなしにかけてきた……それで、そちらの社の人が、事務所に罠をしかけることを提案し、最後には私も同意した。私はほんとうにばかだった、あんなことをさせるのではなかった。私を脅迫しているのが誰か、私には初めからわかっていたが、そちらの社には言えなかった。言えば、自分が人をゆすっていることを認めることになる」

「そうですね。ところで、もう一つ。ここへきてあなたを脅迫したのはどんな男でした？」

ブリントンは思いだすだけでも嫌な面持ちだった。「非常に力が強い。ゴツゴツしている。私を押した時、まるで壁のようだった。私は……私は元来、腕力をふるうのはあまり得手ではない。もしあの男がなぐり始めたら、されるままになっていたにちがいない……」

「あなたが抵抗を試みなかったのをどうこう言っているんじゃありませんよ。どういう見かけの男だったんですか？」

「大きな男だ」とあいまいに答えた。「巨人だ」

「何週間も前のことだとはわかっていますが、もう少しなにか記憶はありませんか？　髪はどうでした？　顔にはなにかへんな点はなかったですか？　年齢は？　どういう階級の人間でした？」

彼は初めて笑みを見せた。悲しそうなしわが動いて、色褪せたかつての魅力のなごりがチラッとうかがえた。彼が無益な悪事への第一歩を踏み出していなければ、人のいいおとなしい、害のない人間でいられたのに、と思った。わずかの年金をどのようにくいのばすかが唯一の問題で、悪意もなく老齢を重ねていたにちがいない。身をさくような激しい罪の意識を感じないですんだはずだ。

「そういうふうにきいてもらうと、たしかに返事がしやすい。頭髪がうすくなりかかっていたのを今思い出した。手の甲に大きなソバカスがたくさんあった。年齢は判断しがたいが、若くはない。三十以上だと思う。そのほかはなんだったかな？　そうだ、階級だ。労働階級だな」

「英国人？」

「もちろん、外国人じゃない。ロンドン育ちのように思えたな」

私は立ち上がって礼を言い、帰りかけた。彼はなおも確約を求めるように言った。「これ以上面倒なことはないのだろうね？」

「私からも、社からも、ご面倒はかけません」

「あの射たれた男は？」

「彼も大丈夫ですよ」

「私のせいではないと自分に言い聞かせているのだが……私は眠れなかった。どうして、あんなばかなことをしたのだろう？　あの若い男に罠などかけさせるのではなかった……そちらの社のほうへ依頼すべきではなかったのだ……おまけにたくさんの金がかかって……あの手紙を金にしようなどと考えるべきではなかった……」

「そのとおりです、ミスタ・ブリントン、するべきではなかったのです。しかし、もうすんだことだし、二度とあのようなことをおやりになるとは思えないし」

「やらない」苦痛にみちた声だった。「もう絶対にやらない。ここ数週間は……」声がとぎれた。こんどはもっと力のこもった口調で言った。「この家も売らなければならない。キティはここが気にいっているのだが仕方ない。しかし、私は前々から海辺の小さなバンガローに住みたかったのだ」


事務所に戻ると、問題の手紙を取り出して、綴りに入れる前にもう一度読み返した。原文でもなく、原文の写真でもなく、記憶をたどって再現したものにすぎず、証拠としての効力はまったくない。傷心にうちひしがれた内容とは奇妙に不似合いな兄ブリントンの小さく整った筆蹟で、次のように記してあった。

親愛なるマービー、なつかしい兄よ、
　子供の頃と同じように、私を助けてくれ。私はこの十五年間、ダンスティブル競馬場を立派にするのに努力を重ねてきたが、今ハワード・クレイという男が私にそれを破滅させようとしている。私は人が寄らないようにレースを組まねばならない。出走馬の数も減って、入場料収入も急速に落ちている。今週はプログラムがレースに間に合わないように印刷屋に発注せねばならぬし、記者席の電話を不通にしておかなければならない。ひどい混乱に陥ることは明らかだ。人々は私が気が狂ったと思うだろう。私は彼の手を逃れることはできないのだ。金も受け取っているが、彼の命にはしたがわなければならないのだ。あんたも知っているように、私の生まれつきの性質は変えようがない。彼は私が同棲していた少年のことを探り出したのだ。彼の考え一つで私は告訴される。彼は競馬場を住宅用地に売りたいのだ。もう何事も彼を阻止することはできない。私の競馬場だ。私が大切にしてきた競馬場だ。
　この手紙を発送すべきでないことはわかっている。マービー、今ここにいてくれたらと思う。ほかに誰もいないのだ。ああ、神様、私はこれ以上生きては行けない。ほんとうに生きてられないのです。

その日の午後六時五分前に、ザナ・マーティンの事務所のドアをあけた。彼女の机は私のほうに面しており、彼女もこちらを向いていた。顔を上げて私と知り、誇りと当惑の入り混じった表情で私を見た。

「やったわ。あなたもやってなかったら、殺すわよ」

髪は顔を包むように、以前より前に出してあったが、顔の傷は誰にも一目で見えた。金曜日以来、私はそのひどさを忘れていた。

「私も同じ気持ちだった」私はニヤッと笑った。

「じゃあ、本当に約束を守ったの？」

「守りましたよ。土曜日と日曜日は一日中、昨日と今日は大部分、なかなかつらかった」

彼女は安堵の吐息をもらした。「きていただいて、嬉しいわ。けさはもう少しで断念するところだったの。あなたはやらないだろうし、私がやったかどうか見にこないにちがいない、と考えると、自分がばからしくなってしまったの」

「ここにちゃんときていますよ。ミスタ・ボルトは？」

首をふった。「帰ったわ。私も帰り支度をしているところだったの」

「封筒は終わりましたか？」

「封筒？　この前おいでになった時にやっていた、あれ？　ええ、全部終わったわ」

「中身を入れて、発送も？」

「いいえ、パンフレットがまだ印刷屋から上がってこないの。ミスタ・ボルトが怒ってたわ。明日やることになるでしょうね」

彼女が立ち上がった。背が高く、やせていた。コートを着て髪にスカーフをかけた。

「今日はどこかへ行く予定があるんですか？」

「家へ帰るの」はっきり言った。

「食事をつきあいませんか？」

「そんなに使っていると、伯母さんの贈り物も長続きしないわよ。ミスタ・ボルトがすでに株を押えたらしいわ。清算がすむまでは一ペニーでも節約したほうがいいわよ」

「じゃあ、コーヒーを飲んで映画？」

「あのね」ためらいながら言った。「私、帰りがけに焼きたてのトリを時々買うの。駅の隣の食堂で売ってるのよ。あのう……うちへいらして、いっしょに召し上がらない？　金曜日のお返しをしたいわ」

「喜んでまいりますよ」彼女は半ば信じ難いような笑い声をたてた。

「ほんとう？」

「ほんとう」

この前と同じように地下鉄でフィンチレイへ行ったが、今度は彼女は敢然と顔を正面へ向けていた。その勇気に歩調を合わせて、私も腕を二人の間の肘かけにのせた。彼女は私の手を見て、感謝のまなざしで私の顔を見た。二人で冒険を楽しんでいるようであった。

地下鉄の駅から出てくる時、彼女が言った。「男の人がいっしょにいてくれると、ずいぶん気持ちがちがうわ、たとえ……」急に言葉を切った。

私はほほえみながら後を続けた。「たとえ、自分より小さくて、手が不自由でも」

「困ったわ……それと、自分よりうんと若くてもね」本物の目が諦めたような笑みをうかべて私を見た。義眼は無表情に正面を見つめていた。私はだんだん慣れてきた。

「トリは私に買わせてください」店の前に立ちどまった時に私が言った。熱いチップスのにおいが、通りすぎたトラックのディーゼル・オイルのにおいと入り混じった。文明のおかげだ。ありがたいことだ。

「とんでもない」ミス・マーティンはキッパリ言って、自分で代金を払った。新聞紙に包んだのを持って出てきた。「チップスと豆も少し買ったわ」と言った。

「そして私は」酒屋の前にきたときに、私がきっぱりと言った。「ブランディを買う」チップスや豆を食べて腹がどんなことになるか、考えるのも怖かった。

私たちは包みを抱えて家へ行き、彼女の部屋に入った。彼女の足どりが軽かった。

「そこの戸棚に」コートとスカーフを脱ぎながら指さした。「グラスとシェリイの瓶が入っているわ。私にも少し注いでくださらない？　あなたはブランディね、でもシェリイがよかったらどうぞ。これを台所へ持って行って温めておくわ」

瓶をあけて飲み物を注いでいると、ガス・ストーブをつけ、包みをほどいているのが聞こえた。シェリイのグラスを持って部屋を横切っている間、物音一つしなかった。ドアまで行った時、その理由がわかった。彼女は油紙に包んだままのトリを片手にぼんやりと持っていた。チップスの袋がテイブルの上にひらいてあり、その横に豆の紙箱があった。彼女はそれらを包んであった新聞を読んでいた。

あっけにとられた表情で私を見た。

「あなたよ。これあなただわ」

指がさしている個所を見た。食堂でトリをサンディ・ヘミスフェア紙にくるんでくれたのだ。

「シェリイ」グラスをさし出した。

彼女はトリを下におくと、無意識でグラスを受け取った。

「ハレーの再現」彼女が言った。「目についたの。もちろん、読んでみたわ、あなたの写真だし、手のことまで書いてあるんですもの。あなたはシッド・ハレーね」

「そうです」否定のしようがなかった。

「驚いたわね。あなたのことは長年知っているのに。新聞でも読んだし、テレビでもよく見たわ。父が競馬を見るのが好きで、生きている時はレースのたびに見てたの……」言葉を切ると、いかにも理解に苦しむという口調で続けた。「なぜ自分の名をジョンと言ったり、工場で働いている、なんて言ったの？　なぜミスタ・ボルトに会いにきたの？　わからないわ」

「シェリイを飲んで、トリが冷えないうちにオーブンに入れなさい、それからゆっくり話しますよ」ほかに方法はなかった。彼女の雇い主に、面白半分に噂話をされては困るのだ。すなおに食物を温める手配をすると、肘かけ椅子に覚悟をきめて坐っている私のま向かいのソファに腰を下ろして、話を待つように眉を上げた。

「私は工場で働いているのではなく、ハント・ラドナーという探偵社に勤めているのです」

ブリントンと同様に、社の名前を知っていた。体をこわばらせて、眉をひそめた。私はできるだけさりげない口ぶりで、クレイとシーベリィの株のことを話した。頭の回転が早く、すぐ問題の核心をつかんだ。

「あなたは、ミスタ・ボルトも疑っているんだわ。だから彼に会いに行ったのね」

「そう、そういうことです」

「で、私はどうなの？　彼のことを聞き出すことだけが目的で、私を誘ったの？」苦渋にみちた声であった。

私はすぐには答えなかった。彼女は待っていた。その平静さが、涙や怒りよりはるかに強く胸を刺した。人生に何物をも求めていない人間なのだ。

ようやく私が口をひらいた。「ボルト自身に会うだけでなく、彼の秘書を誘い出すためにあの事務所へ行きました」

豆が煮立って、湯気をふいていた。彼女はゆっくりと立ち上がった。「その辺は正直ね」

小さなキッチンにはいって行って、なべの下のガスを止めた。

「きょう事務所へ行ったのは、ボルトがシーベリィの株主に送るパンフレットを見るためでした。あなたはすぐ、まだ印刷屋から出来上がってこない、と教えてくれた。それがわかれば、この夕食への招待に応ずる必要はなかったのです。しかし、こうやってここにいます」

キッチンの入り口に立って、明らかな努力で体をまっすぐに立てていた。

「そのことも嘘だったんでしょうね？」私の腕をさして、静かな、感情を押し殺した声で言った。「なぜなの？　なぜ私を相手に、あんなひどい遊びをしたの？　あんなことしなくても、必要な情報は手に入ったはずだわ。なぜ私に机の位置を変えさせたの？　土曜日は一日中、そのことを思い出して笑いこけていたんでしょうね？」

私は立ち上がった。彼女の傷心が見るにしのびなかった。

「土曜日は、ケンプトンのレースに行きましたよ」

反応がなかった。

「約束を守りましたよ」

信じられないという身ぶりをかすかに見せた。

「謝ります」とりつくしまがなかった。

「さよなら、ミスタ・ハレー。さよなら」

私はその場を去った。

11

翌水曜日の朝、ラドナーがシーベリィ打ち合わせ会を開いた。集まったのは、彼とドリィ、チコ、それに私であった。前日の午後、私がようやくハグボーン卿から、きたる木曜日、金曜日、土曜日の三日間、シーベリィを二十四時間警備する許可をもぎとってきた結果開かれたものである。

ブルドーザーによる芝の掘り起こし作業は問題なくかたづき、その朝電話で問い合わせたところでは、タン皮が順調にトラックで運びこまれて敷きつめられているということだった。レースが開催されることは、最後の最後へきて事故が起きないかぎりまちがいなかった。天候までが順調であった。予報によれば、乾燥した寒い晴天であるという。

ドリィは通常のパトロールを提案し、ラドナーも同感のようであった。チコと私は別の考えをもっていた。

「誰かが走路に損傷を与えようとしているのであれば」とドリィが指摘した。「パトロールに恐れをなして諦めると思うわ。スタンドの建物で何事かを企んでいるとしても同じだろうと思うの」

ラドナーがうなずいた。「レース開催を確実にするのにはいちばんいい方法だと思うな。充分なパトロールをするには最低四人は必要だろう」

私が言った。「今日、明日、明後日の夜は慎重を期する上でパトロールが必要だと思います。しかし明日、コースに人けがない時……諦めさせるよりは、なにかをやっている現場を押える必要があります。今までのところ、法廷に持ち出せる証拠はなにもないのだから。いうなれば破壊活動中を押えればばうんとやりやすくなります」

「そのとおりだ」チコが言った。「かくれていて、とびかかる。諦めさせるよりはよっぽどいいよ」

「私の記憶によると」ドリィがニヤニヤしながら言った。「あんたたち二人がこの前罠をかけた時は、ネズミが餌を射ったんだったわね」

「うまいことを言うね、ドリィ」チコがにこやかに笑いながら珍しくドリィの母性本能を受け入れた。

ラドナーまでが笑っていた。「しかし、まじめな話、どうやってやれるのか、私にはわからん。競馬場はたいへん広い。きみたちが隠れていたって、ごく一部しか見えない。それに、万一きみたちが姿を見せたら、パトロールと同じことで相手は怪しげなふるまいをやめるはずだな？　私は実行不可能だと思う」

私が言った。「しかし、まだ私に、うちの連中の誰よりも上手なことが一つある」

「へえ、聞かせてもらいたいね」直ちに反論するつもりでチコが言った。

「馬に乗ることだ」

「なるほど、そいつは認めるよ」チコが言った。

「馬か」ラドナーがなにか考えながら言った。「たしかに一つのアイディアだな。競馬場で馬に乗っていれば、誰も怪しまんな。機動力もある。しかし、どこで手に入れる？」

「マーク・ウィットニィから、ボロ馬を一頭借りますよ。彼はシーベリィが本拠だし、厩舎もそう遠くはない」

「でも、あなた、まだ……」ドリィが言いかけて、口をとじた。「みんなでそんなこわい顔をしてにらまないでよ。私なんか両手があって乗れないのに、片手ではとてもだめだわ」

「グレゴリィ・フィリップスという男は、片方の腕をつけねから切断されて」私が言った。

「しかも何年も断郊競馬をやってたよ」

「もういいわ」ドリィが遮った。「それで、チコはどうするの？」

「私の乗馬ズボンをはけばいい。保護色だ。さりげなく手すりにくっついてるんだよ」

「カマキリみたいだな」チコが陽気に言った。

「そういう方法でやりたいんだね、シッド？」ラドナーがきいた。

私はうなずいた。「悪い方の条件から考えてみましょう。クレイに関して証拠になるようなものはなに一つない。スミスという運転手も見つかるかどうかわからない。見つかったとしても、口をわるかどうか、一年前に厩舎が全焼した時、事故ではないという証拠はなかった。規則違反の煙草の吸い殻だろう、ということになった。禁止されていても厩務員は吸いますからね。

連中が排水溝と称している部分が落ち込んだ――それが事故の前日か一週間前か、あるいは六週間前に掘られたものかどうか、調べようがない。ダンステイブルのウィリアム・ブリントンが兄に書いた手紙も、記憶から再現した写しにすぎず、全然証拠にはならない。あの手紙によってわれわれが知り得たことは、クレイが手段を選ばない人間であるという、われわれとしては満足すべき事実だけだ。しかし、あれをハグボーン卿に見せることはできない。秘密厳守の約束でもらってきたものだし、卿自身もクレイが株の買い占め以上になにかを企んでいるとはまだ完全に信じこんでいないからです」

「で、きみは彼らがなにかをやると思っているんだな？」

「充分可能性があるじゃありませんか？　今シーズンのシーベリィのレースは、あの二月まではないのです。三カ月のギャップがある。それに私の考えが当たっているとすれば、政治情勢からみて、クレイは焦っているはずだ。シーベリィの株に五万ポンドも注ぎ込んで、一夜あけたら建築用地が国有化されていたというんじゃなんにもなりませんからね。

私が彼なら、できるだけ早く閉鎖して土地を土地会社に売りますね。株の譲渡証書の写真を見ると、現在すでに二十三パーセントは握っている。票決ということになれば、これだけだってなんとかならないことはない。しかし彼は欲が深い。もっと株をほしがっている。それも、今すぐに入手できるものがほしい。二月まで待つのは危険が大きすぎる。そうですね、その機会を与えてやれば、今週必ずなにか損害を与えるような手段を講じると思いますね」

「危険を冒すことになるわ」ドリィが言った。「かりになにか大変なことが起きて、私たちがそれを阻止するとしても、犯人をつかまえることもできないとすると、どういうことになるの？」

三人の間でさらに何分間か議論をしていた。まともにパトロールするのがいいか、張り込みがいいか、という点である。そのうちにラドナーが私のほうを向いた。「シッド、きみは？」

「あなたの会社です」私はまじめに言った。「危険を冒すのはあなたたなんだ」

「しかし、担当はきみだ。きみの事件なんだ。きみが決断すべきだ」

私は納得がいかなかった。今までのところ、私に思うままにやらせてくれた点はいいとしても、今の場合は、人に任せるような決断事項ではないはずだ。

彼がそう言うのだ。「それでは、チコと私でやります」と言った。「今夜行って、明日一日中います。私たちがいることは、オクソン大尉にも知らせないでおくつもりです。もちろん、監督のテッド・ウィルキンスやほかの連中には知らせません。私たちはスタンドの反対側から入ります。表向きのパトロール警備はドリィがオクソンと連絡して、明晩から始める……暖かい部屋をもらうように話したほうがいいよ、ドリィ。それまでには暖房も入るはずだ」

「金曜日と土曜日は？」ラドナーがさりげなくきいた。

「完全警備ですね。ハグボーン卿が認める範囲で最大限に。観衆がいると張り込みは不可能ですから」

「よろしい。ではそういうことでいこう」ラドナーがはっきりと言い渡した。

ドリィ、チコと私がドアまで行った時、彼が声をかけた。

「シッド、もう一度例の写真を見せてくれないか？　あいていたらジョーンズ坊やに持ってこさせてくれたまえ」

「いいですよ。もう丸暗記するくらい眺め続けましたから。あなたが見れば、私が見逃した点がすぐに見つかるかもしれません」

「そう、そういうことが、よくあるものだ」うなずいて言った。

三人で競馬課に帰ると、交換台にジョーンズ坊やを探してもらった。行方不明課にいた。

彼が下りてくるまで、また写真を見た。株式譲渡証書、銀行口座のリストのついた集計表、ボルトからの手紙、十ポンド紙幣、鞄のいちばん底にあった、年月日と頭文字と金額を記した二枚の紙。最後の二枚が、収入か支出の明細であることははっきりしている。今では私は支出であると確信している。W・L・Bなる人物は、十二カ月にわたって毎月五十ポンド受け取っている。W・L・Bの最後の日付けは、ダンステイブル競馬場の監査役ウィリアム・レスリィ・ブリントンが自ら一命を絶った日の四日前になっている。六百ポンドと脅迫、一人の人間の魂の代価である。

他の大部分の頭文字は、リストの最後にあるJ・R・S以外見当がつかなかった。どうやらタンク車の運転手のように思えた。J・R・Sの最初の記入は、シーベリィでタンク車が横倒しになった前日の日付けで百ポンドとなっていた。クレイが週末をすごしにエインズフォドへ行った、その前日である。次の日に、リストの最後の行であるが、J・R・Sとしてさらに百五十ポンドが記入してあった。日付けは火曜日で、私が写真をとった三日後のことである。スミスが荷物をまとめて、職場と住居から姿を消したのはその火曜日であった。

いろんな頭文字の中に、名前を略したと思えるものが二つあった。レオとフレッドである。二つとも定期給与を受けているようである。レオとフレッドのどちらかが、マービン・ブリントンをおどした大男であろうと想像した。レオとフレッドのどちらかが、アンドリューズに拳銃をもたせてクロムウェル・ロードへこさせた〈大男〉にちがいない。

レオとフレッドのどちらか一人に、私は借りを返さねばならない。

ジョーンズ坊やが写真をとりに入ってきた。全部束にして箱に入れ、彼に渡した。

「この鼻ったらしの黒鴨野郎め、コーヒーはどうしたんだ？」チコが意地悪く言った。坊やが配って廻った時、私たちは下の部屋にいたのだ。

「黒鴨は頭が禿げているのよ」ジョーンズ坊やの見事な頭を眺めながら、ドリィが言った。

ジョーンズ坊やがひどい言葉でコーヒーのあり場所を言った。

チコが一歩前に出て言った。「こん畜生を見ていると、エルサレムの壁に坐っている連中を思い出すよ」彼は教会の孤児院で大きくなったのだ。

悪態となると坊やも負けてはいなかった。冷淡な口調で言った。「おめえは、バーンズ警察署の階段に坐っていたんだってな」

チコが激怒して坊やの頭めがけてなぐりかかった。坊やが嘲笑しながら後ろに跳び下がった時、手から箱がとびだしてふたがあいた。

「やめなさい、二人とも」机や床の上に写真が舞い落ちる中で、ドリィがどなった。

「へ、まるで赤ん坊だよ」悪口の言い合いに勝った坊やがご機嫌で言った。ドリィと私を手伝って写真を拾い上げ、順序かまわず箱に押し込んで出て行った。

「チコ」ドリィがきびしい表情で言った。「いいかげんにしなさい」

「そのお袋づらをされると頭へくるんだ」チコが烈しい語調で言った。

ドリィは唇をかんで横を向いた。チコはふくれっ面で私を見ていた。言い出し元で自分が悪いのはわかっているのだ。

「同類の一人として申し上げるがね」私が穏やかに言った。「落ち着けよ」

適当な返事がすぐにうかばないため、チコはふくれっ面をして部屋を出て行った。騒ぎが納まった。部屋の中も平常に戻った。タイプがカタカタとなり、ある者はテイプ・レコーダーを、ある者は電話を使っていた。ドリィは溜め息をつくと、シーベリィのパトロールの人選を始めた。私は坐ったまま、レオのこと、フレッドのことを考えた。なにもうかんでこなかった。

しばらくして、階上の調査課へ上がって行った。例によって電話の声が部屋いっぱいにひびいていた。ナフタリンのことでなにか秘密ありげな電話をしていたジョージが私を見て首をふった。色褪せてつぎのあたったグリーンの袖なしのプルオーバーをきたジャック・コープランドが、次々にかかる合い間合い間に、残念ながらクレイのことはまだなにも出ないと言った。十年以上の足跡は非常に巧みに消してあるそうだ。そちらがお望みならもっと掘り下げてみる、と言う。こちらはお望みである。

行方不明課へ行くと、サミィが、スミスのことはそんなに早く調べられないよ、と言う。マーク・ウィットニィが第二陣の馬運動から帰った頃を見計らって電話をかけ、彼の乗馬を貸してくれと頼んだ。元は一流の障害馬で今は引退しているのを彼は自分の乗馬にしているのである。

「いいよ」彼が言った。「どうするんだ？」理由を説明した。

「それじゃあ、おれの馬運搬トラックも使えよ」彼が言った。「一晩中雨が降ったらどうする？　あれがあれば雨よけにもなるさ」

「そっちはいらないのか？　予報は晴天といっているがね」

「おれのほうは金曜日の朝まで用がねえんだ。シーベリィのレースまではどこへも出る馬がないからね。それも、あそこは一頭だけだ、あんな近くでな。馬主が承知しねえんだよ。土曜日はバンベリィまで遠出をしなければならねえしね。もっといいコースが鼻の先にあるのに、ばかげたことだよ」

「シーベリィはどんなのを出すんだい？」

彼は長々と不平たらたら、視力が悪くてまったく覚えが悪く、ペースを知らない跳びの下手な馬で新馬レースをとらなければならないのだ、とこぼした。彼のことだからたぶん勝つだろう。チコと二人で夕方の八時頃行くと約し、電話をきった。

事務所を出て、地下鉄でほとんどロンドンを横断し、登記所へ行ってシーベリィの綴りを借りた。長いテイブルに並んでいる番号のついた椅子にかけ、同じような綴りを見てノートをとっている男女書記に囲まれて、最新の株主名簿を調べた。クレイと、株式譲渡証書の写真ですっかりなじみになった彼のいろんな変名のほかには、一人で大量に持っている株主はなかった。彼以外に一人で三パーセント以上持っている者はいない。三パーセントということは、二千五百ポンドの金が無為に配当なしで投資されていることであるのを考えれば、誰もそれ以上に大量の株を持ちたがらないのも頷ける。

フォザートンの名前は名簿になかった。それだけではなんとも言えないわけで、〈メイデイ投資会社〉などというのは誰であるかわからないが、シーベリィの監査役はシーベリィの閉鎖に賭けていないものと判断した。過去一年間の大きな動きはすべてクレイの買いで、ほかにはなかった。

二百株そこそこの小型投資家は、私が個人的に知っている人たちだった。それらの住所、氏名を控えて、ボルトの印刷物が届いたら見せてもらおう、と考えた。ザナ・マーティンを通じるより時間はかかるが、確実である。

ザナ・マーティンのことは考えないことにした。彼女のことを考えて一晩中頭を悩ました。彼女とジェニイの双方である。

事務所に帰ると昼食時間の終わり頃で、大方の机は人がいなかった。チコがただ一人机について爪をかんでいた。

「今夜徹夜をするんなら、午後を休んで寝ておいたほうがいいぜ」と言った。

「必要ねえよ」

「必要あるさ。おれはおまえみたいに若くねえんだからね」

「気の毒な爺さんだな」彼はとつぜん破顔してけさのことを詫びた。「どうにもならねえんだよ。あの小僧のやつ、頭にくるんだよ」

「坊やは心配ないさ。ドリィだよ……」

「彼女に子供が生めねえの、おれの責任じゃねえよ」

「おまえが母親がほしいのと同じように、彼女も子供がいなくて淋しいんだよ」

「しかし、おれは……」腹をたてて言いかけた。

「自分の本当の母親だよ。母親に捨てられないで、可愛がってもらいたかったんだよ。おれの母親のように」私はきっぱり言った。

「そっちは恵まれていたんだ」

「そうだよ」

彼は笑い出した。「へんな話だけど、ほんとうはおれ、ドリィが好きなんだよ。メンドリのまねをする時はいやだけどね」

「誰だって好きさ」私はにこやかに言った。「おれんとこのソファで寝ればいいよ」

彼は溜め息をついた。「そちらはドリィよりやりにくいな、わかったよ」

「えっ？」

「ごまかしたってだめだぜ、おまえ。いや、だめですよ、親方どの」多少皮肉をこめて言った。

ドリィをはじめ、ほかの連中が帰ってきた。彼女に話してチコが午後休めるように了解をとった。ドリィのチコに対する態度は冷たく、まだ怒っていた。私は内心、二人にとっていい薬だと思った。

彼女が言った。「正式パトロールはあすの午後六時から開始よ。あなたを見つけて報告するように言いましょうか？」

「だめ」はっきり言った。「どこにいるか、自分でもわからないんだ」

「それじゃあ、いつもの方法がいいわね。ボスの家のほうへ、夜開始する時と、翌朝六時に交替する時に連絡させる」

「途中なにかあれば、随時連絡するんだろうね？」

「そう、それはいつものとおりよ」

「医者みたいだね、らくじゃないな、ボスは」私はほほえみながら言った。

ドリィはうなずいて、半ば独り言のように、「そのうちにわかるわよ」と言った。

チコと二人でアパートまで歩いて行き、カーテンをひいて寝ようと努めた。午後二時半では容易ではなかった。レースをやっている時間で、休養時間ではない。うつらうつらしたと思ったら電話がなった。居間へ行きながら時計を見るとまだ五時十分前であった。六時に起こしてくれと頼んであったのだ。

交換台でなく、ドリィだった。

「お使いが、至急、と書いた封筒を持ってきたわよ。シーベリィへ行く前に見たほうがいいかと思って」

「誰が持ってきたんだい？」

「タクシーの運転手よ」

「じゃあ、こちらへ廻してくれよ」

「残念ながら、行っちゃったわ」

「どこからきたのかな？」

「わからないわ。うちで中間報告書の発送に使うくらいの、ふつうの茶色の封筒よ」

「よし、わかった。取りに行くよ」チコが眠そうな顔をしてソファの上で体を起こした。

「寝てろ。事務所へ行って見ておくものがあるんだ。すぐ帰ってくるよ」

競馬課へ行くと、届いた物があるかわりになくなっているものがあるのに気がついた。レモン色のガタガタの机である。また机なしになった。

「サミィが申し訳ないけど、新しく助手が入って席がないから、と言ってたわ」ドリィが説明してくれた。

「引き出しに物が入れてあったんだがな」私が不平がましく言った。サミィの弁当のお返しだな、と思った。

「引き出しの物はここにあるわよ」自分の机のはしを指した。「ブリントンの一件の綴り、ブランディが半分残っている瓶、薬。それと、これが床に落ちてたわよ」パリパリしたセロファンと紙の平ったい包みをよこした。

「この中に例の写真のネガが入っているんだ」受け取りながら私が言った。「箱に入ってたはずだがな」

「ジョーンズ坊やが落とすまではね」

「そうだな」ネガをブリントンの綴りの中にはさんで、ドリィから取り上げた大きな輪ゴムをかけた。

「それでその緊急を要する、不可思議な封筒と言うのは？」私がたずねた。

ドリィが無言で、気をきかせて封筒の端を切り、中から一枚の紙片を取り出してよこした。広げて見て、自分の目を疑う気持ちであった。

チャーリング・ストリート＆キング、株式仲介業と上部に記してあり、翌日の日付けになっている株式情報であった。内容は――

拝啓

下記の中小会社の株式を少数にまとめて購入を希望する当社の顧客があります。お手持ちの株式の売却をお考えの方はぜひとも当社へご連絡賜わりたく存じます。本日の価格を基準にして、各位に充分有利な条件で引き取らせて頂くことを確約致します。

その後に三十ばかりの会社の名前が並んでいたが、私が聞いたことがあるのは一つだけであった。上から四分の三くらいのところにシーベリィ競馬場があった。裏を返して見ると、ザナ・マーティンが急いで書いたらしい説明があった。


これはシーベリィの株主のみに送られます。他の会社の株主には行きません。きょう印刷屋から届き、明日発送されます。これがお目当ての物であることを祈ります。

昨夜のことをお許しください。

Z・M

「なんなの？」ドリィがたずねた。

「無罪放免なんだ」気持ちも軽く答えて、情報をブリントンの綴りにネガと共に入れた。

「それと、エリス・ボルトが天使の味方でないということが確認できたんだ」

「頭がおかしくなったのね」彼女が言った。「そのガラクタを机の上からどけてちょうだい。それでなくても狭いんだから」

薬とブランディをポケットに入れ、綴りを手にした。

「これでいい?」

「ええ、ありがとう」

「では、さよなら、我が恋人よ。金曜日に出てきます」

アパートへ歩いて帰る途中、急にザナ・マーティンに会いに行くことにした。部屋へ行ってチコに話すのをやめてまっすぐ車庫に行き、午前中に続いて再び旧市街に向かった。ラッシュ・アワーの混雑がひどく、彼女が帰ってしまうかと心配したが、彼女はいつもは十分遅れて、事務所を出たようで、地下鉄の駅の直前でつかまえた。

「ミス・マーティン、乗って行きませんか？」私が声をかけた。

彼女が驚いてふりむいた。

「ミスタ・ハレー！」

「とび乗って下さい」

彼女はとんだ。というよりは、ドアをあけ、座席においてあったブリントンの綴りを取り上げて腰を下ろし、コートをきちっとひざの上で重ね、ドアをしめた。顔の傷のほうが私の側にあった。ひどく気にしていた。スカーフと髪を静かに前へ引いていた。

私はポケットから一ポンドと十シリングの紙幣を取り出して彼女に渡した。微笑しながら受け取った。

「運転手がうちの交換手に、封筒を届けるのにあなたからそれだけもらったと話していたんです。どうも、ありがとう」車の間を抜けてフィンチレイに向かった。

彼女は遠廻しに答えた。「あのトリはまだオーブンに入ってるわ、冷たくなって、きのうあなたがお帰りになってすぐガスをとめたの」

「昨夜のかわりに今夜お邪魔できればいいんですがね、どうしても仕事で抜けられないのです」

「また別な時に」静かな声で言った。「また機会があるでしょう。あなたが初めに、本当の勤め先を私に言わなかった理由がわかったの……私がボルトの共犯かどうか、あなたは知るよしもなかったんですものね。そしてその後は、私の気持ちを傷つけるのを恐れて言えなかったんだわ。もうすっきりしたわ」

「あなたは気持ちの大きい人だ」

「現実的なのよ、多少手遅れだけど」

しばらく無言のまま進んだ。そのうちに私がたずねた。「クレイが会社に対して故意に損害を与えていたことがわかった場合、彼の持ち株はどういうことになるんですかね？　彼が起訴された場合のことだけど。彼の持ち株は押収されるか、刑期が終わって出獄してもまだ所有していることになるのか、どっちでしょうね？」

「株が押収されたというのは聞いたことがないわね」興味を感じたようだった。「それにしても、ずいぶん先のことでしょう？」

「知りたいんです。それによって、これから私のとるべき手段がたいへん変わってくるのです」

「どういうことかしら？」

「そうですね……クレイの株の買い占めを阻止するいちばん容易な方法は、競馬新聞や経済新聞に、乗っ取りが企図されていることを知らせることです。株価ははね上がりますね。ところがクレイはすでに二十三パーセントを所有している。もし押収されないとすると、持ち株を手放さないであくまで閉鎖を主張するか、あるいは先行き自信がなくなれば、値が上がったところで処分してやはり多額の利を得ることになる。どっちにしても、刑務所に入っていようがいまいが彼は経済的には安泰ということなんですよ。いずれにしてもシーベリィは長続きしませんね」

「こういうことは前にもあったんでしょうね？」

「乗っ取りはね、何度もありましたよ。しかし、故意に損害を与えた、サボタージュしたという例は一つだけです。ダンステイブルですね、それもクレイの仕業です」

「乗っ取り工作を切り抜けた競馬場はないのかしら？」

「一般に知られているのはサンダウンだけです。ほかには知りませんが、人目につかないで成功している場合があるかもしれない」

「サンダウンはどうやって切り抜けたのかしら？」

「地元の議会のおかげですよ。宅地化計画は承認しないと公表したのです。当然、乗っ取りは失敗に帰したわけです」

「そういうことであれば、シーベリィの場合も唯一の望みは、議会に同じ措置を講じてもらうことのようね。私があなただったら、強力に陳情運動を展開するわ」

「あなたは気の強い人だな」私は微笑した。「たしかにいい考えだ。市役所の考え方を当たってみますよ」

彼女はうなずいて同意を示した。「輿論に逆らって陳情しても無意味だわ。始める前に、住民の気持ちがどちらへ動きそうかを確かめるのが先決ね」

フィンチレイが見えてきた。「ミス・マーティン、私が成功すればあなたが職を失うこと、わかっていますね？」

彼女は笑った。「ミスタ・ボルト、気の毒ね。雇い主としては悪くないのよ。でも私の職のことは心配しないで。経験を積んだ株屋の秘書というのは、勤め口はいくらでもあるの、本当に」

門のところで車をとめて時計を見た。「残念ながら中までお送りできません。もうすでに遅れ気味なので」

ドアをあけて、すっと下り立った。「きていただいて、嬉しかったわ」微笑すると、ドアをしめて手をふった。

途中の混雑でイライラしながら、大急ぎでアパートに帰った。ガレージに入ってエンジンを切り、取り上げようと手を伸ばしたとき、初めてブリントンの綴りがないのに気がついた。その時、ミス・マーティンが車の中でずっとひざの上においており、そのまま急いで下ろしたことを思い出した。ブリントンの綴りはザナ・マーティンが持っている。取りに行く時間はないし、家主の名前を知らないので電話をかけることもできない。しかし、金曜日まで彼女に預けておいても絶対にまちがいはない、と自分に言い聞かせた。

12

チコと私は暖を求めて体をくっつけ合ったまま、しだのやぶの中でシーベリィ競馬場の夜明けを眺めた。零度近い寒い晩で、二人は震えていた。

私たちの背後の人目につかないやぶの中で、かつてのチェルトナム・ゴールド・カップの優勝馬レベレイションがわずかな草で朝食をとっていた。根の近くをくいちぎっている音や嚙んでいる時の馬勒の金具の音がかすかに聞こえた。先ほどまでチコと二人で、馬がかけている暖かそうな毛布を取り上げようかと考えては我慢をしていた。

「そろそろなにか始めるかもしれねえな」チコが期待するように言った。「夜明けの、人がまだ起きない間に」

夜の間全然動きがなかったことは二人とも確信していた。一時間毎に私がレベレイションに乗って慎重に馬場全体を見て廻ったし、チコがゴム底のズック靴の足をしのばせて、屋根のついているほうのスタンドを調べた。人影はなかった。そよ風の音のほかはなにも聞こえず、星と淡い月の光のほかは見えなかった。

空が明るくなった時遮蔽物を必要とするので選んだこの場所は、スタンドから最も離れ、横断道路が形成している半円の端のあたりである。外との境界をなす垣根と走路の間に雑木のやぶが点在していて、そばにきて探されないかぎり人目にはつかない。垣根の向こうはバンガローの最初の列の裏庭になっている。明るく黄色い太陽が私たちの左手の空を上って行き、まわりで鳥の声が聞こえてきた。七時半であった。

「きょうは好い天気になるぜ」チコが言った。

九時十分すぎ頃、スタンドのほうで人の動きが見え、トレーラーをつけたトラクターが姿を現わした。私は双眼鏡をとりだして立てたひざの上にのせ、のぞいてみた。トレーラーにはハードルらしき物が積んであり、三人の男が徒歩でついていた。

私は双眼鏡を黙ってチコに渡して、あくびをした。

「ただの作業だな」退屈した声で彼が言った。トラクターとトレーラーが走路の向こう端へ行き、積み荷を下ろしてまた新しく積み取りに行くのを見ていた。二度目の時は距離が近く、思ったとおり予備ハードルを下ろしているのが確認できた。レース中にこわれた物と置き換えるために一ヵ所に四、五台ずつ下ろしているのだ。私たちはしばらくの間無言で見ていた。そのうちに私がゆっくりと言った。

「チコ、おれは盲目だったよ」

「えっ？」

「トラクターさ。トラクターだよ。初めからおれたちの鼻っ先にあったんだ」

「というと？」

「例の硫酸を積んだタンカーは、トラクターで引き倒したんだよ。ややこしい起重機なんか必要なかったんだ。ロープか鎖を上から廻して車軸に結びつける。ハッチをあけて退避する。走路の上のトラクターが力まかせに引くと、タンカーが横倒しになって中身がこぼれる。それで万事オーケイだ」

「そう言えば、どこの競馬場にもトラクターはあるな」

「そうだ」

「だから、馬場の中にトラクターを見かけても、誰もふしぎに思わねえわけだ。なーるほど。跡が残っていてもふしぎじゃねえ。道路上でなにか見かけたときけば、みんなないと言うわけだ。おまえの言うとおりだとすると、そのとおりにちがいねえと思うが、あのトラクターでなくてもいいんだな、競馬場のトラクターを使ったっていいんだ」

「そうだと思う」チコに写真の頭文字と、金額の話をした。「あした、テッド・ウィルキンス以下従業員全員の頭文字をあのリストとくらべてみるよ。誰かがトラクターを手頃な場所へ置いておくだけで金をもらっているかもしれん。タンカーはきょうのような、レースの前日にひっくり返っている。その日はトラクターをなにかに使っていた。エンジンも暖まっているし、燃料も充分に入っている。しごく簡単だな。終わったらさっさと行って人目につかないところへ置く」

「それに夕方だったな」チコが同意した。「ロープや鎖をはずしているときに誰かが通りかからなきゃ心配ねえってわけだ。迂回標識もなにも必要ねえんだ」

トラクターが動き廻っているのをゆううつな気持ちで見ていた。今の二人の推理を裏づける証拠はなに一つないのだ。

そのうちに私が言った。「移動しないといかん。五十ヤードほど先にハードルがあるからな。もうすぐこっちのほうへやってくるよ」

レベレイションをつれて西の方半マイルあたりに駐車しておいた運搬車へ戻り、その機会に朝食をした。食事が終わるとチコが先に配置についた。私の乗馬ズボン、長靴、ポロシャツと頭から足の先まで完全な乗馬衣裳で、自信にみちた足どりで歩いて行った。彼は生まれてから一度も馬にまたがったことはないのだ。

しばらくして、私がレベレイションに乗って行った。私たちがいた半円形の部分にハードルが下ろしてあった。作業員は走路に進んで次の位置で下ろしていた。見られることなくやぶに戻り馬から下りた。チコの姿が見えなかったが、三十分ほどすると、ポケットに手をつっこんで口笛を吹きながら道路を横切ってきた。

そばまでくると彼が言った。「またスタンドの方を見廻ってきたよ。ここの保安はでたらめだぜ。おれに、なにをしてるんだ、ときくやつがいねえんだからな。女どもがあちこち掃除をしてたよ、厩舎の方や厩務員宿舎の準備もしていた。おはよう、と言ってやったら、やつらも、おはよう、だってさ」あきれた表情だった。

「相手にしても、なにか仕掛けるチャンスはあまりないな」私は不機嫌な声で言った。

「スタンドに掃除婦、馬場に作業員じゃあね」

「きょうの日暮れどきだな」チコもうなずいた。「こうなると、その頃しかねえな」

午後がゆっくりとすぎていった。太陽が十一月の低い中天に達し、私たちの目を直射した。私はレベレイションとチコの写真をとったりしてひまをつぶした。彼は超小型カメラにすっかり魅せられて、自分も買うのが待ちきれないようすであった。やがてカメラをポケットにしまい、手にかざしてまたまた馬場を見廻した。

なんにもない。人影もトラクターも見えない。時計を見た。一時。昼食時間。時間がすぎていった。

チコが双眼鏡をとりあげて見廻していた。

「気をつけろよ」私がのんびりと言った。「太陽のほうを見ると目を痛めるぞ」

「わかってるよ」

私はあくびをした。徹夜の影響がしだいにでてきた。

「人が一人いるぞ。一人だけ。ぶらぶら歩いている」彼が言った。

双眼鏡を受け取って見た。彼の言うとおりだ。一人の男が馬場を横切っていた。走路に沿って歩くのではなく、中央の草の上を歩いている。遠すぎて顔はわからなかった。いずれにしても、ダッフル・コートを着てフッドをかぶっているので見えない。私は肩をすぼめて双眼鏡を下ろした。害はなさそうに思えた。

ほかにすることもないので、男が向こう側の走路に行き着いて手摺をくぐり、さらに歩いて行って障害の反対側に廻り、こちらに肩から上を見せて立つのを二人で見守っていた。スタンドへ行った時に用を足してくればよかった、とチコがこぼした。私は笑いながらまたあくびをした。男は相変わらず障害の向こうに立っていた。

「いったい、なにをやってやがんだろう?」五分ばかりたった頃チコが言った。

「なんにもしてないよ」双眼鏡をのぞきながら私が言った。「こっちを向いて立っているだけだ」

「おれたちを見つけたのかな?」

「見つけないさ。双眼鏡を持っていないし、こっちはやぶの中にいるんだ」

何事もないまま、また五分たった。

「なにかやってるにちがいねえ」チコがいらだって言った。

「それが、なにもしてないんだよ」

こんどはチコが双眼鏡を手にした。「太陽がまぶしくてなんにも見えねえぜ」ぶつぶつ言っていた。「反対側にいりゃよかったんだ」

「駐車場の中か?」きいてみた。「厩舎から正門へ行く道があっちを通っているんだ。隠れ場所なんかなに一つないよ」

「野郎、旗を持っているぞ」突然チコが言った。「二本だ。両手に一つずつ。左に白、右にオレンジ。かわるがわる振ってるぜ。頭のヘンな係り員が、救急車と獣医を呼ぶ練習をしてるんだな」がっかりしていた。

見ていると、初めに白、次にオレンジ、白、オレンジと、一、二秒間の間隔で振っている。規定のシグナルにあんな振り方はない、手旗信号でもない。旗はチコが言うように、落馬事故の時に使う物である。白は騎手のための救急車、オレンジは馬の手当てを要する場合である。長くはやっていなかった。七、八回振るとやめて、またスタンドのほうへ馬場を横断して行った。

「あんなことをやって、いったいなんのたしになるんだろうな?」チコが言った。

彼は双眼鏡で競馬場全体を見渡していた。「おれたちとやつのほかには、人っ子一人いねえぜ」

「やつは障害物のそばに立って、何カ月も旗を振るチャンスを待ってたんだ。ところがやつのそばで誰一人怪我をしねえ。とうとう頭にきて、どうしても振りたくてしようがなくなったんだな」

私は立ち上がると体を伸ばし、やぶの中のレベレイションのところへ行った。木につないであった手綱をほどき、腹帯をはずして毛布をとった。

「なにをするんだ？」チコがきいた。

「旗の男と同じことさ。やってみたくて我慢できなくなったんだ。足を持ち上げてくれ」

やってくれたが、手綱を離さなかった。

「気でも狂ったのか？　ゆうべ自分で言ってたじゃねえか、レースが終わったらやらせてくれるかもしれんけど、レース前はだめだろうって、障害物をこわしでもしたら、どうするつもりだい？」

「たしかにたいへんなことになるな」私も同意した。「しかし、こうやって名馬にまたがって、絶好の日和に、最高の馬場を眺めているんだ、みんな昼食でいないし」私はニヤッと笑った。「離せよ」

チコが手を離した。「いつものおめえらしくねえな」いぶかるように言った。

「そう大げさに考えるなよ」と言い捨ててレベレイションを歩かせた。

のんびりとした歩度で馬と私は走路にのり、スタンドのほうに向かった。レースの時と同じように時計の針と逆にまわった。なみあしで横断道路に達し、なにもかぶせていないアスファルト舗装を渡った。道路の向こう側の焼けた芝をブルドーザーで掘り起こしたあとに分厚く押しつけたタン皮が広がっていた。馬はらくにその上を走れる。

そこを通りすぎると、また走路が芝になった。レベレイションがはやあしにうつった。

自分がどこにいるのか、よくわかっているのだ。観衆が居らず、歓呼が聞こえなくても、覚えのある走路に上がって興奮している。耳がピッと前に向いて立ち、足どりも軽快であった。今年十四歳で、引退してから一年になるが、四歳馬の若々しさであった。彼もまた、規則違反を犯すことにへそ曲がりな喜びを感じているのではあるまいか、と想像もした。

もちろんチコが正しいのだ。レース直前のコースで走るなどということは言語道断な仕業である。言い訳のしようはない。私としたことが、そんなことはよくわかっているはずだ。わかっているのだ。馬を軽いかけあしに移した。直線コースに置き障害と生籬が三カ所にほぼ並んでいた。その向こうに水濠があった。予備運動もしていないレベレイションが自分の意志でとぶかどうかわからないので（とばない馬が多い）置き障害のほうに向けた。

障害を見、私の意図を察した以上、もはやとめようとしてもとめられなかったであろう。最初の一列を軽くこえると、二列目に向かって歩度を伸ばした。その後は前面の二つの障害の選択を馬にまかせた。彼は生籬を選んだ。勝手に走らされているのが気にならぬようであった。よくできたとびやすい障害であったし、彼はかつてのゴールド・カップの優勝馬だ。そのために生まれ育てられたのが、今思いがけないチャンスを与えられているのだ。昔と変わらぬ力強さと巧みさでとびこえた。

私のほうは、なんとも表現できない気持ちであった。騎手をやめてから何回か馬に乗ったことはあったが、マークの朝の馬運動について行くくらいのものであった。今の私は昔の古巣に帰って、この二年半の間、やりたくて仕方がなかったことを実行しているのだ。無責任な喜びに顔をほころばせ、水濠に向かって歩度を伸ばした。

一フィートの余裕をおいてとびこえた。完璧である。右手にあるスタンドからはとがめだてする怒声はとんでこなかった。気がねなくスピードを上げてコーナーを廻った。曲がりきったところに生籬がある——レベレイションは流れるようにこたえた——前面にあと五カ所ある。その三番目のところで男が旗を振っていたのだ。

乗り手の感情が馬にのりうつるのは万人の認める事実である。レベレイションは私と同じようなはしゃいだ気分で走っていた。最初の二つを見事なフォームでとびこえ、私たちは陥穽にむかって無心に走り続けた。前面に低い柵があり、その向こうに四フィート幅の溝と四フィート六インチの生籬がある。充分に承知しているレベレイションはとぶ態勢をとった。

私たちが、とんで宙に浮いた瞬間に、強烈な閃光が目を射た。目が眩み、頭が裂けるような光線が、眼前の一切を粉々に砕き、太陽の焼くような光輝がすべてを包み込んだ。

レベレイションが私の下で倒れるのを感じ、目をあけていながら一物も見えないまま本能的に鞍から跳んだ。芝の上にドシンと落ちると、眼前が白光から暗黒、さらに灰色となり、視力が戻った。

レベレイションより先に私が立ち上がった。まだ手綱を手にしていた。馬がもがきながら立ち上がって、うろたえながらよろめいた。足を調べるために、いやがるのを前に引いて歩かせた。怪我なく無事であるのを確認して安堵した。あとはできるだけ早く馬に乗るのだが、このほうは思うようにいかず腹がたった。両手が使えれば軽くとび乗れる。三度目にようやく鞍にしがみついた。その間に手綱は手から離れ、鞍の前部でイヤというほど腹を打った。状況を考えれば、レベレイションは実におとなしくしていたと言える。私が態勢をたてなおし、手綱をとって馬首をめぐらす間にわずか五十フィートほど逆の方向へはやあしで動いただけであった。今度は生籬をよけて通り次のも迂回した。走路の端をはやあしから軽いかけあしで進み、速度を落として道路を越え、元の隠れ場所のほうではなく、右のほう、境界の垣根がロンドン街道に接しているほうに向かった。

目の端に、チコが草っ原を横切って私のほうへかけてくるのが見えた。腕を大きく振ってこっちへこいと合図し、彼が渡りきるあたりで手綱を引いて待った。

「馬なら人に負けねえって言ったなあ誰だ」息がきれるようすもなく言った。

「うん、一時はそう思ったんだがね」

私のほうに鋭い視線をよこした。「落馬したんだ。見てたよ。赤ん坊みたいに落っこちやがった」

「見ていたのなら……馬が倒れた、と言ってもらいたいね。たいへんちがうのだ。騎手にとっては非常に重要なちがいなんだよ」

「ごまかすな。おめえが落ちたんだ」

「こいよ」垣根のほうへ馬を歩かせた。「見つけなければならぬ物があるんだ」チコに説明した。「そこいらのバンガローのどれかだと思う。窓か屋根か庭先だ」

「ちきしょう。汚ねえちきしょうどもだ」と烈しい語調で言った。

私も同感だった。

百ヤードばかりの範囲内にあるはずなので発見するのは困難ではなかった。私は綿密に調べながら垣根に沿ってロンドン街道のほうへ進んだ。止まっては、小さな庭と一戸建ての家を一つ一つのぞきこんだ。相当数の顔がふしぎそうに私たちを見返した。

チコが先に見つけた。終わりから二つめの庭のいちばん奥に立っている、葉の落ちた高い木の枝にたてかけてあった。その後ろ十ヤードのあたりを通っているロンドン街道を車が行き交っている。レベレイションが尻ごみの気配を見せた。

「見ろ」チコが上をさした。

馬を静めながら見た。高さ五フィート、幅三フィートで、一点のくもりもなく磨き上げられていた。鏡である。

「ちきしょうめ」チコがまた言った。

私はうなずくと馬から下りて、車の通行が気にならないあたりまで馬をもどし、垣根につないだ。チコと二人でいったんロンドン街道に出、バンガローに通ずる道に入った。ナポレオン・クローズ、と道が名づけられていた。ナポレオンとなんの関係があるんだろうと内心おかしかった。

二番目のバンガローのドア・ベルを押した。男と女が二人でドアのところへ出てきて、あけた。老齢の、物静かで、当たりのやわらかい二人が、なにごとか、というようすでいた。

私は丁寧な口調で用件をきりだした。「お宅の木に鏡がついているのをご存じですか？」

「人をからかってはいけませんよ」女が子供に対するようなほほえみを見せた。白髪が波うっており、茶色のウール・ドレスの上にダラッとした黒いカーディガンを着ていた。色彩感覚ゼロだな、と思った。

「ごらんになったほうがいい」私が促した。

「あれは鏡じゃないよ」男がふしぎそうな顔をして言った。「貼り紙の台なんだよ。広告に使うやつだ」

「そうよ。広告を貼る台よ」女がくっついて言った。

「うちの木を使わせてやった……」

「ほんのわずかの金額よ……でも、私たちの年金が……」

「どこかの男が枠をのせた……」

「ポスターを持ってすぐ戻ってくると言ってたわ……」

「宗教関係のものだそうだ。人の役にたつことなら……」

「そうでなかったら貸してないわ」

チコが割りこんだ。「ポスターに適当な場所とは思えないね。お宅の木はほかの家よりずっと後ろにさがっているんだよ。人目につかないよ」

「私も思った……」男は疑念が生じたらしく、チェック模様のウールの室内ばきをはいた足がソワソワしていた。

「その男がお宅のあの木を使いたいからと言って金を出せば、断わる必要もありませんね。一、二ポンドの余分な金を近所の人に譲ることはないし」私が言った。

彼らはそのようにはっきりとは言わなかったであろうが、反対をするようすもなかった。

「来て、見てください」私が言った。

二人は私の後についてバンガローの壁沿いの小道を裏庭に廻った。木は家と馬場の垣根の中ほどに立っていた。葉のない枝をとおして陽光が斜めに注いでいた。私たちのほうから鏡の裏の木の部分と縛りつけてある縄が見えた。老夫婦が正面へ廻ると、当惑した表情を見せた。

「あの男はポスターを貼ると言っていたが」男が同じことを言った。

私はできるだけさりげない調子で言った。「まあ、その男が言うように、ポスターを貼るんでしょう。しかし、ごらんのように、今のところは鏡なんですよ。まっすぐ競馬場のほうを向いています。鏡が太陽を反射するということはご存じですね？　私たちはちょっと危険だな、と思ったのです。誰かが目が眩んだりしますとね。ですから、位置を変えさせていただけるかと思いまして？」

「たいへんだわ」女が同調した。私たちの乗馬姿をあらためて見直していた。「光が目に入ったら、誰もレースが見えないわね」

「そのとおりです。では、鏡を少し廻していいですか？」

「かまわないでしょう、お父さん？」女が自信なさそうに夫に言った。

手をあいまいに動かして承諾を示した。チコが、どうやって鏡を上げたのだ、ときいた。男が梯子を持ってきたのだ、と言う。いや、自分たちのところにはない。チコは肩をすぼめると私を木のそばに立たせ、片足を私のももに、片足を肩にかけて、リスのように上って行った。老夫婦はポカンと口をあけて見ていた。

「いつ頃のことですか？」とたずねた。「その男が鏡をとりつけたのは？」

「けさよ」女が驚きから回復して言った。「ついさっきも、ロープかなにか持って戻ってきたわ。その時、後でポスターを持ってくる、と言ってたのよ」

とすると鏡を、チコと私がやぶに身をひそめている時に木に引き上げ、太陽が望みの位置にきた時に角度を調節したのだ。二時だった。明日のその時間には第三レースの、ハンディつき大障害が行なわれる。たいへんなハンディキャップだなと思った。目が眩むのだ。

白旗、少し左。オレンジ、少し右。旗をおさめると、狙いピッタリ。

明日の午後、事故直後に鏡に宗教ポスターを貼りつける。すぐさま捜査を始めても鏡は見つからない。またシーベリィの悪運だ、ジンクスだ。死ぬ馬、つぶされ、踏みつけられる騎手。ジンクスだ。ミスタ・ウィットニィ、私の馬はよそへやってくれ、シーベリィは悪運につきまとわれている、ということになる。

一つの点で、私はひどい勘違いをしていた。宗教ポスターは、翌日貼られる予定ではなかったのだ。

13

私は穏やかに老夫婦に言った。「あなた方は家の中に入っていたほうがいい。今やってくる男に、鏡をどうしているのか、私たちが説明しますよ」

男が小道から表のほうを見やると、女房の肩へやさしく手をまわし、助かったというように、「そう、そうだな、そのほうがいい」と言った。

二人が急いで裏口からバンガローに入るのと同時に、図体の大きな男がアルミの梯子と巻いた大きな紙を抱えて表門から入ってきた。その前に、ダーク・ブルーの大きなバン・トラックが表でタイヤをきしませて止まり、ハンドブレーキを引くガチッという音、梯子をひきずり下ろす音が聞こえていたのだ。チコが木の上で体をこごめて静止し、見ていた。

私は太陽を背にして立っていたが、陽は庭に入ってきた大男の顔を照らし出した。どう見ても宗教ポスターなどに関係のありそうな顔ではなかった。重量級のレスラーとベスビアス山の合いの子のような男であった。ゴツゴツした岩のような体が粗暴な力にみちて、今にも爆発しそうであった。

芝をふみつけてまっすぐに私のほうに進みより、梯子を地面に落として、「なにをやっているんだ？」とたずねた。

「あの鏡を下ろすんだ」私が言った。

なにか気づいたらしく、とつぜん目を細め、体をこわばらせた。「あの上にポスターを貼るんだよ」巻いた紙をもち上げて、他意のない調子で言った。次の瞬間、激しい勢いで火山が爆発した。紙を放り出すと、行動に備えて筋肉がもり上がった。

戦いなどというものではなかった。私の顔面をなぐりかけて考えを変え、両方の拳で私のベルトのあたりを打った。彼としてはかがみこまねばならぬ低い位置である。苦痛に、芝の上でエビのように体を折り曲げながら、梯子を手にしてひざの後ろをぶんなぐってやった。

その衝撃で地面が揺れた。彼は横っ倒しになって、上衣の前がパッとひらいた。私は前へとび出して、わきの下のホルスターに入っている拳銃を奪おうとした。とれそうになったとき、彼が電柱のような太い腕で横なぐりに私を払った。男は体を一転して前かがみになり、芝の上から銃を拾い上げて私に冷笑を浴びせた。彼はバネのように立ち上がりながら、靴の先で私のヘソのあたりを蹴った。銃の安全装置をカチッとはずした。

木の上でチコがどなった。大男がそちらを向いて三歩前に出た。初めて気がついたのだ。目標にまず元気のいいほうを選んだ。拳銃を手にした手がチコのほうへ伸びた。

「レオ」と私がどなった。反応がなかった。もう一度こころみた。

「フレッド！」

大男がほんのわずか私のほうに顔を向けた瞬間、チコが十フィートの高さからとびついた。

拳銃が大音を立て、周囲が一瞬、こまかな光のかけらとなった。私は芝の上でひざを抱くように坐ったまま、低いうめきと呪いを交互に発しながら自分の仕事を続けた。

騒ぎにひかれて、付近のバンガローの住人が裏庭に出てきて垣根越しにびっくりした表情で見ていた。老夫婦は青ざめてポカンと口をあけたまま窓のそばに立っていた。大男は人を殺すのには見物人が多すぎた。チコは図体の大きさでは問題にならず、わざのほうは双方互角と見えた。彼と大男はしばらくの間、お互いに投げたり投げられたりしていた。その隙に私は体を折り曲げたまま庭の小道を這って門のところまで出た。戦いの結果は目に見えていた。退却あるのみであった。

男はあたりの物を踏みつけながら小道をとび出してきて、私が門につかまっているのを見ると、拳銃を途中まで上げた。その頃では道にも人だかりがしており、向かい側の家からも人がのぞいていた。男は激怒して、銃身で私の頭をなぐろうとした。私は門から手を離して後ろへひっくり返った。横に鉄棒の入った門がしまって、私を男の靴から救ってくれた。

男は舗道をズシッズシッと歩き、バン・トラックに乗り込むと、乱暴にギヤを入れてほこりをまき上げながらロンドン街道のほうへ消えて行った。

チコが眉のあたりの切り傷から血をたらしながら庭の道をよろよろとやってきた。心配とショックの入り混じった表情であった。

「格闘なら人に負けねえと言ったなあ誰だ？」彼のまねをしてからかった。

彼は私の横へきて膝をついた。「この野郎」ひたいに触って顔をしかめた。

私はニヤニヤしていた。

「おめえ、逃げ出したな」彼が言った。

「当たり前さ」

「なんだ、それ？」小型カメラを私の手から取った。「まさか」顔が大きく笑った。「まさか」

「それが目的できたんだろう？」

「何枚？」

「やつのを四枚と、トラックのを二枚」

「おめえ、たいした玉だぜ」

「しかし、気分が悪い」うつ伏せになって、いけがきの根もとへ朝食の残りを吐いた。血が混じっていなかった。私は急に元気が出た。

「馬のトラックをとってきて乗せてやるよ」

「冗談じゃないよ」口をハンカチで拭いながら私が言った。「庭へ戻るんだ。あの弾丸を探すんだよ」

「シーベリィの町まで飛んで行ってるぜ」私のハンカチをとって眉のあたりの血をふいていた。

「賭けるかい？」門につかまって立ち上がった。まもなく体をまっすぐに伸ばせるようになった。

二人で見物人に心配ないという笑顔を見せながら庭のほうへ戻った。

鏡が粉々に砕けて芝生中にとび散っていた。

「木に上って、その辺に弾丸がめりこんでいるかどうか見てくれ。どこかにささっているかもしれん。なければ芝生を探すから」

チコは今度はアルミの梯子を上って行った。

「こりゃついているぜ」とどなった。「ここにあったよ」ポケットからナイフを取り出して、鏡の裏板のまん中をややはずれたあたりをほじくっていた。下りてきて手のひらの上の形の歪んだ弾丸をさしだした。私はズボンの小さいポケットに大事に納めた。

老夫婦がバンガローからおそるおそる出てきた。当然のことながら、怯えきってポカンとしていた。チコが申し出て、鏡の残骸を切り落とした。後片付けは老夫婦にまかせた。

思い出して、チコが庭の端へ行ってバラの木の根もとに落ちていたポスターを拾い上げた。広げて私たちに見せながら笑っていた。

「かよわき者に恵みあり、大地は汝らのものなれば」

「やつらあ、案外ユーモアのセンスがあるんじゃねえか」チコが言った。


彼がいやがるのを無理に、またやぶのなかの監視点に戻った。

「まだやるつもりかい？」腹だたしそうに言った。

「パトロールは六時までこないんだ。それにやつらが動くのは夕方だと言ったのはおまえじゃないか」

「もう動いちゃったよ」

「仕掛けは一つとは限っちゃいないよ。あの鏡におれたちが気づかなかったとしても、あれが百パーセント頼りになるかどうかはわからない。太陽しだいだからね。たしかに天気予報では晴天だが、予報の当てにならないことは誰だって知っているんだ。ちょうどその瞬間に雲が太陽をかくしたって役にたたない。ほかに企みがあると思うな」

「ありがたいこったな」と諦めた。運搬車に入れるためにレベレイションを引いて行って、しばらく帰ってこなかった。

帰ってくると私のそばに腰を下ろして言った。「厩舎をひとまわりしてきたよ。おれのことを誰も気にしねえんだな。全然警備なんかやってねえのかい？　掃除の連中はみんな帰っちまって、女が一人だけ食堂で料理をしてたよ。おれを見ると、まだ早すぎるから六時半においで、だってさ。スタンドのほうは誰もいなくて、じいさんが一人だけ鼻をすりながらボイラーのまわりでなにかやってたよ」

太陽が西に傾き、十一月の午後はだんだんと冷えてきた。私たちは寒気に体をまるめた。

「馬でコースへ入る前に、鏡のことを考えていたんだな？」

「可能性があると思っただけだよ」

「あんなに障害をピョンピョンとばなくても、おれたちが後でやったように、境界の垣根に沿って庭をずーっと見て廻れたはずだぜ」

私はニヤッと笑った。「だから言ったろう、誘惑に負けたって」

「正直じゃねえな。落馬することはわかっていたんだろう？」

「そんなことはないさ。鏡がうまくいくとはかぎらないしね。どっちにしても、実際にやってみて確かめるのがいちばんいいんだよ。それに、ほんとうに乗って廻ってみたかったんだ。つかまれば言い訳があるしね。だからやったんだ。気持ちよかったよ。だから、もう言うな」

彼は笑った。「ま、いいだろう」落ち着かないようすで立ち上がると、またひとまわりしてくると言って出かけた。彼が行っている間、双眼鏡を使ったり使わなかったりして馬場を監視した。人の動きは全くなかった。

足をしのばせて帰ってくると、私の横へ腰を下ろした。

「おんなじこった」と言った。

「こっちも同じだ」

横目で私を見ていた。「苦しそうな顔してるけど？」

「そうだろうな。そっちは？」

眉の傷のあたりをソーッとさわっていた。「ひでえ、ひでえ。運が悪かったな、あんちくしょうに腹をなぐられてさ」

「やつはわざと狙ったんだ」私がけだるく言った。「おかげで、いろんなことがわかった」

「ええ？」

「おれが誰だか知っていた、ということだ。おれたちがただ競馬場からやってきて、鏡を動かせるかどうか見ている人間だったら、あんな勢いでかかってくる必要はない。おれに話しかけた時、おれが誰だかわかったんだ。ポスターのようなごまかしにのらないこともね。ああいうやつらは、邪魔立てをされたお返しをしないで、おとなしく退き下がるようなまねはしない。いちばんこたえるとわかっている場所をなぐったんだ。考えていることが手にとるようにわかったよ」

「どうして知ってたんだろうな?」

「やつがアンドリューズをオフィスへよこしたんだ。マービン・ブリントンが言ってた男だよ。図体が大きく、頭がうすくなりかかっていて、手の甲にソバカスがあるし、下町訛りだ。ブリントンをおどして、アンドリューズにオフィスにあるという手紙を取りに行かせたんだ。そこで……アンドリューズはおれを知っているし、おれはやつを知っていた。やつは帰って大男のフレッドに、おれの腹を射ったと告げたにちがいない。おれが死んだという記事が出ないところから、おれが生きていて、ただちにアンドリューズに手が廻ると思ったのだ。アンドリューズをそのままにしておくと危ない。たかが愚かなチンピラだ。そこで、おれの想像だが、エッピングの森へつれて行って鳥の餌にしたんだな。やつの思いどおり、鳥が見事にくいちらしていたよ」

「じゃあ、なにかい」チコがゆっくりと言った。「あのフレッドの野郎が持ってた銃はそれで弾がほしかったんだな?」

私はうなずいた。「そうだ。銃を取ってやろうと思ったが、だめだった。こういう仕事を続けていくとすると、おまえさんに柔道のテを一つ二つ教えてもらう必要があるな」

疑わしそうに目を落とした。「その手でか?」

「新しいテを発明しろよ、片手格闘術かなにか」

「道場へつれてってやるよ」ほほえみながら言った。「あそこの日本人のじいさんなら、必ずなんとかしてくれるよ」

「そいつあいいな」

競馬場の向こうのほうで、馬運搬トラックが道から折れて厩舎のほうへ行った。翌日の出走馬の第一陣である。

チコが見に行った。

夕暮れの中に坐って、なにも起こりそうにもない周囲に目を配りながら、寒さにひざを抱えていた。身をよじるような腹部の痛みが再発して、フレッドを呪った。レオでなくフレッドである。

相手は四人だな、と思った。クレイ、ボルト、フレッド、そしてレオと。

すでにクレイには会っている。彼は私を、クラブで知り合った退役海軍提督の家にとっついている嫌われ者のシッドとして知っており、週末を共に過ごした。

ボルトにも会った。彼は私を、工場に勤めていて、伯母からもらった金を投資したがっているジョン・ハレーとして知っている。

フレッドにも会った。彼は私の完全な名前や、探偵社に勤めていること、シーベリィに現われたことを知っている。

レオに会っているかどうかはわからない。しかし、レオのほうでは私を知っているかもしれない。もしなにか競馬に関係がある人間なら、まちがいなく私を知っているはずだ。

連中がシッドとかハレーという名を関連させて考えないうちは大丈夫だろう、と思った。しかし、私のくだらない手のことがある。クレイはポケットから引き出して見ているし、フレッドはあの裏庭で見たかもしれない。レオは何者かしらないが、ザナ・マーティンにした約束のおかげで、この六日間はどこでだって見かけている可能性がある。そのザナ・マーティンはボルトに雇われている。とんだどうどうめぐりだな、と皮肉な気持ちで考えた。

チコが夕闇の中から姿を現わした。「ピンポンだったよ。あすの第一レースに出るんだ。怪しい点はない。それに、スタンドも馬場もなんの気配もしねえぜ。帰ろうよ」

五時を相当まわっていた。私は同意して、ぎごちなく立ち上がった。

「あのフレッドの野郎な」さりげなく手をかしてくれながらチコが言った。「おれ、考えていたんだ。どこかで見かけたことはまちがいねえ。レースでだ。常連じゃねえ。賭け屋の下働きとかいうんじゃねえ。しかし、時々見かけたな。たいていは大衆席のほうだけどな」

「どこかへもぐらないでいてもらいたいもんだね」

「もぐることなんかねえと思うぜ」まじめな顔をして言った。「おまえがやつを、クレイやアンドリューズと結びつけて考えるとは思っちゃいねえだろうからな。やつが木にポスターを貼るところをつかまえただけなんだ。おれがやつなら、安心して高いびきだな」

「おれはやつをフレッドと呼んだんだぞ」私が言った。

「そうか、そうだったな」チコがゆううつそうに言った。

　道に出て、馬のトラックのほうへ歩いた。

「仕事は全部フレッドのやつがやってるにちげえねえな」チコが言った。「インチキな排水溝を掘ったり、厩舎に火をつけたり、トラクターでタンク車を横っ倒しにしたり、あの図体じゃあなんでもできるからな」

「やつは旗を振らなかったよ。あの時は木に上ってたんだ」

「なるほど、そうだな。誰だろう？」

「ボルトじゃない。ダッフル・コートを着ていてもボルトほど太ってはいなかった。クレイかもしれん。いや、誰だかしらないが、レオというやつだな」

「作業員の一人か、監督。そうだな。すると、タンク車をひっくり返したりしたのは二人ということだな」

「そのほうがやりやすいさ」私も同意した。

　チコが馬運搬トラックをマークの家まで運転し、さらに、大喜びで私のメルセデスをロンドンまで運転して行った。

14

コーニッシュ警部は内心の喜びを隠そうとしているようだった。

「お宅の社の点数がまた上がりましたな」控えめな調子で言った。

「正直なところ、むこうから舞い込んできたんですよ」

「で、また舞い出た、というわけですな」無表情に言った。

チクリときた。「ま、実物を見てもらいたいですな」

「そういうやつは、こちらに任せてもらったほうがいい」思わず口から出たらしい。

「そちらは、どの辺におられたのかな？」

「そこですよ」ほほえみながら認めた。

またマッチの箱を手にして弾丸を見ていた。「りっぱなもんだ。すじもはっきりついている。レボルバーで、自動拳銃でないのが残念だな。薬莢もあれば文句のないところだ」

「欲が深いな」私が言った。

彼は壁にかかっているアルミの梯子と机の上のポスター、大急ぎで現像焼き付けをした写真を見ていた。バン・トラックのナンバーまではっきり写っているのが二枚、チコを相手に格闘中のが四枚あった。ポーズをつけたポートレイトではないが、明るい日光の下で、特徴と人相をはっきり見せた四つの角度から写っていた。

「これだけ手がかりがあれば、アッという間につかまえますよ」

「ありがたいですな」と私が言った。できるだけ早くフレッドの行動の自由を奪っておいたほうがいい。これ以上シーベリィに損傷を与えないうちに。「逮捕に手がかかりますよ。ものすごくタフなやつだし、柔道もできるようだから。それに、捨てるだけの知恵がなければ、まだあの拳銃を持っているはずだし」

「覚えておきましょう。いろいろありがとう」と彼が言った。気持ちよく握手をして署を出た。

社のほうもきょうは好調であった。帰るとすぐドリィが、ジャック・コープランドが待っている、と言った。部屋へ行った。

ジャックは部下の仕事に満足げに半円の眼鏡の上から私にほほえみかけた。「ジョージが見つけたよ、クレイを。彼に聞いてくれ」

ジョージの机へ行った。得意そうにニヤニヤしていたが、話を二分ばかり聞いているうちに、その資格があるとみとめた。

「念のために、地質学博物館でクレイが最近手を触れた石を借りて、サミィに指紋をとらせたんだ。二つ、三つ違う指紋が出てきたんで、全部を写真にとった。いずれもイギリスの綴りに入っていない。そこで万が一にもと思って、国際刑事警察の昔の友人に廻したんだ。それが大当たりというわけさ」

「大当たりね？」笑いながら話を促した。

「ほんとだよ。きみの友人のクレイは、ニューヨーク州の前科者の綴りに入ってたんだ」

「罪状は？」

「傷害だ」

「女の子に」私がたずねた。

ジョージが眉を上げた。「女の子の父親だ。クレイはどうやら合意の上で女の子を鞭で叩いていたんだ。娘のほうは苦情を言っていない。父親が傷の跡を見つけてカンカンになったんだな。クレイを婦女暴行罪で訴えるといきまいたんだ。そっちのほうも娘は好きでやってたんだ。しかしクレイは不利と見て椅子で父親の頭をなぐって逃げた。警察が南米行きの飛行機に乗りこむところを押えてつれ戻した。父親は脳に障害を起こしたらしい。詳細な医学的報告書はあるが、要は、体の自由がきかなくなったんだ。クレイは暴行のほうは逃れたが、傷害で四年間くらいこんでいたということだ。

三年後にある程度の金を持って、新しい名前で英国に現われ、すぐ結婚した。虐待を理由に離婚した女だ。なかなかの男らしいな」

「そうなんだ。で、本名は」

「ウィルバー・ポター」皮肉な表情をうかべた。「まず想像もつかないだろうな。やつは本職は地質学者なんだよ。建設会社に勤めていて、調査をやってたんだ。年中旅行をしていたらしい。性格は、要領がよく、ハッタリが強く、口がうまい。なにかよからぬことをやっていたらしくて、いつも給料以上の金を持っていて、いばっていたそうだ。そのほうの証拠はないがね。娘の父親の傷害事件が警察沙汰の第一号だった。当時三十四歳ということだ」

「ひどいやつだな」私が言った。

「まったくね」ジョージが同意した。

「しかし、性犯罪と不正行為による乗っ取りはあまり関係がないな」私が不満を表わした。

「それは、腫れ物とガンが同時に発生しない、というのと同じさ。体質に基本的な欠陥があって、違う症状が現われているんだよ」

「その言葉を信じよう」私が言った。

行方不明課のサミィは、クレイの指紋の写真をとる以外に、もっと重要な成果を挙げていた。スミスを見つけるところまでいっていた。

「インターサウス社がけさ電話してきたんだ」となめらかな調子で言った。「身元問い合わせ先にあそこの名を出したらしい。バーミンガムで運転手として就職するようだ」

「いいぞ」

「きょうの午後には住所がわかるよ」


競馬課に帰ってドリィの電話を取り上げ、チャーリング・ストリート&キング社へ電話をかけた。

「ミスタ・ボルトの秘書でございます」静かな声が言った。

「ミスタ・ボルトはおられますか?」

「不在でございますけど……そちら様は?」

「私の綴りを持っているのに気がつきましたか?」

「ああ」彼女が笑いだした。「ええ、あなたの車から持ってきてしまったの。すみません」

「そこに持っているんですか?」

「いいえ。ここへは持ってこなかったの。ミスタ・ボルトに見つかるとぐあいが悪いと思って。表紙に、ハント・ラドナー探偵社、と記してあって、〈用ずみ資料、シッド・ハレーに貸し出し〉と赤い紙が貼ってあるんですもの」

「そう、たいへんなことになるところだった」本心から言った。

「うちにおいてあるわ。お急ぎになるの？」

「いや、そうじゃないんです。無事であればいいんですよ。明後日――日曜日の朝、もらいに行っていいですか？　それから少しドライブでもして、昼食することにしたら？」

一瞬無言でいた。そのうちに思いきって、

「ええ、けっこうですわ」と言った。

「パンフレットは発送しましたか？」

「きのう送り出したわ」

「じゃあ、日曜日にまた」

電話を下ろすと、ドリィが妙な顔をして私を見ていた。また私は彼女の机の端に腰かけていた。タイピストが留守中に椅子を取り返しにきたのだ。

「またネズミに逃げられたようね」

「たいしたネズミだった」

チコが部屋に入ってきた。眉の傷が赤く腫れて、顔の片側全体が灰色のアザになっていた。

「二人もいて」ドリィがうんざりした調子で言った。「そいつに子供扱いにされたのね」

あれこれと傷の心配をされるよりは、チコもそのほうがはるかに気楽らしい。

「ガリバーをおさえるのは、小人二人じゃできなかったんだぜ」と上機嫌で言った。（孤児院には本がたくさんあるのだ）

「ゴリアテはダビデ一人でよかったのよ」

チコが舌を出した。私は笑った。

「で、そっちのおポンポンはどんなぐあいだね」チコがひやかすようにきいた。

「おまえのご面相よりはいいよ」

「シッドの親友でも、彼を見ると知らん顔をするんだ、理由を知ってるかい？」

「知らないわ」ドリィがまじめにうけた。

「ハ、ハ、ハレートシス（口臭）がひどいんだよ」

「いやあね。誰かこの人をつれて行って。相手をしてられないわ」ドリィが言った。


一階のラドナーの応接室でえび茶の椅子にかけて、シーベリィのパトロールから特別な報告がないと彼が言うのを聞いていた。

「ファイスンが今電話をしてきたところだ。レースの日としては万事正常だ、と言っていた。観衆はもうすぐ来始めるようだ。彼とトムが、オクソン大尉とたった今、全体を完全に見て廻ったところだそうだ。今までのところ、異常はないと言う」

「部屋がとれれば、今夜あちらで泊まりましょう」

「その場合は、夕方うちのほうへ電話してくれたまえ」

「わかりました」昨日フレッドと鏡の件を報告した時は、彼は夕食の最中であった。

「もしおすみなら、例の写真を返していただけませんか？　頭文字のリストとシーベリィの作業員の名前を比べてみたいのです」

「申し訳ないが、今手もとにないのだよ」

「上へ送り返しでも……？」

「ちがう、ちがう、ここにないのだ。ハグボーン卿が持っている」

「なぜですか？」不安を感じて坐り直した。

「彼がきのうの午後来たのだ。だいたい私たちの意見に同調する気になったらしい。いつものように経費のことをうるさく言わなかったよ、いい兆候だがね。それはいいとして、きみから聞いた、クレイが株を買い占めているという証拠を見たい、と言うのだ。株式譲渡証書の写真だね。あのことを知っていた。きみが話したと言っていたよ」

「ええ、話しました」

「それを見たい、というのだ。筋がとおっているし、また決心がぐらついてもまずいと思って、見せてやった。そうしたら、シーベリィの委員たちに見せたいから貸してもらえないか、と丁重に頼んだよ。けさ会合があったはずだ。クレイの持ち分の大きいことを見せれば、なにか効果的な手段を講ずるかもしれない、と考えたらしいのだ」

「ほかの写真はどうしました。ほかのもあの箱に入っていたんですがね」

「みんな持って行ったよ。みんな入り混じっていて、彼も急いでいたからね。あとで自分でよりわける、と言っていた」

「シーベリィへ持って行ったんですか？」ますます不安になった。

「そうだ。けさの委員会に」時計を見ていた。「会議は今開かれているはずだ。必要なら向こうへ着きしだい返してもらえばいい。その頃には用がすんでいるだろう」

「渡してもらいたくなかったですね」

「べつに害はないよ。なくしたところでネガがある。リストだって、あすになれば焼きましができるだろう」

彼の知らないことだが、ネガは手違いで綴りにはさんだままフィンチレイにあって、すぐ間に合わないのだ。言わなかった。そのかわりに、懸念はあったが、「いいでしょう。害はないと思います。それじゃ、あっちのほうへ行きます」と言った。

アパートで一泊用の必要品を鞄につめた。窓から日光がさしこんで、ブルーやグリーンやブロンドの木製家具が、使いなれた身近な感じで光っていた。二年たって、ようやく自分の住居のような感じになってきた。ジェニイのいない家だ。ジェニイをはずした幸福だ。両方とも可能であるという気がしてきた。彼女が出て行った頃より、今の私は自分本来の姿に返っているようだ。

シーベリィでも日は輝いていた。しかし観衆の数は多くはなかった。レースの内容の貧しさは目をおおうばかりであった。がちょうの群れのような馬の一団が、お互いに他をかきわけよたよたとゴールを目ざしているのを見て、現在の自分の立ち場に思いをはせた。おれはロクな能力も持たないで、ハグボーン卿、オクソン大尉、シーベリィの理事者たち、あるいはクレイ、ボルト、フレッド、レオ、といった連中を相手にしてもがいている。

終日事故はなかった。馬たちが気にするようすもなくタン皮を敷きつめた上をのろのろと走り、向こう正面の障害物をかきわけたり蹴とばしたりしている時も、目を眩ますような鏡の反射はなかった。第一ラウンドはチコと私がとったようだ。

すばらしい好天に人々の気持ちが高揚してくるにつれて、かつてのシーベリィの活気が一時的にせよ、多少ともよみがえってきた。少なくとも人々がスタンドの惨めな有様に目をとめて、なんとか手を加えるべきだ、と言う程度の関心がわいてきた。人々がそのような気持ちを持っていれば、シーベリィの復興も不可能ではない、と思えた。

ハグボーン卿は、ザナ・マーティンが言った、シーベリィの議会の意向を打診すべきであるという意見を私が進言するのを注意深く聞いていたが、驚いたことに、すぐさま手を打とうと言った。

そのように、事態が多少とも好転のきざしを見せているにもかかわらず、私の不安はなかなか去らなかった。ハグボーン卿は写真を持っていなかった。

「どこかにまぎれこんでいるのだよ、シッド」慰めるように言った。「そう気にすることはあるまい。そのうちに出てくるよ」

会議をやっていたテイブルの上においた、と言う。会議が終わって、席を立って雑談をしていた。箱を取り上げようと後ろを向いたらすでになくなっていた。テイブルの上がきれいに片づけてあった。灰皿の掃除をしていた。テーブルを昼食に使うのだ。白いクロスがかけられていた、ということである。

ともかく、会議の結論はどうであったか、とたずねた。その問題は一、二週間あいだをおいて考えよう、ということになった。誰も緊急を要するという気持ちはなかった。株の売り買いには時間がかかる。しかし、ハント・ラドナーが依頼された仕事を続行することは全員が同意した。

たかが一箱の写真を探すために理事室にはいりこむわけにもいかなかったので食事の準備をしている連中にきいてみた。私のまわりを忙しそうに動き廻りながら、見なかったと言った。会議の後でテイブルを片づけ昼食の支度をした男と女を探し出してきいた。

給仕女は、いたずら書きをした紙はたくさんあったが写真の入った箱はなかった、みんなこのサンドウィッチを待っているから、と行ってしまった。探してみてやると言い、見て、首をふりながら戻ってきた。見たかぎりではどこにもなかった、と言う。大きな箱だよ、と私は打ちのめされた気持ちで言った。

私は取締り委員のミスタ・フォザートンにもきいた。オクソン大尉にも、考えつく人間のすべてにたずねた。みんなレースのことで忙しく、ハグボーン卿と同じ返事をした。

「心配するな、シッド。そのうちに出てくるよ」

出てこなかった。

私は六時にパトロールが交替するまで競馬場にいた。きたのは昨夜のパトロール組であった。中年の、経験をつんだ思慮のある元警察官が四人いた。彼らは記者席に居心地よく陣取った。前後に窓があり、暖房がきいていて、電話が四つある。他の夜警仕事のたまりよりはるかにいいと喜んでいた。

最終レース（三時半）から六時までの間、写真をさがしたり、ハグボーン卿をバンガローの裏庭へ鏡の残骸を見せにつれて行ったりしたほか、オクソン大尉を説得して、いっしょに競馬場の建物を隅々まで見て廻った。

彼は嫌がるようすもなく同行した。昼間の成績が多少ともよかったためか、週の初めのときよりは態度がやわらいでいた。なにも変わった物、怪しい姿はなかった。

車を運転してシーベリィの町へ行き、以前よく利用したシーフロント・ホテルに部屋をとった。部屋は半分程度あいていた。以前ならレースの夜は満員だったものだ。バアでブランディを飲みながら、支配人と二人で現状を嘆いた。

「レースのおかげで、冬の間中、三週間に一度は大いに活気を呈したものだ。ところが、今じゃ来る人もない。今年などは、一月の定例レースの開催希望もなかったそうだぜ。なんとしても、あの競馬場をもう一度盛大にしなければならん。町のためだよ」

「町議会に手紙を出して、そう言えばいいよ」

「役にはたつまい」ゆううつな表情だった。

「わからないよ。役にたつかもしれない。出すだけ出してみたら」

「よし、シッド。あんたが言うんだから出してみるよ。ブランディをサービスしよう」

彼ら夫妻と早めの夕食をして、その後海岸を散歩した。夜気が乾いていて冷たく、そよ風が海草のかおりを運んできた。靴の下で小石の層がめり込んで後に穴が残っていった。冬の砂地は石のように固かった。クレイ一味のことを考えながら、競馬場と逆の方向に、知らぬうちに遠くまで歩いていた。夕方ラドナーに電話をすると言ったのを思い出した。

報告することはあまりなかった。べつに急ぐこともないのでゆっくりと歩き、町に帰りついたのは十時近くであった。ホテルの全室にまだ電話が入っていないので、通りがかりにホテルの表に公衆電話を見つけて使った。

電話に答えたのはラドナーでなく、チコだった。彼の声から、なにかたいへんなことが起きたのをすぐ感じた。

「シッド……」と言った。「シッド……なんと話したらいいか。とにかく、ありのままに言うよ。今夜、みんなでおまえを探してたんだ」

「なにか……」声がつまった。

「おまえのアパートを爆破したやつがいるんだ」

「爆破」私は呆然となった。

「プラスティック爆弾だ。道に面した壁をぶちぬいたよ。まわりの部屋の連中もある程度損害を受けたけど、おまえの部屋は……なんにものこってねえんだ。クモの巣がかかったような、大きな穴がポッカリあいているだけなんだ。それでプラスティック爆弾とわかったんだ。フランスのテロのやつらが使ったような……シッド、聞こえるか?」

「ああ」

「おまえもひどいめにあって気の毒だよ、ほんとうに。しかし、それだけじゃねえんだ。オフィスもやられたんだ」苦悩にみちた声だった。「競馬課の中で爆発したんだ。建物の壁がすっとんじまったんだ。まったく……ひどい有様だよ」

「チコ」

「わかってるよ。ボスはそっちのほうへ行って、気が抜けたように見つめてるよ。おまえが電話をかけると言ってたし、パトロールから連絡があるかもしれないと言って、おれをここにおいたんだ。ありがたいことに大した怪我はなかった。おまえのアパートの住人が五、六人、軽い怪我をしただけだ。オフィスのほうはもちろん誰もいないからな」

「何時だった?」

「オフィスのほうは、今から一時間半くらい前だ。アパートのほうは七時ちょっと過ぎてたな。警察といっしょにボスとおれがそっちへ行ってる時に、オフィスのほうの無線連絡があったんだ。警察の考えじゃ、何者か分らんが、犯人はなにか探していたらしい。おまえの部屋の下の連中が、爆発の二時間前から、上で人が動きまわっているのを聞いたと言うんだ。おまえがいつもより音をたててるな、くらいに思っていたんだそうだ。おまえの部屋の中の物を一切合切、居間のまん中に積み上げて爆弾をその上にのせたらしい。警察の話じゃ、探した物が見つからなくて、見落としを考えて念のためになにからなにまでふっとばしたらしい、ということだ」

「いっさい、がっさい……」

「なんにも残ってねえんだ。シッド、おれの口から話したくなかったけど……しかたがねえや、そういう状況なんだ。なにもかも跡形なくなっちまったんだよ」

私を愛している頃のジェニイの手紙。父母の唯一の写真。数々の優勝トロフィ。いっさいだ。私は力なく壁によりかかった。

「シッド、そこにいるのか?」

「いるよ」

「オフィスの場合も全く同じだったんだ。道の向こう側の連中は明かりがついて人が動き廻っているのを見たが、残業をしているんだろうと思ったそうだ。ボスが、犯人は求める物をまだ見つけていないと考えるべきだ、と言うんだ。なにを探しているのか知りたいと言ってたぜ」

「おれは知らない」私が言った。

「知らねえはずはねえよ」

「ほんとに知らないんだ」

「帰ってくる途中に思い出してくれ」

「そっちへは帰らないよ。今夜は帰らん。帰ってもなんにもならんよ。もう一度競馬場へ行って、あっちのほうにも異状がないよう見張ってるよ」

「よし。ボスから電話がかかってきたらそう伝えておくよ。たぶんクロムウェル・ロードのほうに一晩中いることになるだろう、と言ってたから」

受話器をおいて電話ボックスを出て冷たい夜気の中に立った。ラドナーの言うのが正しい、と思った。爆弾を仕掛けたやつがなにを探しているのかを知ることが重要だ。電話ボックスによりかかって考えた。ようやく自分の家となりかかっていたアパートや失った物のことは意識して考えないことにした。そのようなことは大なり小なり前にも経験している。例えば、母が死んだ夜のように。その翌日、私は初めて優勝を経験した。

なにかを探すのには、それが存在していることを知っていなければならない。爆弾を使うということは、見つけることより、消滅させることのほうが重要なのだ。自分が最近手に入れたもので（以前からあれば、とっくに探されている）クレイが抹消したい物はなにか。

フレッドがうっかり鏡に発射した弾丸がある。あれは警察の弾道学研究所のどこかにあるはずだから見つかるはずがない。またかりに私が持っていると思えば、昨夜のうちに探していなければならない。

ボルトが発送したパンフレットがあるが、何百枚もあるものだし、私が持っていることを知っているとしても、そんな物をほしがるわけがない。

マービン・ブリントンが書いてくれた手紙がある。あれを探しているのだとすると……

私は公衆電話に入って、ブリントンの電話番号を調べてもらって、かけた。

ありがたいことに、彼が答えた。

「変わったことはありませんね、ミスタ・ブリントン？」

「大丈夫だ。いったいなんのことだね？」

「例の大男から電話を受けていないでしょうな？　私がそちらへ伺ったことや、弟さんの手紙を思い出して書いてくれたことなど、誰にも話していませんね？」

怯えた声になった。「いや、べつに何事もないが。誰にも話してない。話すわけがない」

「けっこう。それならけっこうです。念の為に伺ってみただけです」と安心させた。

とすると、ブリントンの手紙ではない。

写真だ、と思った。昨日の午後ラドナーがハグボーン卿に渡すまでは、事務所から全然外へ出ていない。社外の人間では、ハグボーン卿とチャールズがその存在を知っているだけだ。しかしそれも、ハグボーン卿がシーベリィの委員会へ持って行って紛失するまでのことだ。

紛失ではなくて盗まれたと仮定してみる。クレイを知っている人間で、クレイにわたしておいたほうがいいと考えた者に。書類の日付けなどから、いつ写したものであるか、クレイにはすぐわかるはずだ。しかも、その場所も。

頭の皮がつっぱるような危機感におそわれた。今となっては、いろんなハレーやシッドを結びつけて知っているものと考えねばならない。

とつぜん恐怖にかられて、エインズフォドに電話をかけた。チャールズ自身が落ち着いた冷静な声で答えた。

「チャールズ、理由をきかないで、私の言うことを直ちに実行してください。クロス夫人をつれて家を出、車に乗ってできるだけ家から離れてください。そして、この番号に電話してください、シーベリィの七九四一一番。いいですか？　シーベリィの七九四一一」

「わかった」と電話をきった。海軍の訓練のおかげだ、と感謝した。ほとんど時間がないかもしれない。オフィスの爆発は一時間半前であった。ロンドンからエインズフォドまで、ちょうどそのくらいかかる。

十分後に電話がなった。受話器をとった。

「公衆電話だと言っていたぞ」チャールズが言った。

「そうです。そちらも？」

「いや、村の居酒屋にいる。ところで、いったいどういうことなのだね？」

爆弾の話をしたら驚愕していた。紛失した写真のことも話した。

「やつらの探している物は、それ以外には思い当たらないのです」

「しかし、彼らに盗まれたと言ったではないか」

「ネガのことですよ」

「ああ、なるほど。そのほうはアパートにもオフィスにもおいてなかったのだね？」

「ええ。偶然なことでおいてなかったのです」

「それで、まだ探しているとするとエインズフォドへくる、と言うんだね？」

「いよいよ追いつめられれば、くると思います。私が物をしまっておく場所をあなたが知っていると考えるかもしれませんからね……無理にでもあなたの口を割らせようと考えかねない。そのような危険を冒したくないので、家を出てもらったのです。やつらがエインズフォドへ行くとすると、もう着いている頃です。あなたのことを思い出すのは、まずまちがいないと思います。あなたの家で写真をとったということがはっきりしていますからね」

「日付けからな。よろしい、わかった。警察に話して、すぐにも家を警備してもらおう」

「チャールズ、一味の一人は……もしそいつが爆弾をばらまいているやつだとすると、一個分隊は必要ですよ」フレッドの人相、バン・トラックの特徴やナンバーを知らせた。

「わかった」落ち着いていた。「あの写真が彼らにとって、なぜそんなに重要なのだろうね？」

「それがわからないのです」

「気をつけなさい」

「ええ」と私が答えた。

そのとおり、気をつけた。ホテルに入らないで、外から電話をかけた。

支配人がでた。「シッド、いったいどこにいるんだ、いろんな人が夕方からきみを探しているぞ……警察も」

「ああ、ジョー、わかってるよ。もういいんだ。ロンドンとは話をした。ところで、私に会いに、誰かホテルへきた者がいるかい？」

「いるよ、今きみの部屋で待っている。ロランド提督だよ」

「へえ、そうかい？　提督らしい格好をしてるかい？」

「まあ、そうだな」疑念がわいてきたようである。

「紳士だね？」

「もちろん」ではフレッドじゃない。

「いずれにしても、そいつは女房の父親じゃない。オックスフォドシャの親父と今話し終わったところなんだ。人を二人ばかりやって、その訪問者を放り出してくれ」

溜め息をつきながら受話器をおいた。何者かが私の部屋にいるということは、シーベリィへ持ってきた持ち物一切がぼろぼろにされているということだ。あとに残るのは、いま身に着けている衣類と車だけだ……。

車をおいてある場所へ駆けて行った。錠がかかっていて、無事であった。損傷はない。ホッとしてポンポンとたたき、坐り込んで競馬場に向かった。

15

門を入りエンジンをきったが、あたりは静かだった。あちこちに明かりがついている——記者室の窓、検量室の入り口の上、あと一つスタンドの上のほうについている。それ以外のところはずっしりと暗黒におおわれている。晴れ渡った、月のない夜である。

パトロールの報告を聞こうと記者室のほうへ行った。

報告どころではなかった。

四人ともぐっすり寝込んでいる。

無性に腹がたって、そばの一人を揺すってみた。振り子のように頭が揺れたが、目をさまさなかった。グタッと椅子にすわっている。一人は机の上に腕をおいて頭をのせている。一人は床にすわって椅子に頭をよせかけ、腕をダラッと垂らしている。四人目は向こうの壁ぎわで顔を下にしてながながと横たわっている。

ばか者どもが、と憤慨した。元警察官が赤ん坊のように眠らされている。こんなことがありうるはずはないのだ。警備についている時の注意事項の第一は、自分の飲食物を持参して、人のすすめる物は口にしないことだ。

荒い呼吸をもらしているあほうどもの体をよけてまわり、チコに応援を求めるべく受話器を取り上げた。電話はきれている。ほかの三つも試してみた。通じない。

シーベリィの町へ戻って電話をかけなければならない、と考えた。記者室を出た時、ドアからもれた光の中で、正門のほうから歩いてくる人影がぼんやりと見えた。

「だれだ？」おうへいな声がとんできた。覚えのある声だ。オクソン大尉である。

「私だ、シッド・ハレーだ」私がどなった。「これを見てくれ」

明かりの中に入ってきた。体をよけて中に入らせた。

「なんだ、これは？　いったい、どうしたんだ？」

「睡眠薬だ。電話が全部不通になっている。外部の者の姿を見かけなかったかね？」

「見かけなかった。きみの車以外にはなにも聞こえなかった。誰がきたのかと思って見にきたのだ」

「宿舎に何人くらい厩務員が泊まっているのかな？　社のほうから応援を呼ぶまで、何人かにパトロールをやってもらえないかしら？」

「面白がってやってくれるだろうが」考えていた。「五人泊まっている。まだ寝ていないはずだな。宿舎へ行って頼んでみよう。そのついでに、私の部屋から社へ電話をかければいい」

「ありがとう。助かります」

ぐっすり寝入っている連中を見渡した。「誰かがメッセージでも書いてあるか見たほうがいいな。ちょっと待ってください」

机によりかかっている男の頭や腕の下、床の上の男の体の下、椅子に頭をのせている男の体のまわりなどを見ている間、彼は辛抱強く待っていた。どれもこれも、鉛筆に手を伸ばした気配すらなかった。諦めて、机の上の夕食の食べ残りを見た。油紙の上においてある食べかけのサンドウィッチ、飲みかけのコーヒー、魔法瓶、リンゴのしん、チーズの切れっ端、丸めた包み紙、手のついていないバナナ。

「なにかあったかね?」オクソンがきいた。

私はがっかりした表情で首をふった。「なんにもない。目がさめたら頭痛がひどいことだろう。自業自得だ」

「腹がたつのはわかる……」彼が言いかけた。私の耳に入らなかった。私が初めに揺さぶった男の椅子の背中に茶革の双眼鏡ケースがぶらさがっていた。そのふたに、頭文字が三つ押してあった。L・E・O。LEO。レオ。

「どうかしたのかね?」オクソンがきいた。

「いや」私はほほえみながら、ケースの紐にさわってみた。「これは、あなたの物ですか?」

「そうだ。彼らの一人が貸してくれと言ったのでね。夜明け時に使うのだと言っていた」

「ご親切に」

「なんでもないことだ」肩をすぼめて表へ出た。「先に電話をかけたほうがいい。厩務員のほうは後で話してみよう」

彼の部屋へ行く気は毛頭なかった。

「そうしましょう」私が言った。

外へ出てドアをしめた。

一ヤードと離れていないあたりから、聞き慣れた声が満足そうに言った。「よくつかまえたな、オクソン。よくやった」

「ついてくるところだった……」腹だたしそうに言った。つかまえた、というのが誇張されていると思ったのだ。

「とんでもない」私は言いすてて、車のほうへ走った。

十ヤードほどの距離に達したとき、何者かがライトをつけた。私の車のヘッドライトだ。

私はハッと立ち止まった。

背後で男の一人がどなり、走ってくる足音が聞こえた。私はライトの中に立ってはいなかったが、影がうかびあがっていた。

門に向かって右に走った。三歩進むと、門を入ってくる車のライトに正面から照らされた。

また叫び声が聞こえた。オクソンとクレイである。半ば目が眩みながら声のほうを向くと、二人がそばまできていた。後ろを、門を入ってきた車が進んできた。自分のメルセデスのエンジンがかかった。

暗闇をめざして走った。二台の車のライトに捉えられた。クレイとオクソンが走ってきた。

私は追いつめられた兎のようにスタンドのほうへ逃げた。背後の二台の車のライトが仮借なく私の姿を捉え、走ってくる二人の男の手がすぐそばに伸びてきた。映画の悪夢のシーンを再現しているような気がした。つかまれば夢同様のめにあう。

パドックを通り抜け、その向こうの舗装した広場を越え、脱鞍所の手すりをくぐり、検量室の壁に沿って走った。時に追手の手が一フィートの近くまで伸びてきた。走ってくる車のバンパーが一ヤードの距離まで近づいてきた時もある。

逃げおおせた。救いの闇の中を息をきらしながら、調教師の昼食室の入り口を入り調理室へ抜けた。そこからさらに会員食堂に入った。広い部屋に椅子をのせたテイブルが並んでいた。巨大な建物を縦貫しているトンネルのような幅の広い通路に出て横切り、石階段を上ってスタンドの中途に出ると、横にできるだけ遠くまで行った。追跡者をまいた。スタンドを二分している会員席との境の、丈の低い木の壁の暗がりに腰を下ろした。片方の足はいつでもとびだせるように曲げていた。壁の上には金網が高く張ってあって、のり越えることはできなかった。大衆席から上等の席へ入りこむのを防ぐためである。スタンドの前は前方の金網の壁まで、会員席の芝生が大きくひろがっている。その向こうが馬場である。半マイルの距離を横断すればロンドン街道にたっし、シーベリィの町へ行ける。しかし、そのために境界の垣根を越えなければならない。

遠すぎる。垣根を越えることは不可能だ。以前のように両手が使え、次々に内臓をひき裂いて穴をあけているような感じの腹でなければ、なんとかなったかもしれない。今は不可能だ。元来回復が早い体質ではあるが、アンドリューズの死体を見に歩いて行くのがやっとの思いであった時から、まだ二週間しかたっていないのだ。それに、昨日のフレッドの狙いすました一撃がまだこたえている。

事態を直視してみよう。逃げるのであれば、絶対に逃げおおせなくてはならない。馬が一頭手に入るなら全財産を投げ出してもいい、という気持ちであった。たいがいのカウボーイなら、よほどばかでないかぎり、レベレイションを手すりにつないでおき、いざとなればとびのってパッカパッカと逃げ出せるようにしていたはずだ。自分は時速百五十マイルの白いメルセデスを持っている。それも誰かに乗っ取られている。

逃げ出して捕えられることはなんの役にもたたないし、全然無意味である。とすると、あと残る途は一つしかない。

パトロールの連中を眠らせたのには理由があるはずだ。クレイも保養にシーベリィにきているのではない。今夜なにかが企まれている。すでに完了しているかもしれない。自分がここに残ってさがせば、万に一つにもその仕掛けを発見する可能性があるかもしれない。もちろん、彼らにつかまらなければの話である。

将来子供ができたとしても、絶対に隠れんぼの相手はしてやるまい、と思った。

三十分たっても無気味な隠れんぼは相変わらずつづいていた。今では私の車はスタンドの前まできて、きょうの午後賭け屋が客を集めていた広場にとまっていた。ヘッドライトをフルにつけてスタンドを照らしている。階段がくっきりと照らしだされているので、私はそちら側に出て行くことができなかった。

もう一台の車は門を入ってすぐの位置にとまり、ヘッドライトで検量室、バア、食堂、洗面所や事務所の入り口を照らしていた。

それぞれの車に人間が乗っているとすると、私を追い廻しているのはクレイとオクソンの二人だけということになる。しかし時がたつにつれて、スタンドの中で私を探しているのは二人でなくて、三人であることがわかった。とすると、どちらかの車には人がいないことになる。しかし、どちらの車だ？　それに、キイが差し込んだままになっているとは考えられない。

一寸刻みに建物を調べていった。問題は、自分がなにを探しているのかわからない点である。プラスティック爆弾をはじめあらゆることが考えられるが、過去の例からみると、偶発的な事故に見せかけるなにかにちがいない。作為による破壊活動とわかれば、彼らの計画はぶち壊しになってしまう。

専門家に調べてもらわないと、スタンドのどこかが明日観衆の重みでつぶれるようになっているかどうかわからないが、私の見た範囲では建物に構造的な損傷はなかったし、きょうのレースが終わってまだ五、六時間しかたっていないのだから、大がかりな仕掛けをするひまはないはずである。

調理室にこれといった食物は残っていなかった。食堂の経営者が残り物を全部持ち帰って、翌日新鮮な材料を運びこんでくるつもりなのであろう。観音開きの大冷蔵庫にはしっかりと錠がかけてあった。クレイが大規模な食中毒を企図している可能性はないものとみた。

消火器は全部所定の位置にあり、パラフィンの缶の置き場の近くに吸いかけの煙草などなかった。爆発性の物はなにもない。厩舎の火災以来まだ間もないので、再び火災を起こすのは疑惑を招くことになるだろう、と考えた。

一歩一歩、神経をとがらして用心をしながら注意深く曲がり角をのぞき、ドアをソーッとあけて通った。相手が今にも背後からとびかかってくるような気がした。

彼らは私がまだいることを知っていた。彼らは行く先々で電灯をつけ、私はそれを消して歩いた。明かりがついている部屋のドアを外の暗いほうからあけると、すぐに見つかってしまう。私はどのドアもあける前に明かりを消した。通路に三ヵ所明かりがあるのを、調理室から持ち出したほうきの柄で叩きこわしておいた。

一度男子洗面所から大衆席のバアのほうへ通路をソーッと歩いている時、通路の向こう端、会員席のほうからクレイが姿を現わし、私のほうに進んできた。車のライトの明るみを背にしていて、私には気がつかなかった。通路を横切って唯一の隠れ場所にもぐりこんだ。賭け屋が屋台店をたたんでしまってあるところである。

そこに積んであるのは、金属製のテーブルやたたんだ日除け傘、箱、客を呼ぶ踏み台などである。ガサッと積み上げてあって突起物が多く、今にも崩れ落ちそうであった。私はその横にしゃがみこんで、なにかがずり落ちないことを祈った。

クレイが私の危なっかしい隠れ場所のほうへ近づいてくる足音が通路に響いている。彼は二度立ち止まって、スタンドの階段の下に設けてある物置きの戸を開いて中を見ていた。たいがいはほとんどからで、私の役にはたたなかった。狭くて戸口が一つしかなく、その中で見つかったら逃げようがない。

私が行こうとしていたバアのドアがとつぜんあいて、通路の私とクレイの中間あたりに明かりが流れでた。

オクソンの心配そうな声が聞こえた。「逃げてはいないはずだが」

「逃げられてたまるか、このばか者め」クレイの憤怒にみちた声が答えた。「おまえに初めから鍵を持ってくるだけの知恵があれば、とっくにつかまえていたんだ」二人の声が反響しながら通路を流れ出て行った。

「鍵をかけないでおくというのは、そちらの考えだ。なんなら鍵を取りに行ってもいい」

「その間に逃げられるチャンスが多すぎる。いずれにしてもこんな隠れんぼをしていてはラチがあかん。こっちの端からシラミつぶしに探そう」

「最初からそうしている」オクソンが反論した。「それでもつかまらないんだ。鍵をとってきたほうがいい。そうすればあんたが言ったようにわれわれの後ろへ廻られなくてすむ」

「だめだ」クレイが決断した。「人数がたらん。おまえはここに立っていろ。おれたちはまた検量室からやり直す」

二人の足音が去って行った。バアのドアがあけっ放しになってなかの明かりが通路を照らしているのが気にいらなかった。反対側から誰かがやってくれば、まちがいなく見つかる。私は壁沿いに這ってもっといい隠れ場所へ移るべく体の位置を変えた。賭け屋の三本足の傘立てがすべり落ちて、機関銃の一斉射撃のような音が通路にこだました。

先ほど歩いて行った二人の男の方から叫び声が聞こえた。

「あそこだ」

「つかまえろ」

私は立ち上がって走った。

いちばん近い戸口は更衣室と会員食堂の上の一連の部屋に通ずる階段であった。一瞬ためらって通りすぎた。あの階段を上がると、委員室や事務所がある。私はその辺のようすをよく知らないが、オクソンは知っている。彼は建物をよく知っているという点で私より有利な立場にある。おまけをつけてさらに有利にしてやることはない。

私は走った。男子洗面所を通りすぎて最後の戸口にとびこんだ。ビールのにおいのする、長細い、なにもない汚い部屋だった。一種の補助バアで、今ではカウンターとその後ろの棚があるだけだ。瓶の栓がいっぱい入っているバケツが通り道においてあって、私は危うくつまずきそうになった。貴重な数秒をさいてバケツを自分が入ってきた戸口の前においた。

クレイとオクソンが走ってきた。明かりを消した。向こう端のドアから外のパドックのほうへ逃げ出すひまはなかったし、出たところで車のライトの中へとびこむことになる。私はカウンターの後ろに身をひそめた。

ドアがさっとあいた。バケツを蹴とばす音と叫び声、人の倒れる音が聞こえた。誰かがまた明かりをつけた。自分の隠れ場所の小さいのに驚いた。瓶の栓が二つ、私の視野内にころがってきた。

「なにをやってるんだ」クレイの怒声が聞こえた。「こののろまめ。立て、立て」部屋の向こう端の入り口へかけて行った。彼の体重で床板がきしんだ。バケツや瓶の栓が蹴散らされる音、うめきなどから、オクソンが立ち上がってクレイの後を追っているのが感じられた。こんな事態でなければさぞこっけいであろうと思った。

クレイがドアを乱暴にあけて、大声で外の車に私がどっちへ行ったかときいていた。オクソンがそちらへ行ったことが見えるというよりは感じられた。カウンターの端を這って出、自分が入ってきた入り口のほうへ走って行き、明かりを消してドアをしめ、通路を走った。まっ暗な部屋の中で手探りのようにやってくるクレイの怒声が聞こえた。彼らが瓶の栓を蹴散らしながら通路に出た時は、私は調理室につながる広間に立っていた。

調理室には隠れ場所が多く、出入り口がたくさんあるので、私にとってはいちばん安全なところであったが、そこはすでに調べ終わっていたので長居をしても無駄であった。

あと調べるところはいくつも残っていなかった。ボイラー室では不安な二分間を費やした。二つあるドアの一つは、巨大なオイル・タンク、パイプやゲージ類しかない行きづまりの部屋に通じているからだ。タンクもパイプも壁ぎわにくっついていて隠れ場所にはならなかった。ボイラーは夜通しの暖房用に音を立てて燃えていた。

検量室はもっと悪かった。大きな部屋に身を隠すような場所は一つもない。また、そこにあるべからざる物はなにも見えなかった。机、椅子、壁に貼りつけた掲示、計量機、だけである。その向こうの更衣室では、壁に並んだクギに鞍がかかっており、隅にコークをたくストーブ、付き添いがおいて行ったヘルメット、長靴などが入った籠があった。汚れたカップ、皿。プレイボーイが一冊。何枚かのレインコート。かべにかかっている勝負服。洗濯干しにズボンが吊るしてある。建物全体でいちばん人に使われている感じの部屋だ。私にとっていちばん落ち着きをおぼえる部屋、だちょうが馴れた砂に身をもぐらせるように腰を据えたくなる部屋である。しかし、その向こうには洗面所があるだけで行きづまりになっている。検量室の向かいに委員長の部屋がある。私も過去においてほかの騎手たちと同じように、勝者に対する苦情申し立て事件で呼びつけられたものだ。ガランとした部屋である。まわりに椅子をおいた大きなテイブル、壁にレースの写真がかかっており、床にちいさなすり切れた絨毯がおいてある。委員長の持ち物が二、三点あるだけで、物を隠すような場所はなかった。

オクソンがアパートに鍵をおいてきたにもかかわらず、ところどころ錠のかかっている部屋があった。例の錠前破りの道具を持っていたので、数分間不安な思いに息をころしながら錠をあけて、会員用のバアにつながる一室に入った。酒類の倉庫であった。ジンやウィスキィ、シャンペン、ワイン、ビールなどの箱がおいてあった。ビールの箱が天上まで積み上げてあり、手押し車があった。中から錠をかけてここに隠れ、翌朝バアの経営者に救出されるのを待ちたい気持ちにかられた。このドアの内側に私がいようとは、オクソンも考えつかないはずである。

酒倉庫に隠れていれば、私自身は安全かもしれない。一方では、自分が安全である間に競馬場が危険に瀕しているかもしれない。気がすすまぬままにそこを出たが、錠をかける手間を省いた。追手の姿が見えないのを利して、階上に上がって見た。暖かく静かで、明かりが全部ついていた。つけたままにしておいた。消せば車の連中に見られて、自分の位置をはっきり知らせることになるからだ。

どこにも異状はないように思えた。中央のロビーの片側に理事者たちが会議をし、昼食をとる大きな部屋がある。その反対側には、さっぱりした肘かけ椅子などをおいた一種の応接室があり、向こうの端の洗面所の二室につながっている。ロビーの正面に大きなガラス戸があって、そこからスタンドの上のほうにある特別席に行ける。理事者や来賓用で、競馬場全体を見渡せるすばらしい眺望の特別ボックスである。

そこまでは行かなかった。貴賓の来場があるはずはないのだから、貴賓席を損傷してもレースが中止されることはない。いずれにしてもドアの外へ出れば、私の車に何者が乗っているか知らないが、そちらのほうからまる見えである。

後退して委員室を通り、その向こうの給仕室に入った。そこに皿、グラスなどの食器倉庫と、倉庫からの小さな出入り口を見つけた。下の調理室に通ずる小さな運搬用の昇降機である。爆破されるまでクロムウェル・ロードのオフィスにあったのと同じように、ロープで操作するようになっている。

クレイとオクソンが下の調理室にいた。彼らの怒気を含んだ声と、やわらかい呟きで議論しているらしい声が入り混じって穴を上ってきた。はじめて相手の全員が一ヵ所にいることがわかったので、思いきって地階に下りた。しかし、不安は去らなかった。主建物にはどこにも異状がない。もし彼らが馬場になにか仕掛けをしているとすると、私一人では阻止する方法がない。

目当てもなく、途方にくれて通路を歩いている時、調理室のドアがパッとあいて、明かりがさし、クレイの話し声が聞こえた。再びいちばん近くのドアにとびこんでしめた。

気がつくと、いままでまだ入っていない婦人洗面所であった。ほかに出口はなかった。両側に並んだ便所のドアがあいており、一方の壁に洗面台、鏡、棚が並んでいて、バアのようなカウンターと椅子があった。カウンターの後ろは洋服かけになっていた。

外の通路で足音がひびいた。私はさっとカウンターの後ろにまわり、隅に身をすくめた。ドアがあいた。

「そこにはいないよ、明かりがついたままになっている」クレイが言った。

「私も五分ばかり前に見たところだ」オクソンが同調した。

ドアがしまって、足音が遠のいた。また呼吸を始め、心臓の鼓動が静まってきた。しかし、それもわずか数秒のことであった。部屋の向こうで誰かが咳をした。

私は凍りついた。信じられなかった。私が入ってきた時、部屋はからであった。まちがいはない。それに、クレイもオクソンも入ってこなかった……。私は体をこわばらせ、恐怖にみちて聞き耳をたてた。

また咳が聞こえた。やわらかい咳がひと声である。

いくら努めても、それ以外の物音はなにも聞こえなかった。呼吸音も、衣ずれも、動きもない。理解できなかった。もし部屋の中の何者かが私がカウンターの後ろにひそんでいるのを知っているのであれば、なぜ行動を起こさないのか？　また、知らないのであればなぜ不自然なくらいに静かにしているのだろう？

そのうちに勇気を奮い起こして立ち上がった。

部屋の中はからであった。

ちょうどその瞬間、また咳が聞こえた。こんどはカウンターを間にはさんでいないので、音の方向がはっきりわかった。パッとそちらを向いた。誰もいなかった。

部屋を横切って洗面台を見つめた。じゃぐちの一つから水がポトリポトリと落ちている。見ているうちにまたじゃぐちが咳をした。安堵に危うく笑い声をたてかけた。手を伸ばしてじゃぐちをしめた。

金具が非常に熱くなっている。驚いてじゃぐちをひねってみた。ゴボゴボと音をたてながら気泡の混じった水が出た。触れないくらい熱い。じゃぐちをしめながら、こんな夜中に水を必要以上熱くしておくのはばかげたことだ、と思った。

ちくしょう、と気がついた。ボイラーだ。

16

クレイとオクソンが初めからやり直した捜査は、婦人洗面所の私を見逃したあと、会員席から大衆席のほうに移っていた。ボイラーは私同様、彼らが通りすぎた部分にあった。婦人洗面所の明かりを消すと、慎重に通路に出、調理室、会員食堂、男子洗面所を通り、また通路を少し歩いてボイラー室に入った。

通り抜けられるドアはなかったが、つき当たりの壁の左手に検量室、右手に更衣室が間仕切りを隔ててあるのを知っていた。それらの部屋にいて今夜のように静かな夜はボイラーの音をはっきり聞くことができる。

ボイラー室の私が消した明かりがまたついていた。あたりを見廻した。前の時と同様、異状はないようだ……ただ、右手のほうにわずかばかり水が溜まっているだけだ。

ボイラー。学校で習ったことがあるが、十六、七年も前のことだ、と頼りない気持ちだった。しかし、先生が授業の切り出しに言ったことは覚えている。

「ボイラーについてまず知っておかなければならぬことは、爆発するということだ」先生が言った。

非常にいい先生で、クラスの四十人の生徒はみんな深い興味をもって授業を受けた。しかし、それ以後の私とボイラーのつきあいは、アパートの地下室で時折り管理人とオレンジ・ティを飲む時に見かける程度であった。体の頑丈な元海軍機関兵で、たいへんな競馬愛好者であった。たいがいは競馬の話であったが、時には彼の仕事に話が及んだ。ボイラーに関しては厳重な規則があって、三ヵ月に一度定期検査がある、毎日そばで働いている者として、その点はありがたい、と言っていた。

〈ボイラーについてまず知っておかなければならぬことは、爆発するということだ〉

怯えていないと言ってみたところで無意味である。私は完全に怯えきっていた。ボイラーが破裂すると、たんに検量室や更衣室の壁に大穴があくというだけでなく、付近の隅々まで沸騰した蒸気が渦をまくことになる。そのような死に方は私の好むところではない。

ドアに背をよせかけたまま、むかし教わったことを思い出して、どの個所がおかしいのかを探し出さねばならぬ、と、身をもがく思いであった。

大きなスティーム・ボイラーである。直径五フィートの巨大なシリンダーが九フィートの高さに達している。分厚い鋼材で、銹止め塗料がめくれている。コークス用に造られたのを近代的な重油用に造り直してある。焚き口をあけたら、ものすごい熱気を顔に吹きつけてくるだろう。

シリンダーの本体は上まで水が入っているはずだ。火焔が水を沸騰させる。その結果、蒸気が上部から自らの圧力でパイプに吹き出て行く。そのパイプは——目で追った——天井の近くに水平に取り付けてある黄色な両端の丸いシリンダーにつながる。飛行船のような形をしたタンクである。熱交換器というような名だった気がする。そのタンクの中をスティーム・パイプが固定したスプリングのように螺旋状に走っている。タンクの中で熱する水は直接水道からきている。その水が暖房のラジエーターや、調理場、洗面所、騎手の浴室の湯となる。螺旋状のパイプの高熱が冷たい水に一瞬にして吸収され、湯となって出て行く。

その間に蒸気はしだいに熱を失って水に戻る。タンクからパイプが壁を伝って、床の上の小型な四角いタンクに通じている。その小型タンクからパイプが出て、ボイラーのそばの私の頭くらいの高さにある金属製のふくらんだような装置につながっている。電動ポンプだ。床の上の小型タンクの水がボイラーに送りこまれ、沸騰し蒸気となり、また水に戻る。ぐるぐると循環しているのだ。

その辺までは順調のようだ。しかし、水の循環をどこかで阻止してボイラーに戻らないようにしておき、底から高温で熱し続けた場合、シリンダーの中の水はすべて蒸気と化してしまう。汽船を走らせ、十二輛編成の列車をひっぱる強力な蒸気である。その蒸気もこの場合には螺旋状のパイプを通って出て行くより逃げ道はない。

機関用でなく温水用のこのボイラーは、巨大な圧力に耐えるような頑丈さはない。水がなくなったら下部の火焔がシリンダーの底を焼き崩すか、膨張し続ける蒸気と空気が弱い部分を見つけて脱出するか、のどちらかだ。いずれの場合にもボイラーは爆発する。

ボイラーの外側に水位ゲージがある。留め金に取り付けられた一フィートほどのガラス・チューブが立っている。チューブの中の水の位置がボイラーの中の水位を示している。目盛りの上のほうに正常水位を示す黒い線が入っている。三分の二ほど下がったあたりに、危険水位を示す赤線がある。ゲージの中の水は赤線より半インチ上にあった。

控えめな表現だが、私はホッとした。ボイラーはまだふくらむところまでいっていない。爆発もいますぐには起こらない。ということは、事故を防止する方法を考える時間があるということだ。その間、クレイとオクソンが捜査を続けていてくれれば、である。

火を消すのがいちばんかんたんであるが、クレイとオクソンが音がしないのに気づき、点火するだけだ。なんの役にもたたない。しかし、女子洗面所の湯が熱湯であったことを考えると、火力は夜間の正常火力よりはるかに強くしてあるにちがいない。

オイル・パイプの調節ハンドルをおそるおそる廻してみた。半回転。一回転。火勢は衰えない。もう一回転、こんどははっきりと変化を示した。あと半回転。音が多少低くなった。ゆっくりとハンドルを廻すと、ゴーッという音が呟き程度に小さくなった。行き過ぎた。急いで逆に廻した。呟きがゴーッという音に変わったところで止めた。

考えにふけりながら、床の上の四角なタンクを見つめた。床の上の水溜まりの水はこのタンクから流れている。水がボイラーに送りこまれていないから溢れているのだ。ポンプがこわされていれば万事休すだ、と絶望ににた気持ちになった。電動ポンプに関しては全然知識がない。

遠い昔の教室の声が天啓のように頭にうかんだ。〈安全を期するため、どのボイラーも水の取り入れ口は二つなければならない〉

下唇をかみながら、タンクの縁から水が床へ溢れ出るのを見つめていた。私が立っているわずか数分の間にも、水溜まりが広がっていった。水の取り入れ口の一つが完全に阻害されている。もう一つのほうはどこにあるのだろう？

ボイラー室の中を十本以上のパイプが走っている。オイル・パイプや水のパイプだけでなく、電気配線もパイプの中を通っている。そのうち半数くらいはコックがついている。建物中の水道管の全部がボイラー室を通っているようにおもえた。

水道管と思えるパイプが二本、飛行船型のタンクに入っている。コックの栓をためしてみた。開放になっていた。ボイラーに直接入っている水道管は見当たらなかった。

幸運にも、パイプを探しながら巨大なシリンダーの後ろへ廻りかけた時、棒型のドアのハンドルが下がるのが見えた。私は唯一の隠れ場所にとびこんだ。ボイラーと壁の間である。体が焼けるような熱さだった。長時間はとても我慢できない。

クレイが騒音を押えるような大声で言った。

「まだ大丈夫なんだな？」

「大丈夫だ、あと三時間は爆発しない。少なくとも三時間はある」

「もうすでに水が溢れ出ているぞ」クレイが念を押した。

「水はたくさん入っている」オクソンの声がしだいに近づいてきた。鼓動の高まりが感じられ、脈搏が耳にひびいた。「水位がまだ赤線まで下がっていない」と言った。「赤線より下がっても爆発までには相当時間がある」

「どんなことがあってもハレーをつかまえねばならん」クレイが言った。「どんなことをしても」オクソンがもう一歩前に出たら私が見える。「おれがこちらの端から始める。おまえは向こうの端からやってこい。戸棚の中まで見るんだ。あの小ネズミめ、どこかに隠れているはずだ」

オクソンの返事は聞こえなかった。彼がドアのほうを向いた時、袖がチラッと見えた。また身をちぢめた。

ボイラーの音で二人がドアを出て行くのは聞こえなかった。しかし、危険でも、出て行ったものと想定するほかはなかった。隠れ場所の熱気が耐え難かった。部屋の中央の暑気の中に出た時は冷水浴にとびこんだような気持ちだった。オクソンもクレイもいなかった。

上衣を脱いで、シャツの袖で顔の汗をぬぐった。問題に戻ろう——水の取り入れ口だ。

ポンプは正常のようにおもえる。電線がたれ下がっておらず、手を触れていない、油じみた汚れが見えた。運がよければ、ポンプをこわさないで、タンクからボイラーへ行くパイプをふさいでいるのかもしれない。ネクタイとシャツをとって、上衣といっしょに汚い床の上においた。

タンクのふたはかんたんにはずれた。水の温度は多少熱いという程度だった。手のひらにすくい上げて飲んだ。走ったり、熱気にさらされてのどがかわいた。氷のような水なら申し分ないのだが、この水はいかなる水よりも純粋で無味であった。今の場合、そこまで注文をつける気持ちはなかった。

タンクのそばにひざをついて、手を水の中に伸ばした。二フィートほどの深さで、らくに底に届いた。指先がぶらぶら動く物に当たった。引き上げて見た。目の細かいフィルターであった。タンクから出て行くパイプの口を塞いでいるべき物である。

パイプがこちら側で塞がれているものと確信し、再び水の中に手を入れた。パイプの口に触ったので、慎重に中を探ってみた。なにも手に触れない。さらに体を曲げ、肩の中程まで水の中につかりながら、手の届くかぎり二本の指でパイプの中を探った。固い物には触らなかったが、紐のようなものがあった。二本指では引くのに力が入らなかったが、何回かひっぱっているうちにタンクの中へ引き戻すことができた。

最後は不意に抜けたので、危うく後ろへひっくり返りそうになった。パイプの中を水が流れる音がして、部屋の向こう側でポンプが動き始めた。

なにがパイプにつまっていたのかと、水の中から手を出して見た。驚いた。大きなネズミであった。私はその尾をひっぱっていたのだ。

事故に見せかけるためだな、と思った。例のテである。ネズミがタンクの中にとびこみ、パイプの口のフィルターがたまたまはずれていて、ネズミがパイプに入る。あり得そうもないことではあるが、不可能であることを実証するのは困難であろう。

水びたしになったネズミの死体を、タンクと壁の間の狭い隙間に慎重にかくした。タンクの中の水が少しずつ減ってきた。ポンプが順調に作動しており、ボイラーもそのうちに平常に戻ることになる。安堵した。

クレイかオクソンがまたのぞいた時のために、タンクの水を汲み出して水溜まりを広げておき、ふたをした。シャツと上衣を着ながら、ボイラーに出入りしているパイプを目で追った。熱交換器からスティームが抜け出るパイプ。オイル・バーナーのガスが逃げる大きな煙突。ポンプからボイラーへの取り入れパイプ。水位ゲージ。オイル・パイプ。どこかにもう一つ水の取り入れ口があるはずだ。安全のためと、スティームの循環を確保するために。

ようやくポンプからボイラーに通じるパイプと平行してその裏側を走っているのを見つ

けた。壁の高い位置につけてある小さな人目をひかないタンクを三つ経由して、水が自然に流れ落ちるようになっている。濾過装置であろう。水道の水の鉱物塩がボイラーに入り、アカがたまるのを防ぐためである。濾過装置への水はパイプで水道管からひいてあり、コックの栓がついていた。

手を伸ばして栓を時計まわりにひねってみた。動かなかった。水道の水がとめてあった。大いに満足感を味わいながら、栓を開いた。

ボイラーが正常に作動しているのを確かめ、もう一度水位ゲージを見た。すでに水位は赤線と黒線の中程に上がっていた。オクソンがまたようすを見にこないことを祈りながらドアのほうへ行き、明かりを消した。

通路には誰もいなかった。ドアを通り抜け、三インチ程の隙間から手をさし入れて明かりをつけた。私がそこにいたことをクレイに知られたくなかったからだ。

壁によりそって、足音をしのばせて通路の端まで行った。スタンドから脱出することができれば、その先に身をひそめられる建物がある。物置き、公衆便所、賭け金計算所などだ。さらにその先に最後の直線コースがあって、タン皮を敷きつめた横断道路がある。道路を少し行けばバンガローが並んでいて、人がおり、電話がある。

私の運はそこで尽きた。

17

最後のドアの入り口の前を二歩通りすぎた時、ドアがあいて爪先立ちでいた私を照らし出した。私を見てオクソンがポカンとしている一瞬の隙を利して、出口に向かって六歩ほど走った。彼の叫び声が通路にこだまし、後方にいた連中の声と入り混じった。クレイがあちらのほうにいれば逃げ出すチャンスはあると思った。あと十歩で出口という時に、音を聞きつけて、人影が急いで出口を入ってきた。瓶の栓を踏みつけて、滑りながら止まると、前と同じようにガランとした補助バアのドアにとびこんだ。瓶の栓を蹴散らしながら部屋の向こう端をめざして走ったが、ドアに達することはできなかった。その前に誰かが外からドアをあけた。逃走はそこで終わった。

ドリア・クレイが勝ち誇ったようすで敵意を満面にみなぎらせて立っていた。

白のほっそりしたズボンにピカピカ光る白い短いジャケットを着ていた。黒髪がゆったりと肩にかかり、相変わらずの美貌であった。手にしっかりと拳銃を握っていた。以前スーツケースの底のチョコレートの箱に入っていた・二二口径である。

「終点だよ、坊や。動かずに立っていな」

押し通ろうと考えて一瞬ためらった。

「やめたほうがいい。私は射撃の名手なんだからね。はずれっこないよ。なんならひざがしらをぶち抜いてやろうか？」

絶対ご免である。ゆっくりと背を向けた。細長い部屋に三人の男が入ってくるところだった。クレイ、オクソン、あと一人はエリス・ボルトであった。三人とも追跡に疲れきったようすで、いまいましそうに私をにらんでいた。

「歩くのかい、それとも引きずられて行きたいのかい？」ドリアが後ろから声をかけた。

私は肩をすぼめた。「歩くよ」

それでもクレイは手を出さずにいられなかった。ドリアに言われるままに歩いて、彼の前を通り通路へ出ようとしたとき、私の首すじをつかんで足を蹴った。私も蹴り返したが、かえってまずかった。私は床の上に打ち倒された。瓶の栓の上に倒れ落ちた時の気持ちは、栓の発明者たちに悪いが、全くいやなものである。

「立て」クレイが言った。ドリアは拳銃を私に向けてそばに立っていた。

言われたとおりにした。

「よし」とドリアが言った。「さ、通路をまっすぐ歩いて検量室へ行きな。ハワード、先に行って待ってなきゃ、また逃がすわよ。坊や、歩きな。通路のまん中を歩くんだよ。へンなまねをしたら足を射つからね」

信じたほうが無難である。通路の中央を歩いた。彼女がすぐ後ろにいるので逃げるわけにいかず、さらにその後ろを男が二人歩いてくる。

「ちょっと待て」ボイラー室の前でクレイが言った。

私は止まったが、あたりを見廻さなかった。

クレイがドアをあけて中をのぞいた。光がさして、通路沿いにあけ放たれた他の入り口をもれる光とともにあたりを照らした。

「どうなってる?」オクソンがたずねた。

「床の上の水がふえている」満足そうに言うと、そのままドアをしめた。私の運がすべて尽きたわけではなさそうだ。

「歩け」と彼が言った。従った。

検量室は相変わらず広く、ガランとしていた。部屋のまん中で立ち止まって入り口を向いた。四人が一列に並んで私を見ていた。彼らの表情から読み取れる考えが気にいらなかった。

「あそこへ行って坐りな」ドリアが示した。

床を横切って、言われるままに計量機の椅子に腰を下ろした。針がすぐさま動いて私の体重をしめした。百三十三ポンド。最後のレースに出場した時よりきっかり十ポンド少ないな、と興味をおぼえた。銃弾はかんたんに騎手の減量問題を解決してくれる。

四人がそばによってきた。フレッドがいないのがせめてもの気休めであった。クレイは十二日前エインズフォドで示した激しい怒りをあらわに浮かべていた。しかもあの時は、たんに女房を侮辱しただけであった。

「腕を押えろ」オクソンに言った。オクソンは、やせて筋張っているくせに滅法腕力が強いたちの人間の一人である。私の背後に廻って両肘をつかみ、後ろへ引いた。クレイが力をこめて数回私の顔をなぐった。

「さあ、どこにあるんだ？」彼が言った。

「なにが？」あいまいに言った。

「ネガだよ」

「なんのネガだ？」

また私をなぐったが、手を痛めたらしい。手を振り、こぶしをさすりながら言った。

「なんのネガかわかっているはずだ。おれの書類を写したフィルムだ」

「ああ、あれか」

「あれだ」またなぐったが前ほど強くはなかった。

「オフィスだ」私が呟いた。

こぶしをかばって平手打ちをくわえた。「オフィス」と私が言った。

左手で試みたが思うにまかせなかった。あとはこぶしをなめていて、手を出さなかった。

ボルトが初めて、意識した美声で口をきった。「フレッドが見逃しているはずがない。隠しておく必要はなかったんだからな。慎重な男だから」

フレッドが見逃していないとすると、爆弾は単なる悪意であったことになる。破れた唇をなめながら、フレッドをどういうめにあわせてやろうかと考えた。

「オフィスのどこだ？」クレイが言った。

「机」

「なぐってやれ。おれは手が痛い」クレイが言った。

ボルトが試みたが、馴れていない。

「これでやってみたら」ドリアが拳銃をボルトに渡したが、幸いなことに小さすぎて持ちにくいようだった。

オクソンが肘を離して正面に廻り、私の顔を見た。

「こいつが話すまいと決めたら、そんなことでは口を割らないよ」

「話したよ」私が言った。

「なぜ口を割らないんだ？」ボルトがきいた。

「おまえさんたちは、彼より自分の手を痛めている。私の考えじゃ、まず喋らないな」

「ばかなことを言わないで」ドリアがなじるように言った。「こんな小人じゃないの？」

オクソンが声だけで笑った。

「フレッドがそういうのだから、ネガはオフィスになかったのだ」ボルトがまた主張した。「アパートにもないし、ここへ来る時ももってきていない。少なくともホテルの荷物の中にはなかった」

私は腫れ始めた目の隅から彼を見た。ホテルの自分の部屋からあのように急いで追い出していなければ、たまたまあの時車で競馬場の門を入ってきていなかったであろう、と苦々しい思いであった。しかし、予測できることではなかったし、今さら考えても無益である。

「車の中にもなかったわ」ドリアが言った。「でもこれがあったわよ」ポケットに手を入れて、私の超小型カメラを取り出した。クレイが手にとってケースをあけ、中をみていた。首とこめかみの血管が充血してふくれ上がった。怒りにもえて発作的にカメラを部屋の向こうの壁に叩きつけ、バラバラにした。

「十六ミリだ」と荒々しく言った。「フレッドが見逃したにちがいない」

ボルトは主張を曲げなかった。「フレッドはまぐさの中の針だって見つける男だ。それにフィルムを隠す必要はなかったのだから」

「ポケットに入っているかもしれないわよ」ドリアが提案した。

「上衣を脱げ」クレイがかみつくように言った。「立て」

私は立った。計量機の台が足の下でゆれた。オクソンが私の上衣を肩から引き下ろし、袖をひっぱって脱がせてクレイに渡した。私のズボンのポケットに手をつっこんで調べた。右のポケットから錠前破りのセットを取り出した。

「坐れ」と言った。手の甲で顔の傷に触ってみながら腰を下ろした。まだこれくらいですめばいいほうだ、と諦めに似た気持ちで思った。これですめば幸運だ。

「なんなの？」ドリアがセットをオクソンから受け取りながら、ふしぎそうにきいた。

クレイが彼女の手から取り上げてカメラのほうへ投げ捨てた。「合い鍵だ」腹だたしそうに言った。「あれでおれの鞄をあけたんだ」

「でも、できるとは思えないわね、あんな手で……」彼女は私のひざの上の手を見た。あざけっているつもりなのであろうが、一週間前なら効果があったろう。今はザナ・マーティンのおかげで手のことは気にならなくなっている。ひざの上にそのままおいておいた。

「ドリア」ボルトが落ち着いた口調で言った。「すまないが、アパートへ行ってフレッドの電話連絡を待っててくれないか？　こうやっている間に、エインズフォドで目当ての物を見つけているかもしれないからね」

そちらを見たら、値ぶみをするような目つきで私を直視していた。周囲に超然とした目の表情で、まるい顔は物に動じない強さを感じさせた。彼の鈍重な落ち着きのほうが結局はクレイの怒りなどより手強いのかもしれないという気がしてきた。

「エインズフォド」私はこわばった唇でくりかえした。時計を見た。フレッドが予想どおり爆弾を持って行ったとすると、今頃は警察に捕えられているであろう。一人アウト、あと四人だ。彼らの一味は四人でなく五人だったのだ。私はドリアが他の者と同様に一役かっているとは考えていなかった。誤算だった。

「行きたくないわ」動かないでドリアが答えた。

ボルトが肩をすぼめた。「まあいいだろう。ネガはエインズフォドにないようだ。フレッドが行っていることを、ハレーはちっとも気にするようすが見えないからね」

フレッドがエインズフォドで、あるいはチャールズ自身に対してどのようなことをしているか、誰も気にかけていないようすである。しかしそのようなことより、ボルトの論理のたて方のほうが気にいらなかった。このような状況のもとでは、冷静な思考力のある敵は好ましくない。

「どんなことをしても手に入れねばならん」クレイが烈しい口調で言った。「絶対に。あるいは確実に消滅させねばならん。もう一度腕を押えろ」とオクソンに言った。

「やめてくれ」私は身をすくめた。

「わかってきたな。どうなんだ？」

「オフィスにあった」口がこわばっていた。

「どこに？」

ない。

目を細めて私をじっと見ていた。ようやく怒りをおさえ、私が本当のことを言っているのかどうか、考えているようすだった。彼としてもオフィスへ確かめに行くわけにはいかない。

「ミスタ・ラドナーの机の中、と思う」

「あった」ボルトがとつぜん口を出した。

「なんだ?」クレイがいらだたしそうに言った。

「あった。ハレーは、あった、あった、と言った。ネガはオフィスにあった。これは面白いぞ。そう思わんかね?」

「わからんな」オクソンが言った。

ボルトがそばへきて私の顔をのぞきこんだ。私は目をそむけていた。傷だらけの顔からなにか読み取れるならどうぞ、という気持ちであった。

「爆弾のことを知っているのだと思う」ようやくボルトが口をきいた。

「どうやって?」ドリアがきいた。

「ホテルで聞いたのだろう。ロンドンの連中が彼になんとか連絡しようと努めていたにちがいない。たしかだ。爆弾のことを知っているものと考えたほうがいい」

「どういうちがいがあるのだ?」オクソンがきいた。

クレイはわかったようだ。「ということは、ネガがオフィスにあったと言えばすむと思っているのだ。確認のしようがないからな」

「あったんだ」私は力をこめて言い張った。

ボルトが分厚い濡れたような唇をかみしめていた。「ハレーはどの程度利口なんだ？」と言った。

「騎手だったんだ」オクソンが無表情に言った。それだけで人並み以下の知能程度を意味しているような口ぶりだった。

「しかし、ハント・ラドナー社が雇ったんだろう？」ボルトが言った。

「前にも言ったろう」オクソンがいらだちを抑えるように言った。「その点をいろいろきいてみたのだ。ラドナーは顧問というかたちで雇ったが、まともな仕事はなにもやらしていないそうだ。それだけでも、大した能力がないことははっきりしている。過去の経歴にきずをつけないために拾ってやったんだよ。表向きは聞こえがいいが、ほんとうはなんの意味もないんだ。トップ・クラスの騎手が引退するとそのように職を与える例はたくさんある。仕事をさせるのが目的ではなくて、しばらくの間名前を利用するんだ。ニュース・バリューがなくなりゃクビになるんだ」

当を得た説明を聞いていて、目前の事態に劣らずゆううつになった。

「ハワードは？」ボルトがきいた。

「おれにはよくわからんのだ」クレイがゆっくりと答えた。「全然利口なところがあるようには思えないのだ。ばかではないかという気がする。たしかに例の写真を写したりしたことはしたが、きみが言うように、なぜわれわれが写真やネガを消滅させたがっているのか、理由はわかっていないような気がするんだ」

これもまた的を射た見方である。私が見たかぎりでは、写真はクレイがボルトの助けをかりていろいろな名前でシーベリィの株を買い集めているという以外には、なんにも語っていない。それだけでは、クレイもボルトも起訴されることはない。それに、今朝、シーベリィの委員全員が会議の席で写真を見ているのだから、内容が秘密であるとは言えない。

「ドリアは?」ボルトがたずねた。

「人の物を盗み見る、すばしっこいちきしょうだわ。利口だったらこんなところに坐らされていないわよ」

これも抗弁の余地はなかった。クレイがシーベリィで働いている何者かの手を借りていることは、最初からはっきりしていたのだ。ダンステイブルでは、監査役のブリントンが不承不承ではあるにしても協力していたことがわかっていながら、シーベリィの場合は作業員の誰かであろうと私は想定していた。オクソンであるはずがないと頭からきめて、彼のことは全然考慮に入れていなかったのだ。競馬場をつぶせば、彼自身が職を失うことになる。四十になる元陸軍大尉にとって、かんたんに放り出せるほど条件のいい職は多くない。それに彼はブリントンのような異常性格ではないので、意に反して協力するよう恐喝されている気配はない。自尊心の強い愚か者だとは思ったが、悪者とは思っていなかった。ドリアが言うように、私に彼を疑うだけの知恵があれば、今頃こんなところに坐っていないはずである。

ボルトは私を完全に無視して、私のことを論じていた。結論がでればそれに応じて処分する、という感じであった。

「みんなが正しいのかも知れんが、私の考えはちがう。なぜなら、ハレーが出現してから、すべてがまずくなっているからだ。走路を修理するようハグボーンを説得したのも彼だし、鏡をつけた直後に発見したのも彼だ。私に面会を求めてきた時、彼を、彼の言葉どおりの人間――工員――として、一抹の疑念もなく受け取った。そちらの二人は、哀れでとるにたらない居候と見た。そういう事実と合わせて、きみの鞄の錠をあけ、小型カメラで鮮明な写真をとったことなどを考えると、私としては考えられることは一つしかない。完全なプロであるということだ。いま彼が一言も発しないで坐っているのもプロのやることだ。しろうとなら、相手をののしったり、いろんなことを知っているんだぞと吹聴するものだ。今までに言ったことは、ネガはオフィスにあった、ということだけだ。私の考えでは、この際すべての先入感を捨てて、ハント・ラドナー社が派遣した人間と見るべきだと思う」

みんなでしばらく考えていた。そのうちにクレイが言った。「ネガのことだけははっきりしておかねばならん」

ボルトがうなずいた。クレイの言葉の意味がわからなくても、女房の顔の笑みがはっきりと表わしていた。背筋が寒くなった。

「どうするの？」嬉しそうにたずねた。

クレイは傷ついたこぶしを見ていた。「その方法じゃ口を割らないよ」オクソンが言った。

「それじゃだめだ。まず望みはないな」

「なぜだ」ボルトがきいた。

答えるかわりに、オクソンが私のほうを向いた。「骨折したままで走ったレースは何度くらいあった？」

答えなかった。答えようにも多すぎて思い出せなかった。

「そんなばかなことが」ドリアがなじるように言った。「できるわけがないじゃないの？」

「そういう連中が多いんだ。やつだって例外ではないはずだ」オクソンが言った。

「ばかなことを言うな」クレイが言った。

オクソンが首をふった。「鎖骨、肋骨、腕、馬主や調教師に見つからないと思えば、それくらいの骨折ならみんな乗るんだ」

いい加減にやめろ、と内心腹がたった。今でさえひどいめにあっているのに、ますますひどいことになる。

「ということは、相当ひどいめにあわせても大丈夫ということね？」ドリアが楽しそうにきいた。

「ちがう」私が言った。「ちがう」懇願するように言った。「骨折で乗れるのは、痛くない時だけなんだ」

「痛くないことはないはずだな」ボルトがもっともらしく言った。

「いや、痛むとはかぎらないのだ」本当であったが、彼らは信用しなかった。

「ネガはオフィスにあったんだ。オフィスに」私はガックリした。

「怯えているのよ」ドリアが嬉しそうに言った。そのとおりである。

それでクレイが思いついた。エインズフォドを思い出したのだ。「いちばん痛いところを知っているんだ。手だ」と言った。

「よしてくれ」私は本当に怯えて言った。

みんなが微笑をうかべた。

体中が恐怖にふるえた。競馬で怪我をするのは別問題である。一瞬の出来事で予期していないし、職業がら諦めがつく。

すでに重荷になっている自分の体の一部がさらに痛めつけられるのを知り、坐って待っているのとはぜんぜん意味がちがう。本能的に腕で顔をかくし、恐怖の表情を見られまいとしていたが、彼らの目には明らかだった。

クレイが冷笑した。「それがかの勇敢で明敏なミスタ・ハレーか。泥を吐かせるのには手はかかりそうもないな」

「残念だわ」ドリアが言った。

女を残して男たちは出て行った。彼らが必要なものを集めている間、爪を赤く塗った手で拳銃をしっかりと握り、私の前に立っていた。ドアまでの距離を目測した。三十フィートは充分にある。これから受ける苦痛を考えれば、射たれる危険を冒すほうがましではないかと考えてみた。

ドリアが私のためらいを面白そうに見ていた。

「やってみな、坊や。やってみなよ」

自動拳銃で正確に当てるには高度の技量と練習が必要であると、なにかで読んだことがある。ドリアが望んでいるのは力の誇示だけであって、まともに射てないのかもしれない。しかし、腕を高く上げて、照準が見えるようにまっすぐ伸ばしている。あれこれ考え合わせると、彼女がすぐれた射手であると公言しているのを無視しない方がいいように思えた。

ドリアのあのすばらしい肉体の中に、かくも汚れきった心があるのが惜しいような気がした。目のさめるような白衣裳を着て、陽気な感じを発散している。だが、暖かい親しげな微笑は大蛇のあくびのような毒気を含んでいる。彼女はクレイと完全に似合った女である。三度目の正直というが、クレイもいい相棒を見つけたものだ。クレイのような人間にそんな幸運がめぐってくるとすると、いつかは自分にも……しかし、自分の場合はあすの日の目を見るかどうかもわからない。

手の甲で目をおおった。顔中が痛み、腫れてつっぱっている。頭痛がしてきた。この場を生きながらえることができたら、探偵商売はもうご免だと思った。とんだヘマをしたものだ。

男たちが帰ってきた。オクソンは理事長の部屋から肘かけのついた木の椅子を、クレイとボルトは更衣室からストーブの火かき棒と干し物を吊るすロープを運んできた。ロープには物干し挟みがまだ二つついていた。

オクソンが椅子を一、二ヤード離れた位置におくと、ドリアが銃口をチラッと振ってそのほうへ行けと示した。私は動かなかった。

「いやだね」力落ちしたように彼女が言った。「エインズフォードの時と同じように、ほんとうはうじ虫みたいな男なのね。怯えて動けないんだから」

「彼は工員じゃないぞ」ボルトが言葉鋭く言った。「忘れてはいかん」

私は彼のほうを見なかった。チャールズが折角作り上げてくれた弱々しそうなハレーのイメージをやつがぶちこわさなければ、今の状況は全くちがったものであったかもしれないのだ。

オクソンが私の肩をついて、「動け」と言った。

私はよたよたと立ち上がって計量機から下りた。みんなが私のまわりを囲んだ。クレイが手を伸ばしてシャツをねじりあげ、私を椅子に押しこんだ。彼とボルト、オクソンが念を入れて、私の手足を椅子にロープで縛りつけた。ドリアは魅入られたように見つめていた。

彼女の好む変態的な快楽を思い出した。

「場所をかわってやろうか？」疲れた口調で言った。

腹をたてなかった。ゆっくりと笑みをうかべると、銃をポケットにしまい、体を折り曲げて私の唇にキスをした。我慢がならなかった。ようやく顔を上げた彼女の唇に私の血がついていた。それを手でぬぐいとると、ゆっくりなめていた。深い性的な満足を味わったかのように、目がくもり、けだるそうであった。吐きそうになった。

「さて、どこにあるんだ？」クレイが言った。女房が私に接吻したことなど気にしていないようすであった。もちろん、女房のことはよくわかっているのだ。

彼らのロープの縛り方を見た。左腕に何回も強く巻きつけ、手のひらを下にして手首の部分をあけてあった。たかが片手だ、とおもった。使えない手がなんの役にたつというのだ。

一人、一人顔を見廻した。ドリアはうっとりしている。オクソンはかすかな驚きを示している。クレイは自信にみちて腕をぶしている。ボルトだけは疑い深くようすを見守っている。みんなの顔に情容赦のかけらも見えなかった。

「どこにあるんだ？」クレイが腕を振り上げながらきいた。

「オフィスに」私は力なく答えた。

彼は火かき棒で私の手首を打った。多少は手加減をするかと思ったが、力いっぱい振り下ろした。その一撃で私のはかない希望は消え去った。鉄棒が肌をさき、枯れ枝を折るような音をたて、骨が折れた。

悲鳴をあげなかった。あげるだけ息を吸いこむことができなかった。その瞬間までは、あらゆる苦痛を経験したと人に言ったかもしれない。人間の経験の範囲が狭いものであることを知った。閉じた目の裏が霧をとおして輝く太陽のように、黄色から灰色にかわり、体中から汗が吹き出た。ひどい。ひどすぎる。これ以上は耐えられない。

「どこにあるんだ？」クレイはまた言った。

「やめろ、やめてくれ」ほとんど声にならなかった。

ドリアが大きく息を吐いた。

私はかすかに目をあけた。頭がグラッと後ろへ倒れた。重さを支えきれなかった。クレイは満足げに微笑をうかべていた。オクソンは見るにしのびない顔をしていた。

「どうなんだ？」クレイが言った。

私はつばをのみこんで、まだためらった。

彼は鉄棒の先を手首の傷にあてて突いた。火花を散らした電流が腕から頭へ、足の先へ流れるような気がした。汗でシャツもズボンも体にまつわりついた。

「やめろ、やめてくれ」うめいた。負けだ。祈るような声だった。

「それなら言え」また鉄棒で突いた。

言った。行く先を教えた。

18

ボルトがネガを取りに行くことにきまった。

「どういうところなのだ、これは？」住所に心当たりがないようだった。

「うちだ……ガール・フレンドの」

私の顔を汗が流れるのを冷ややかに見ていた。口の中はカサカサだった。水が飲みたくてたまらなかった。

「おれに頼まれた……と言えばいい」ハッハッと呼吸をしながら言った。「頼んだんだ……保管を……。ほかの……物といっしょに……包み……ネガの……名前が書いてある……フィルムの名が……ジゴロ……カノ」

「ジゴロ・カノだな、わかった」てきぱきと言った。

「モルヒネ……くれ」私が言った。

ボルトが声をたてて笑った。「われわれにこれだけ面倒をかけておいてか？　たとえ持っていたとしてもやらないよ。そこに坐って苦しむんだな」

私はうめいた。ボルトは満足そうに笑みをうかべて背を向けた。

「ネガを手に入れしだい電話をするよ」クレイに言った。「ハレーの始末はそれからきめよう。私も帰る途中考えておく」無価値な株の処分を相談している口調だった。

「よし」クレイが言った。「アパートで電話を待っている」

二人がドアのほうへ歩きかけた。オクソンとドリアはその場に立っていた。ドリアは魅入られたように、瞳孔のひらいた目を私から離せないでいた。オクソンはなにか考えがあるようだ。

「ここへこのまま放っておくのか？」彼が驚いてきいた。

「そうだ、なぜ？」クレイが言った。「さ、行こう、ドリア。楽しみはおしまいだよ」

ニコッともせずに彼に従った。オクソンも続いた。

「水を……くれ」

「ノー」クレイが言った。

みんなが彼の前を通ってドアの外へ出た。しめる前に、勝利と敵意と満足そうな残忍さの入り混じった表情で私を見た。明かりを消して立ち去った。

車を始動し走り去るのが聞こえた。ボルトが出かけたのだ。窓の外はまっ暗だった。暗黒が別世界のように私の体を包んだ。静けさが深まるにつれて、壁の向こうでボイラーが正常に燃焼している低い音が聞こえた。少なくともボイラーの心配はしなくてもいいのだな、と思った。ほんのわずかな慰みであった。

椅子の背は肩までの高さしかなく、頭の支えにはならなかった。このまま息が絶えていくような疲れを感じた。体を動かすのが怖かった。体中の筋肉の一つ一つから、手首に直通の電線がひいてあるような感じだ。右足をわずかに動かすだけで息が途切れた。横になりたかった。水が飲みたかった。今にも割れそうな、一トンもあるような頭を支え、役にたたない腕の痛みにさいなまれながら、目を見開いてすわっていた。

ボルトがザナ・マーティンの家の玄関へ行き、自分の秘書が私に協力していたことを知った場合を考えた。彼はどうするであろう、と何百回となく考えた。彼女を痛めつけるであろうか、と。哀れなミス・マーティン、すでに人一倍苦しみを味わっているのだ。

彼女だけではすまないのだ、と考えた。同じ綴りの中に、マービン・ブリントンが私のために書いてくれた手紙が入っている。ボルトに見つかったら、ブリントンは一生護衛を必要とすることになる。

ナチや日本軍の拷問に耐えぬいたり、秘密を守ったまま死んで行った人々のことを考えた。今も世界中を横行している残虐な行為や、人間が人間の意志を破砕することの容易さなどを思いうかべた。アルジェリアでは、想像もつかないようなことが行なわれたという。鉄のカーテンの向こうでは、洗脳は序の口だ。アフリカの獄舎でどんなことが行なわれているか、考えも及ばない。

第二次大戦には若すぎ、寛容な社会に育った私は、自分がそのような試練を受けることになるとは夢にも考えていなかった。苦しむか喋るか。古代から今日まで続いているジレンマである。クレイのおかげで、それがどのようなことか、身をもって経験することができた。クレイのおかげで、人が死を賭して沈黙を守った理由がわかった。

シーベリィの走路で今一度馬を走らせたかったし、検量室に入って行ってもう一度秤の椅子に腰かけてみたいと願っていたのが、すべてかなえられたのだ、と思った。

二週間前の自分は、過去を忘れ去ることができなかった。自分の結婚生活、騎手生活、あるいは傷ついた手、というふうに、あまりにも多くの廃墟にしがみついていたのだ。今では、それらは本当に過去の物となってしまった。しがみつくものはなにもない。記憶の手がかりとなる品々はすべてプラスティック爆弾でふきとばされてしまった。自分は根無し草で家なしだ。解放されたのだ、と思った。

意識が考えることを拒んだのは、今後数時間のうちに、クレイが自分をどんなめにあわせるであろうか、ということであった。

ようやくクレイが戻ってきた時、ボルトは長時間出かけたままだ帰っていなかった。待っている私にとっては人生の半ばがすぎて行くような長さに思えたが、そうかといって、早く帰って始末をつけてもらいたいという気は、毛頭なかった。

クレイが明かりをつけた。ドリアと二人で入り口に立って私のほうを見ていた。

「時間は心配ないのね？」ドリアがたずねた。

クレイが時計を見ながらうなずいた。「急げば大丈夫だ」

「エリスが電話をかけてくるまで、待ったほうがいいんじゃない？」彼女が言った。「もっといい考えがあるかもしれないわよ」

「彼はとっくに予定をすぎている」クレイがイライラした口調で言った。ここへくるまでにも議論していたらしい。「とっくに連絡してこなければならん時間だ。やるのであれば、これ以上は待てない」

「そうね」肩をすぼめて同意した。「行って見てくるわ」

「慎重に。中へ入るんじゃないよ」

「大丈夫。心配しないで」

二人が私のほうへやってきた。ドリアが興味深く私を観察して満足していた。

「死人みたいね。いい気味だ」

「それでも人間か？」私が言った。

美しい顔に、チラッと表情の動きが見えた。今夜自分がしたこと、楽しんだことが、罪の深い醜悪な行為であることは心の底でわかっているようだ。ただ、中毒症状が進行していて引き返すことが不可能なのだ。私には答えないで、「手伝わなくていい？」とクレイに言った。

「いや、大丈夫だ。重くはないさ」

夫が私の椅子の背をつかんで壁のほうへ引きずって行くのを微笑をうかべて見ていた。ガタガタと揺れるのがたまらなかった。口も裂けんばかりに悲鳴をあげそうになるのを抑えているうちに、頭がボーッとしてきた。三百ヤード離れたところで聞こえるような距離には誰もいない。三百ヤード離れたところで熟睡している何人かの厩務員に聞こえるはずがない。クレイ夫婦を楽しませるだけだ。

ドリアが美食を味わうように舌なめずりしていた。

「行っておいで、急ぐんだよ」クレイが言った。

「行くわよ」腹だたしそうに通路へ出て行った。

私を引きずって行って壁のほうに向かせ、ひざがつくまで押しつけると、一歩下がって大きく呼吸した。

壁の向こうでボイラーが静かに音をたてていた。これくらい近くだとはっきり聞こえる。爆発が起こってレンガが飛散し、蒸気に蒸し殺される心配がないことはわかっていた。しかし、自分の残り時間が刻々とすぎて行くことに変わりはなかった。

　ドリアが戻ってきて不思議そうに言った。「通路まで水が流れ出ているはずじゃなかったの？」

「そうだよ」

「ないわよ。一滴も。ボイラー室の中をのぞいたら、カラカラに乾いていたわ」

「そんなはずはない。こぼれ始めてから三時間もたっているんだ。オクソンが、もうそろそろ爆発する時間だと言っていたじゃないか。きみの見まちがいだよ」

「まちがっていないわ」と言い張った。「変わったところなんか、ぜんぜんないわよ」

「そんなはずはない」クレイの口調が鋭くなった。急いで見に行き、とんで帰ってきた。「きみの言うとおりだ。オクソンを呼んでくる。あれの仕組みを知らないんだ」正面の入り口をとびだして行った。走っているのが聞こえた。緊迫してるのは彼自身の怒りだけだ。私は身震いした。

　ドリアは爆発が心配で、私のそばへくる気はないようだった。今夜私にとってよかったことといえばそれくらいのものだ。私の背に声をかける気もないらしい。彼女はうじ虫がもがくのを見るのが好きなのだ。計画どおりに事が運ばないので食欲を失ったのかもしれない。ドアの取っ手をいじりながらクレイが帰ってくるのをそわそわと待っていた。

　オクソンがいっしょに戻ってきた。二人とも走っていた。検量室を通り抜けて通路へとびだして行った。

自分に残っているものはなにもないな、と思った。誇りの切れっ端くらいのものである。そろそろマストに高く揚げておいたほうがいい。

二人がゆっくりと歩きながら私のほうへやってきた。クレイが椅子をつかんで荒々しく彼らのほうに向けた。検量室の中は静かであった。雑音はいっさい聞こえなかった。窓の外は暗黒であった。これまでである。

クレイの顔を見て、見なければよかったと後悔した。憤怒に青ざめ、こわばっていた。目はまっ黒な深い穴であった。

オクソンがネズミを持っていた。「ハレーの仕業にまちがいないよ」くり返して言っている口ぶりだった。「ほかに誰もいないんだから」

クレイが右手で私の左手を押えつけ、恨みをみなぎらせて叩き始めた。三分後に私は気を失った。


毛布のように自分の体のまわりに巻きつけておこうと暗闇にしがみついた。闇はそれをふりきってしだいに離れていった。明るくなるにつれて音がたかまり、苦痛がまし、これ以上自分が意識を回復したことを否定することはできなかった。

自分の意志に反して目があいた。

検量室の中は人間でいっぱいだった。黒い制服を着た人、人、人。警察官だ。あらゆる入り口から警官が入ってくる。窓の外で、ようやく明るい黄色な光が輝いていた。警官が力の抜けた私の体からロープを切りはずしていた。

クレイとドリアとオクソンはダーク・ブルーの制服に囲まれて小さく見えた。白スーツのドリアが本能的に周囲の警官に媚を送っていたが相手にされなかった。オクソンは逃れるすべもない自分の立ち場にしょんぼりしていた。

クレイの怒りはまだ尽きていなかった。憎悪にみちた目で私のほうをにらんでいた。強力な腕におさえられてもがきながら、叫んだ。「どこへ行かせたのだ？　エリス・ボルトをどこへやったんだ？」

「おお、ミスタ・ポターか」とつぜんのあたりの静けさの中で私が言った。「ミスタ・ウィルバー・ポター。知りたいだろう。だが、私の口からはきだせないよ」

19

突然私は出発点に舞い戻った。病室のベッドの上である。しかし、前ほど長くはいなかった。遠くに海の見える日当たりのいい立派な病室で、まれに見る美人揃いの看護婦たちに世話をされていた。訪問客がひっきりなしにやってきた。面会が許されると、まっさきにチコが現われた。日曜日の午後であった。

ニヤニヤと私を見下ろしていた。

「すばらしいご面相だな」

「ありがとう」

「両眼が腫れ上がり、唇は割れ、赤と黄色のまだらな肌に三日分のひげだ。なかなかいかすぜ」

「おれもそう思っている」

「見たいかい？」用だんすの上から手鏡を取り上げながらきいた。

鏡を手にして見た。チコが誇張しているわけではなかった。恐怖映画の背景に出てきそうな顔である。

溜め息をもらしながら言った。「まさに怪人X《エックス》だな」

彼は笑って鏡を元へ戻した。彼自身の顔も戦いの後をとどめていた。眉のあたりは治りかけていたが、あざが頬にはっきりと縦に走っていた。

「ロンドンの時よりいい部屋じゃねえか」窓のほうへ歩きながら言った。「においも悪かねえ、病院としちゃあな」

「前置きはやめて、話を聞かせろ」

「疲れさせちゃいけねえって言われたんだ」

「いい加減にしろよ」

「じゃあ、しかたがねえ。いろんな面で、おめえは本当にばか野郎だな、そう思わねえか？」

「まあ、見かたにもよるがね」おとなしく同意した。

「そら、そういうところを言ってたんだよ」

「たのむよ、チコ話せよ」懇願した。

「おれがラドナーの椅子に納まってさ、両側に電話とけっこうなチキン・サンドウィッチをおいてうとうとしてたんだ。気のありそうなブロンドを夢見て楽しんでいるところへ玄関のベルがなったんだ」ニヤニヤしていた。「おれは立ち上がって体を伸ばしながら出て行ったよ。てっきりおまえが戻ってきたもんだと思ってさ、寝るところがねえから。鍵を忘れることはねえだろうから、ラドナーじゃねえと思った。ほかに夜中の二時頃やってくるようなやつあいねえからな。ところがそのデブ公が正装して立っててさ、おまえに頼まれてきたって言うじゃねえか。とにかく中に入れよ、と大あくびをしながら言ったんだ。入ってきたよ。それで、おれがいたラドナーの書斎のような部屋へ案内したんだ。

〈シッドに頼まれたって？　何を？〉ってきいたんだ。

そうしたら、ここに彼のガール・フレンドが住んでるはずだって言うんだよ。まず、あくびを途中でやめるようなこたあするもんじゃねえな。もう少しであごがはずれそうになったよ。ぜひ会いたいと言うんだ。遅くて申し訳ないけど、非常に重要なことだって言うんだよ。

彼女は留守だ、二、三日よそへ行っている、おれでわかることなら、と言ってやったよ。そうしたら、おれを頭から足の先まで見渡して、あんたは誰だ、ってきくんだな。兄貴だと言った。そうしたら野郎はサンドウィッチやおれが読んでた本が床の上に落ちているのを鋭い目つきで見てたよ。おれが居眠りをしていたことがはっきりしたから、大丈夫だと思ったんだな。彼女に預けてある物をもらってくるようにシッドに頼まれた。探してもらえないか、と言うんだ。

いいとも、物はなんだ、ときいたんだ。

しばらくもじもじしていたが、言わなきゃ怪しまれると思ったらしいんだ。〈ネガが入っている包みだ。シッドが妹さんにそのほかの物も預けてあると言ってたが、今ほしいのは、フィルムの名前を書いてある包みだ。ジゴロ・カノ、と書いてある〉と、こう言うんだよ。

へえ、ジゴロ・カノと書いてある包みをもらってきてくれって、シッドに頼まれたんだね？　と白っぱくれてやったんだ。

そうだ、ここにあるのかな、と言って部屋の中を見廻していたよ。

あるとすればここだ、と言ってやった」

チコは話をやめてベッドのそばへくると、私の右足先の辺へ腰かけた。

「おまえ、どうしてジゴロ・カノのことを知ってるんだ？」とまじめな表情できいた。

「柔道を発明したんだって、どこかで読んだことがあるんだ」

チコは首をふった。「彼が発明したわけじゃねえんだ。一八八二年に、それまであった柔術の諸流派のいいところをとって、体系づけて柔道と称したんだよ」

「おまえなら知ってると思ったよ」私はニヤッと笑った。

「ずいぶん危ねえ橋を渡ったもんだな」

「知っているはずだと思ったんだ。なんといったって、おまえはエキスパートなんだから。あれだけ何年もクラブでやってきたんだ。危険はなかったさ。知っていると確信してたよ。

名前さえまちがわなければいい、と思っていたんだ。ま、そんなことはどうでもいいよ。それからどうした？」

チコがうっすらと笑みをうかべた。

「野郎の腕をねじあげたりして、締めあげてやったよ。全然あっけにとられていたな。おかしかったよ。それから少しずつ圧力を加えていったんだ。知ってるだろう、親指をねじまげるとかさ。すげえ声で悲鳴をあげたよ。近所が起きてくれると思ったらしいけどな、おまえも知っているロンドンさ、誰もまるっきり気にしねえのさ。そこで、おまえがどこにいるか、いつ頼まれたのか、きいたんだ。言わねえんだよ。もう少し痛い思いをさせてやった。やつらがおまえにしたことを考えりゃ、因果応報だよな。まだ手始めで、一晩じゅうやるぞ、と言ってやったんだ。まだ習っただけでやってみたことのねえ手がいっぱいあるんだ、と言ったら、ガックリしたたな。完全にくじけたよ」

チコが落ちつかないようすで立ち上がって、部屋の中を歩き廻った。「やつはな」と眉をひそめて言った。「相当の大金がかかっていたらしいよ。よく頑張ったよ。その点は認めてやるな。おまえがSOSのつもりでやつをよこしたものだと確信していなかったら、泥を吐くまで痛めつけられたかどうか、自信がねえな」

「すまなかったな」

なにか考えるように私を見ていた。「おれたちゃ、二人とも勉強したわけだ、そうだろう？　おまえは受けるほうで、おれは……。いやだったな。痛めつけるのが。一発か二発なぐりつけておどかすのはなんでもねえんだ。ちっとも気にゃならねえ。しかし、今までにあんなに人を痛めつけたのは初めてなんだ。こっちは死に物狂いじゃなくてさ、目的があって痛めつけるんだからな。とうとう泣き出したんだよ……」

チコは私に背を向けて窓の外を見ていた。

長い間無言が続いた。受ける側の道義的な気持ちの負担は軽い、と思った。良心のとがめを感じることはあまりない。

そのうちにチコが口を開いた。「もちろん、最後には泥を吐いたよ」

「そうだろう」

「傷跡は全然つけなかったよ。ひっかき傷すらも……。おまえがシーベリィにいると言った。おまえがあそこへ行くと言っていたし、おまえがやったようなごまかしのテを使っているんじゃねえらしいと思った。おまえが検量室にいて、もうすぐボイラーが爆発する、と言った。おまえが死ぬのを楽しみにしているとも言ったよ。おまえのことを恨んで、気が狂ったようだったぜ。おまえの言うことなんか信用すべきじゃなかった、蛇のように油断のならないやつだと気がつくべきだったんだ、前にも騙されているんだから……とね。おまえが折れて、オフィスにあると言ってたのを変えたから、本当のことを言っているものだと思った……おまえが哀願し、モルヒネをくれと言ったりしたから信用してしまった……と言ったよ」

「そう、そのへんのことは知っているよ」

チコが窓からこちらを向いた。顔が明るくなって大きく笑った。「まさか？」と言った。

「おれがもっと早く、あるいはかんたんに参っていたらやつは信用していない。クレイならわからんが、あいつには通用してない。まったく腹がたったよ」

「腹がたったか。その言葉、気にいったぜ」口をつぐんで考えていた。「いったいいつ、ボルトをおれのところへよこすことを思いついたんだ？」

「つかまる三十分くらい前だな」と答えた。「話をつづけろよ。それからどうしたんだ？」

「ラドナーの机の上に紐がひと巻きあった。デブ公を苦しい姿勢に縛りあげた。次は誰に頼んで救助隊をだしてもらうか、という難問があった。つまり、あの時間におれがシーベリィ警察へ電話して、あり得ないような話をすれば、やつらは気がふれたとおもうだろう。うまくいって、お巡りを一人か二人見にやるのがおちだし、それじゃあクレイたちにかんたんに逃げられてしまう。おまえが全員を現場で押えてもらいたがっているだろう、と考えたんだ。ラドナーには連絡がつかねえ、オフィスの電話が爆発でやられていたから。そこでしょうがねえから、ハグボーン卿に電話をかけたんだ」

「まさか！」

「かけたさ。話のわかるオッサンだぜ、まったく。おまえのこと、ボイラーのこと、クレイたちのことを話したら黙って聞いていて、よし、サセックス州の警察を総動員して、ただちにシーベリィ競馬場へ急行させる、と言ったよ」

「それがきてくれた」

「それが行ってくれたんだ」チコがうなずいた。「行ってみると、わがシッド君は、ボイラーの処置はしたが、自分自身はくたばりかけた状態になっていたってわけさ」

「感謝するよ、なにもかも」

「なんてこたあねえよ」

「ところで、もう一つ頼みがあるんだが？」

「いいよ、なんだい？」

「きょう昼食につれて行く約束をした人がいるんだ。彼女はなぜおれがこないんだろう、と思っているはずだ。看護婦に電話をしてもらおうともおもったんだが、番号がわからないのだ」

「ミス・ザナ・マーティンのことか？　顔をいかれてるあの気の毒な女かい？」

「そうだ」意外であった。

「じゃあ心配はいらねえよ。待っちゃいねえ。おまえがここにいることを知ってるよ」

「どうして？」

「きのうの朝、彼女が郵便物を処理するためにボルトの事務所へ行ったら、捜索令状をもったお巡りが入り口で待ってたんだ。お巡りが帰ったあと、頭を働かせて、ようすを聞きにクロムウェル・ロードのほうへきたんだ。ラドナーはハグボーン卿とシーベリィへ行って留守だったけど、おれが残骸の中をつつき廻していたんだ。いろいろと話をしたよ、あんまり表には出さなかったけど、おまえのことをだいぶ心配していたぜ。いずれにしても、昼食のほうは待っちゃいねえよ」

「社の綴りを持ってるって、言ってなかったか？」

「言ってたよ。一日、二日持っててくれって言ったんだ。オフィスだって置き場所がねえしな」

「そんなことはいいから、ここを出たらすぐ彼女のうちへ行って、もらってきてくれ。ブリントンの一件の綴りだ。大切に扱ってくれよ。クレイが探してたネガが入っているんだ」

　チコが目を見張った。「本気か？」

「なぜ？」

「だって、みんな……ラドナーもハグボーン卿も、おまけにクレイとボルト、それに警察まで……おまえが初めに言ったように、オフィスにあって消滅したと信じこんでいるんだぜ」

「ありがたいことに、そうじゃないんだ。焼きましを作らせてくれ。ネガがなぜそんなに重要であるのか、まだわかっていないのだ。ただし、ミス・マーティンには、クレイが探していたのはそのネガだということを言わないでくれ」

ドアがあいて美人看護婦の一人が入ってきた。

「もうお帰りになっていただかないと」チコに言った。ベッドのそばへきて私の脈をとった。

「しようがない人ね」声を上げて、彼のほうに怒った顔を向けた。「数分間だけと言ったはずよ。あまり話を聞かせてもいけないし、話させてもいけないって言ったじゃありませんか」

「彼になにか指示を与えてみな、どういうことになるか」チコが朗らかに言った。

「ザナ・マーティンの住所は」私が話し始めた。

「いけません」看護婦がこわい顔をした。「それ以上話をしてはいけません」

チコに住所を伝えた。

「な、言ったろう?」チコが看護婦に言った。彼女は私の顔を見ていて、笑い出した。ゴワゴワした制服の下は気のいい娘だ。

チコがドアのほうへ行ってあけた。

「じゃ、帰るよ、シッド。あっ、そうだ、これを読ませようと思って持ってきたんだ。興味があるかもしれんと思ってね」

　内ポケットから縦に折った表紙のピカピカしたパンフレットを取り出してベッドの上に放った。わずかに手が届かないところへ落ちた。看護婦が手にとって私に渡そうとした。とつぜん声をあげて握りしめた。

「ひどいわ、こんな物を見せるなんて！」

「どうしてだい？　やつを赤ん坊だとでもおもっているのか？」

出て行ってドアをしめた。看護婦が当惑してパンフレットを胸に抱いていた。私は手を伸ばした。

「さあ」

「先生に聞いてから……」

「ということであれば、なんだかわかったよ。チコの気性を知っているからね。さっ、いい子だからよこしなさい。心配はいらないよ」

しぶしぶと私によこして、表紙の大きな字を見た時の私の反応を待っていた。

「義手義足。近時における進歩」

私は笑い出した。「彼は、リアリストなんだよ。おとぎ話なんかもってくるような男じゃないさ」

20

翌日ラドナーがきた時、疲れきって気力を失っており、十年もふけて見えた。軍人らしいシャキッとしたところがなくなり、目や口のまわりのしわが深まって、声に力が全然なかった。

しばらくの間悲痛な表情で、肘から四インチのあたりでぷっつりなくなっている包帯に包まれた腕をみつめていた。

「オフィスのほうは残念でしたね」私が言った。

「そんなことを……」

「修理できないんですか？　どの程度なんですか？」

「シッド……」

「外側の壁は堅固なんですか、それとも、建物全体がだめなんですか？」

「新しく出発するのには、私は年を取りすぎている」ガックリとした調子で言った。

「こわれたのはレンガとセメントだけですよ。なにも新しく始めることはないでしょう。

あなたが会社なんだ、建物じゃありませんよ。みんな場所が変わったって、今までと同じようにあなたの下で働きますよ」

肘かけ椅子に腰を下ろすと、頭をよせかけて目を閉じた。

「私は疲れたよ」

「事件以来あまり寝ていないのでしょう」

「七十一歳になる」ポツリと言った。

私は愕然とした。きょうまで五十の後半くらいに見ていたのだ。

「冗談でしょう」

「年月は流れる。七十一歳だよ」

「私がクレイを追うと言い出さなければ、こんなことにならなかったのに」私は悔恨にひしがれて言った。「申し訳ありません……ほんとうに」

目をあけた。「きみの落ち度ではない。責任はあくまで私にある。きみの判断に任せていたら、ハグボーンに写真をシーベリィへ持って行かせていなかったはずだ。彼に渡したのが気にいらなかったらしいことはわかっていた。写真をシーベリィへ持って行かせたことが爆弾の直接原因だったのだ。私の落ち度であって、きみではない」

「あの時はそんなことはわかりませんよ」私が反対した。

「長年この仕事をやっていて、気がつくべきだったのだ。自分の判断力が……結果に対する見とおしが……衰えてきたのだな」声が惨めな呟きにかわって行った。「私がハグボーンに写真を渡したばかりに……きみは手を失った」

「ちがいます」はっきり言った。「そんなことで自分を責めるのはばかげています。しっかりしてください。社の連中だってあなたがそんなことじゃ、みんな途方にくれますよ。あなたが立ち直らなかったら、ドリィやジャック・コープランドや、サミィやチコはどうなるんですか？」

黙っていた。

「いずれにしても、私の手は使い物にならなかったのです。クレイに降参すれば、なくさなくてすんだんです。あなたには全然関係のないことですよ」

立ち上がった。

「きみはクレイにいろいろと出まかせを言った」

「言いましたよ」

「しかし、私には嘘は言わないだろうね？」

「もちろんですよ」

「信用できないな」

「精神を集中してみたらどうです。そのうちにわかりますよ」

「きみは年長者にあまり尊敬を払わない」

「ばかみたいに泣きごとを並べている時にはね」同意した。

内心の怒りに鼻をふくらませた。しかし、口にしたのは、「で、きみは？　これからも私のところで働いてくれるのかね？」

「あなたのお考えしだいです。この次は、みんな殺されるようなことをやりかねませんよ」

「危険は覚悟するよ」

「そういうことであれば、働きます。しかし、今度の一件はまだ片づいていないんですよ。チコはネガを取ってきましたか？」

「取ってきた。けさ彼が二組焼きましをさせたよ。一組は自分で持っていて、一組はきみに渡す分だ。きみがほしがっていると言ってたが、まだ……」

「で、持ってきてくれましたか？」

「ああ、車に入っている。きみ、本当に……？」

「冗談じゃありませんよ。待ちきれないくらいですよ」私はじれったくなった。

翌日余分な枕と、ベッドの横に電話機を、それに扱い難い患者という評判を獲得した。

社はけさからラドナーの小さな家にすし詰めになって仕事を開始した。ドリィの電話によると、すべてが大混乱で、三十台もあった電話機が今は一つしかないが、幸いなことに士気旺盛だから心配無用、オフィスのなかで新語が流行している、ハレールヤというのだ。電話があくのを待っているのがいるからさよなら、と言った。

しばらくして、チコが公衆電話からかけてきた。

「サミィが運転手のスミスを見つけたよ。きのう会いに彼がバーミンガムへ行ってきた。クレイが豚箱に入った今となっては、共犯証人になる意志があるようだ。運転台から出て、車が横倒しになる前に鎖をはずし、あとは道端に坐って頭を抱えて芝居をするだけで二百五十ポンドもらったことを認めたよ。らくな金儲けだ」

「そいつはよかったな」

「それだけじゃねえんだよ。最大の収穫は、その金の大部分を、家を買う頭金にするつもりでブリキ缶に入れてまだもってるんだ。その頭金がほしくてやったらしいんだな。とにかく、クレイが後払いの分を、おまえが写した札束から払っているんだ。おまけに、あの写真に写っている一枚をスミスが持っているんだよ。その一枚は証拠として手放すことに同意したけど、残りは取り上げる方法がないらしいんだ、おまえどう思う？」

「わからないな」

「これで、クレイは悪意による損傷ということで、逃げようがねえんだ」

「そいつはすごいな。で、今はどういうことで拘留しているんだ？」

「おまえに対する傷害罪だ。ほかの者は共犯ということで」

「すべての刑は通算されるんだろうな？」

「もちろんさ」

私はフッと吐息をもらした。「それにしても、シーベリィの株の二十三パーセントをもっていることには変わりはない」

「そうだな」チコもゆううつな声で言った。

「オフィスの損害はどの程度なんだ？」

「まだ調査をしているんだ。外側の壁はよさそうだ。念の為に調べているけどね。内部は相当ひどいよ」

「こんどは間取りもよくして、エレベーターも入れるんだな」

「そうなるといいなあ」楽しそうな声を出した。「それに、いい話が一つあるんだよ、おまえに関心があるかどうかしらないけど」

「なんだ？」

「隣の建物が売りに出ているんだ」


午後チャールズがきた時は、私は眠っていた。彼は私が目をさます時の惨めなようすを見ていた。目がさめかける最初の数秒間がいつもいちばんつらい。混濁から抜け出ようともがき、ようやく目を開くと彼が立っていた。

「どうしたのだ、シッド。クスリをもらっているんだろう?」愕然としている声だった。

意識が多少はっきりして、うなずいた。

「それにしても、いろいろ新しい薬品ができていることだ……。苦情を言ってくる」

「やめてください」

「しかし、シッド……」

「できるだけのことをしてくれているのです。そんなに驚かないでください。二、三日たてばよくなりますよ。今のところはしようがないのです……。フレッドの話を聞かせてください」

警察がエインズフォドの警備に行った時には、フレッドはすでに家の中に入っていた。警官が四人行ったのだが、四人総がかりといっしょに行ったチャールズが手をかしてやっと取り押えた。

「警察が行くまでに家の中を荒らしましたか?」

「彼は非常に手ぎわがよくてす早いのだ。私の机の中と、居間をくまなく探していた。封筒、綴り、手帖類は全部ひき裂いてあった。屑をひと山に積み上げていつでも焼却できるようにしていたよ。警官が行ったときは食堂の方にかかったところだった。非常に狂暴だった。プラスティック爆薬のはいった箱が玄関の机の上にあった。表のバン・トラックにもあった」言葉をきった。「どうしてくると思ったのだ?」

「彼らは私が写真をエインズフォドで写したことは知っていましたが、現像をロンドンでやったかどうかは知りようがなかったわけですよ。現像をエインズフォドでやったと思われるのがこわかったのです。もともとクレイをあそこへ誘いこんだのはあなたですからね、あなたがネガのありかを知っていると考えられるのをいちばん怖れたんです」

彼はいたずらっぽい微笑をうかべた。「ここを出たら、二、三日エインズフォドへこないかね？」

「前にもどこかで聞いたような気がするな」と私が言った。「ご免こうむりますよ」

「こんどはクレイのようなのはいないよ」と保証した。「休養するだけだ」

「行きたいのですが、そのひまがなさそうです。探偵社のほうが多少ふらふらしているんですよ。あなたがエインズフォドで私にしたことを、つい昨日ボスにしてやったところなんです」

「なんだね、それは？」

「意気消沈しているのに活をいれてやったんですよ」

皮肉な微笑をうかべていた。

「彼がいくつになるか知っていますか？」私がきいた。

「七十くらいだろう、なぜだ？」

私は意外だった。「きのう彼から聞くまで、そんな年だとは夢にも思ってなかったのですよ」

チャールズは目を細めて葉巻きの先を見つめていた。「きみは、私が彼にきみを雇ってくれと頼んだと思いこんでいたらしいな、そうだろう？　私がきみの給料を保証して」

私は困って顔をしかめて見せた。

「実際は全く違うことを知っておいた方がいいだろう。私は彼の名前は知っていたが、直接会ったことはなかったのだ。ある日クラブで私に会いにきて、きみが彼といっしょに仕事をするのに適当な人物かどうか、私の意見を求めた。私は、適していると思う、と答えた。ただし、時間がかかるが」

「信じませんね」

彼は微笑した。「ある程度チェスができる、と言った。騎手になったその時の事情で、きみが体が小さかったのと母が亡くなったからだが、ほかの分野でも同様の成功をする男だ、と話した。彼は、きみのレースぶりを見て自分の求める人物だと思っていた、と言った。その時に自分の年を言ったのだ。ほかにはなにも言わなかった。いくつになった、と言っただけだった。しかし、彼にも私にも、その意味ははっきりわかっていたのだ」

「それを私は、もう少しで投げ出すところだった。あなたの配慮がなかったら……」

「そういうことだ」皮肉な口調であった。「きみは私に感謝すべきことがたくさんある。大いにあるな」

彼が帰る前に写真を見てもらった。一枚一枚見ていたが、首をふりながら私に返した。

コーニッシュ警部が電話で、フレッドを逮捕したばかりでなく証拠も揃った、と言った。

「弾丸はピタリと合った。逮捕した警官たちに同じ拳銃を向けたんですが、幸い一人が花瓶を投げつけて、発射する前に叩き落としたんですよ」

「アンドリューズを射った銃をまだ持っているというのは、ばかげた話だな」

「頭が悪いんだ。だいたい悪人はそうなんですよ、さもなければわれわれもかんたんに捕えられないわけだ。ところで、彼は殺人のことをクレイやほかの連中に知らせていないんですな。従って、ほかの連中を共犯にすることができないようです。残念ですがね。言わなかったことははっきりしているんです。サセックス警察の話では、クレイがそのことを聞いたとき半狂乱状態になったということです。連中の話によると、あんたを捕えている時に、その腹部の傷のことを知らなかったのが残念でならない、と言っていたそうですよ」

「本当に助かったな」本心から言った。

コーニッシュのふくみ笑いが伝わってきた。「フレッド自身がそちらのオフィスへブリントンの手紙を取りに行くことになっていたのを、北部のどこかのフットボールの試合を見に行きたくて、かわりにアンドリューズを行かせたのだそうですよ。罠がしかけてあるとか、そういう手のこんだことはなく、アンドリューズ程度の人間で間に合う使い走りくらいに考えていた、と言ってるらしい、拳銃を貸したのは喜ばせるためで、射てと言った覚えもないし、射つほど間が抜けているとも思わなかったんだそうですな。アンドリューズが青くなって戻ってきてあなたを射ったというので、フレッドがエッピングの森へ散歩に誘い、拳銃が暴発したのだ、と言ったそうです。陪審員に聞かせてやりたいものですな。フレッドの話では、クレイがこわくて言えなかった、ということです」

「なに！　フレッドがこわがる？」

「クレィはそういう印象を与えているようですな」

「そう、そういうところがないことはないな」私が言った。


チコのパンフレットを端から端まで熟読した。最近の技術や知識の急速な向上は、サリドマイド禍をうけた子供たちに負うところが大きいようだ。私の傷口が癒着しだい、肩の筋肉の動きが、ガスを動力とする小さなピストンによって動きバルブによって制御されて義手に伝わる装置をつけてもらうことができる。義手は自由自在に動き、手首を回転させることもできそうだ。ただその場合に問題になるのは、私の読み取った範囲では、スキン・ダイバーのように始終ガスの入った小さなシリンダーを体にくくりつけておかなければならない点である。

ほとんど信じられないくらい精巧で有望なのはイギリスとロシアの科学者が発明した、

筋電流を利用する義手である。このほうは残存する筋肉が発する微電流を利用する装置で、パンフレットが愉快そうに説明しているのによると、切断後時間がたっていないほど取り付けやすい、ということである。さらに、腕の残存部分が多いほど成功率が高い、という。さしあたり自分などは最適のモルモットである。

最後にパンフレットが、その価値があるとは思うが、誇らしげに述べているのによると、セント・トマス病院で発明された奇跡的な筋電流義手は、本物の手ができることを、爪をのばすことを除けば、すべてできる、という。

私が自分の手がないことが淋しかった。その点は否定できない。不自由な状態にありはしたが、それでも使い途はあった。そのような自分の体の重要な一部分を欠くということは、なんとしても心の平静を乱すものなのであろう。私の心は無意識のうちにそのような考えを退けようと努めた。しかし、私は毎晩五体が満足な自分を夢みた――馬に乗ってレースに出ているところ、縄を結んだり拍手をしている自分……両手を必要とする行動、動作がすべてうかんできた。目がさめるたびに自分の片腕を嘆いた。

いつ行けばいいか、医者がセント・トマスに問い合わせてくれることになった。

水曜日の朝、会計士に電話していつひまがあるかをたずねた。日程の一部が思いがけなく取り消しになったので金曜日に体があく、と言う。自分が居る所と、その理由をあらまし説明した。面会にきてくれる、と言う。道のりなど気にならない、たまには海の空気を吸ってみたい、と言った。

受話器を下ろしたところへ、ドアがあいてハグボーン卿とミスタ・フォザートンが入ってきた。私はダーク・ブルーのガウンを着てスリッパをはき、ベッドの端にこしかけていた。腕を包帯でつり、ひげをさっぱりと剃り、髪もきちんととかしてあった。クレイのこぶしの跡も色がだいぶうすれていた。訪問者は私がどうやら生き返るらしい兆候を見て大いに安心したらしく、椅子に深々と腰を下ろして寛いだ。

「どうやら快方に向かっているらしいな、シッド?」ハグボーン卿が言った。

「ええ、おかげさまで」

「それはけっこうなことだ」

「土曜日のレースはどんなぐあいでした?」

二人は私の質問に多少驚いたようだった。

「開催したんでしょう?」私は心配になった。

「もちろん開催しました」フォザートンが言った。「好天のおかげで、相当の入場者もありました」やせた、乾からびた男で、ゆううつな表情が固定したような長い顔であった。けさは落ち着かないようすで、三本の指先で頬のしわを伸ばすような仕草をくり返していた。

ハグボーン卿が言った。「クスリを飲まされたのは、パトロールの者たちだけではなかった。厩務員たちも起きると頭がグラグラしていたし、ボイラー係りの老人は食堂の床で寝入っていた。オクソンがみんなにビールを飲ませたのだ。当然、警備の連中も彼を信用したわけだ」

私はフーッと吐息をもらした。連中をとがめるわけにはいかない。自分だって飲んでいたかもしれないのだ。

「きのう検査官を呼んで、ボイラーを徹底的に検査させた。いずれにしても、もうすぐ定期検査を受けることにはなっていたのだ。検査官の話では、非常に古いので、ふだんの運転中に多少でも故障部分があったらひとたまりもない、と言っていた。あの晩それを実証しなくてすんだのは幸運だ、ということだ。それと、彼らの計算でいくと、爆発までに三時間もかからなかっただろう、と言ったよ。オクソンは勝手にそうきめていたらしい」

「ゾッとしますね」

「シーベリィの議会のほうを打診してみたのだよ」ハグボーン卿が続けた。「来月の議事日程にのせるそうだ。どうやらきみの友人の、シーフロント・ホテルの支配人が嘆願運動を始めたらしいのだ。この海辺の町の名物として地元の負担なく宣伝してもらえるし、町の商売も栄えるのだから、議会としても競馬場にもっと関心をもってもらいたい、ということらしいよ」

「それは嬉しいですね」本当に嬉しかった。

フォザートンがおずおずとハグボーン卿と私を見ながら咳ばらいをした。

「いろいろ検討をしたのですが……」ときりだした。「実はあなたに……ええ……もしその気持ちがあれば……シーベリィ競馬場の取締り委員に就任していただけないか、伺ってみることに決定したのです」

「私に？」おもわず声をあげた。あいた口がふさがらなかった。

「私も二つの競馬場の取締り委員をやっているのが、だんだん荷が重くなってきたのですよ」気がつくのが一年おそかったのだ。

「きみはあの競馬場を墓穴の縁で救ったのだ」ハグボーン卿が珍しく明快な口調で言った。「引退後間もないプロ騎手に取締り委員就任を申し入れるのが異例であることは、われわれ一同も承知しておるが、シーベリィの委員会の全員一致の希望なのだ。きみがやりかけた仕事をきみに完遂してもらいたいのだ」

私としては望外の名誉である。私は礼を言い、一瞬ためらった後、考えさせていただきたい、と頼んだ。

「もちろん、考えてもらうのはかまわん。しかし、承諾をしてもらいたいものだな」ハグボーン卿が言った。

箱の中の写真を二人に見てもらった。二人とも念入りに一枚一枚見ていたが、結局はなにも思い当たらなかった。

翌日の午後ザナ・マーティンが、甘いかおりのするブロンズ色の菊の大きな花束をもってやってきた。スマートなダーク・グリーンのツイードのスーツに、丈夫さよりは人に見せるための靴をはいている、生まれ変わったザナ・マーティンであった。髪のスタイルも変えていて、短く頬のあたりに達するカールになっていた。口紅やおしろいもつかっているし、眉も形よくまとめてあった。傷跡は相変わらずはっきりしているし、顔の筋肉が動かないことも変わりはなかったが、ミス・マーティンもやっとそれらを気にしないで暮らせるようになったらしい。

「きれいになりましたね」お世辞ぬきで言った。

恥ずかしがっていたが、嬉しそうだった。「新しいお勤めがあったの。きのう面接に行ったんだけど、私の顔を気にしているようすはなかったわ、なにもきかなかったから。こんどはオフィスもはるかに大きいの。そして給料も前よりだいぶいいのよ」

「それはよかったですね」私は心から祝福した。

「なにか、生まれ変わったみたい」

「私もそうだ」

「あなたにお会いして、ほんとによかったわ」軽い口調でほほえみながら言った。「あの綴り、無事届きました？　ミスタ・バーンズという若い人がいらしたけど」

「ええ、どうもありがとう」

「重要な書類だったのかしら？」

「どうして？」

「あの人に渡した時、なんだかようすがおかしかったの。なにか私に言いたいことがあるように思えたの。なにか言いかけてはやめてたわ」

チコにきびしく言っておかなければならない、と思った。

「なんでもない綴りですよ。話すことなどないはずですがね」

万一と思って、彼女に写真を見てもらった。自分がタイプした書類がたくさんあることや、こんなありふれた書類をどういうつもりで写したのだろう、と言ったほかは、なにも心当たりはなかった。

帰り支度をして手袋をはめていた。無意識のうちにカールが頬をおおうように体をわずかに前に倒していた。

「さよなら、ミスタ・ハレー。私を生まれ変わらせてくれて、ほんとうにありがたく思っています。一生忘れませんわ」

「昼食の約束をまだ果たしていませんよ」

「いいの」と微笑した。もう私を必要としないのだ。「気になさらないで、そのうちに機会があったら」握手をした。「さよなら」

落ち着いた足どりで出て行った。

「さよなら、ミス・マーティン」誰もいない部屋に向かって言った。「さよなら、さよなら、さよなら」自分の感傷を笑いながら、眠りについた。

金曜日の朝ノエル・ウェインが鞄一杯の書類を抱えて入ってきた。彼は私が十八歳の時まとまった収入を得るようになって以来、財産をみてくれている。この世の中で、彼がいちばん私のことをよく知っているであろう。六十近く、耳のまわりの白髪以外は禿げている丸っこい小男で、地道な誠意に満ちた男である。私の収入を株式投資によってある程度の財産に作り上げてくれたのは、自分の知恵というよりは彼の進言に負うところが大きかった。私はいまだかつて彼と相談せずに金銭上の重要な決定をしたことがない。

「どういうことかね?」コートを脱ぎスカーフをはずすと、単刀直入、本題に入った。

私は窓のほうへ歩き、外を眺めた。寒気がやわらいだようだ。小雨が降っていて、彼方の海に霧がかかっていた。

「仕事の申し出を受けたのだ。シーベリィ競馬場の取締り委員だ」

「まさか!」私同様に驚いた。「受けるのかね?」

「魅力はある。安全だしね」

私の背後でふくみ笑いが聞こえた。「それはいい。受けるつもりだね？」

「一週間前、今後絶対に探偵仕事はやめよう、と決心したのだ」

「ほう」

「そこで、ラドナーの共同経営者になることについて、意見を聞きたいのだ」

ウッ、とのどがつまるような音が聞こえた。

「あの勤めを嫌がっているものだと思っていたのだが」

「それは一ヵ月前の話だ。それ以来、私は別人になっている。もうもとへ戻ることはあり得ない。私が望むのは探偵社だ」

「しかし、ラドナーの気持ちは？」

「聞いていない。そのうちに機会を見て申し出るつもりだったのだと思うが、オフィスを爆破された今となっては、言わないと思う。廃墟の権利の半分を買わないかと言うような人じゃない。それに、これを自分の責任だと思っているのだ」吊している腕をさした。

「根拠はあるのかね？」

「ない」私は暗い気持ちで答えた。「私が無益な危険を冒したのだ」

「というと？」

「詳しく言えば、クレイが痛めつける程度に叩く、完全につぶすようなことはするまい、と思ったのだ」

「なるほど」平静な声であったが、表情はこわばっていた。

「それで、今後も同様の危険を冒すつもりなんだね？」

「必要がある場合だけ」

「あの探偵社は刑事事件をあまり扱わないと言っていたはずだが」反対する気持ちがうかがえた。

「私の考えが採用されれば、今後は大いにやることになる。今の世のなかで、悪人があまりにも不幸の種をまきすぎている」あの哀れなダンステイブルのブリントンのことを思いうかべた。「これから先は慎重に聞いてもらいたい。隣の建物が売りに出ている。壁を抜けば双方を一つにすることができる。社は今人が多くてはちきれそうなのだ。私が入ってからの二年間だけでも、急速度に大きくなっている。あのようなサービスに対する需要は増加の一途をたどっているんだ。それに調査課、数ある部課の一つだが、の課長は管理職の就職コンサルタント業務を拡大していくのにうってつけの人物なんだよ。いわば天賦の才能を具えているような男なんだ。また、ラドナーがあまり重視していない保険業務がある。私は始めたい。怪しげな保険金の請求を調査する仕事だ。今後大きくなる分野だと思う」

「こちらから申し出たら、ラドナーが承知することは確実なのかな？」

「私を追い出すかもしれない。その危険は冒す覚悟だ。どう思う？」

「きみは昔の姿にたちもどったようだ」考えながら言った。「ということは、いいことだ。こんないいことはない。しかし……そのことを本当にどう思っているのか、聞きたい。いつもの出まかせでなくて、本当のことを」切断された腕をさした。

私は彼の顔を見て黙っていた。

「まだ一週間しかたっていないことだし、死人のような顔色をしているのだから、きくほうがむりかもしれないが、私としては聞いておきたいのだ」

私はつばをのみこんだ。なかには、人に言えない真実もある。しかし、私は言った。

「なくなってしまったのだ。私がもっていたほかの多くの物と同じようになくなってしまったんだ。なくたって生きて行ける」

「生きる、それとも存在するだけ？」

「生きるさ。絶対に生きる」手を伸ばして、チコがもってきてくれたパンフレットを渡した。「これを見るといい」

表紙を見た顔にかすかなショックがうかがえた。チコのようなきびしい現実性を持ち合わせていないのだ。顔を上げて私が微笑しているのを見た。

「よろしい」謹厳な口調で言った。「自分自身に投資したまえ」

「探偵社に」私が言った。

「そうだ。探偵社に。つまり自分自身に」

はっきりした金額を出すためには、社の帳簿を見る必要があると言ったが、それはさておき、一時間ばかり、私がラドナーに申し出るべき最高額、それに対する給料及び配当収入の見込み、そのために処分すべき株などについて相談した。

それが終わると、私はまた例の腹のたつ写真を持ち出した。

「これを見てくれないか？」と私が言った。「あらゆる人に見せたが、答えがでないのだ。この写真が、アパートとオフィスの爆発及び私が手を失った直接の原因なのだが、その理由がわからないのだ。イライラして頭がヘンになりそうなんだ」

「警察が……」と言いかけた。

「警察が関心をもっているのはたった一枚、十ポンド紙幣の写真だけだ。全部を見て、重要とは思えないと言ってチコに返してきた。クレイが心配していたのは十ポンド紙幣ではあり得ない。あの紙幣を見つけたのも、万に一つの偶然にすぎない。紙幣じゃない、なにか別のものだ。一見しただけでは犯人の手がかりにならないが、クレイがいかなる手段を講じても直ちに消滅したがったものだ。時間の経過を見てもわかる……。シーベリィでオクソンが盗んだのが昼食前だった。クレイはロンドンに住んでいる。かりにオクソンが電話して、見にくるように言ったとする。レースのある日だからオクソンはシーベリィを離れることができない。クレイがシーベリィへ行かねばならなかった。現実に行って写真を見て発見した……なにを？　なにを発見したのだ？　五時には私のアパートを探していた」

ノエルがうなずいて同意を示した。「クレイは追いつめられた。その原因になるものがなくてはならないはずだ」写真を手にして、一枚一枚調べていた。

三十分後に顔を上げて、窓の外の濡れた灰色の空をぼんやり見つめていた。映画の回転がとまったように、数分間完全に静止していた。彼が精神を集中して考えている時のくせである。やがて体を動かし、吐息をもらした。肩がこったような仕草で短い首を動かし、写真のいちばん上にあった一枚を取り上げた。

「この写真にちがいない」と言った。

彼の手からひったくるようにして見た。

「なんだ、買った株の一覧表にすぎないじゃないか」私は失望した。S・R、シーベリィ競馬場、という見出しのついた書類で、クレイが買いあつめたシーベリィの株が列記してある。総持ち株が一目でわかるようになっているその書類で気がついた唯一の点は、ザナ・マーティンのでなく別のタイプライターでタイプされている、ということである。クレイのヒステリィの原因であるとはとうてい考えられない。

「よく注意して見たまえ」とノエルが言った。「左の三つの欄は無視していい、買いつけた株の取り引き内容が並べてあるにすぎないし、数字に不備な点もないようだから」

「数字のちがいはない、調べたんだ」

「最後の欄はどうだね、右端のちいさいやつは?」

「銀行?」

「銀行だ」

「それがどうかしているのか?」

「何種類ある?」

リストを見ながら数えた。「五つだ。ピカデリィのバークレイ銀行、バーミンガムのウェストミンスター銀行、グラスゴーのブリティッシュ・リネン銀行、ドンカスターのロイズ銀行、リバプールのナショナル・プロヴィンシャル銀行」

「五つの異なった都市の、それぞれ違った銀行の口座だ。いろいろな点で非常に便利なやり方だ。国中どこへ行っても、いつも近くに自分の口座がある。私も三つの銀行を使っている。自分の金と人から預かっている金を混乱しなくてすむ」

「そんなことはわかっているよ。いくつも口座があることがとくに重要だとは考えなかった。いまだにわからないな」

「彼が脱税をしている可能性が強い、とみたな」ノエルが言った。

「なんだ、そんなことか?」私はがっかりした。

ノエルが唇をひきしめて面白そうに私を見ていた。「なるほど、ぜんぜんわかっていないらしいな」

「冗談じゃない。クレイのような人間が善良な市民と同じように、一ペニーもあまさず正直に税金を払っているとは考えられないよ」

「それはそうだ」ニヤニヤ笑いながらノエルが同意した。

「心配をしているかもしれないということなら、私もわかる。アル・カポネだって、最後は脱税でやられたんだからね。イギリスでは最高の刑でどれくらいになるんだろう?」

「最高一年だろうな」彼が言った。「しかし……」

「それも彼は罰金くらいですませ得るはずだ。今では私のことがあるから、そうもいかないだろうが。それにしても、三年か四年程度だろうし、悪意による損傷のほうはそれ以下ですむだろうな。彼の場合はすぐ出てきて、また悪事を働くだろう。ボルトのほうは、株の業界から完全に抹殺されるな」

「よけいなことを言ってないで、聞きなさい。銀行口座を一つ以上もっていることは、きわめてふつうのことだが、税務所が課税対象額を認める時に、自分の銀行口座をすべて偽りなく報告したという誓約書に署名をさせる場合がある。その場合に、一つか二つ口座を報告し忘れていると不正行為となって、見つかれば起訴されることもある。かりにクレイがそのような書類に署名しているとして、五つの口座のうち、一つか二つ、あるいは三つ、書きもらしたとする。その場合に、明確に彼の口座とわかる五つの口座を記した秘密書類の写真があったとするとどうなる?」

「誰も気がつかないさ」私が反論した。

「そう、たぶん気がつかないだろう。しかし、彼にとってみればまことに危険千万なことだ。罪を犯した人間は、自分の罪が誰の目にも明らかだという脅迫観念を常に抱いているものだ。自分の罪をあばく可能性のあるものについて極度に神経質になる。私の仕事でもそういう例はたくさんある」

「それにしても……爆弾というのは極端だな」

「金額によるさ」ボッッと言った。

「えっ？」

「脱税に対する罰金の最高額は、払わなかった税金の二倍の額だ。かりにきみが一万ポンドの所得があるのに二千ポンドしか申告しなかったとする。その場合、差額の八千ポンドに対する課税額の二倍の罰金を科すことができるわけだ。それに特別付加税などを加えると、なんにものこらないことになる。ひどいめにあうわけだ」

「まったく」私は恐れ入った。

ノエルが両手の指先を合わせて、なにごとか考えながら言った。「クレイはその口座にどれくらいの金を隠しているのだろう？」

「爆弾から考えると、相当の金額だろうな」私が言った。

「そうだろう」

長い間無言でいた。そのうちに私が言った。「われわれは他人のことを税務所に報告する道義的あるいは法的義務はないわけだね？」

ないと首をふった。

「しかし、念のためにその五つの銀行の名を書き留めておくことはできる」

「やりたければ」

「となると、クレイにネガと焼きましした写真をやってもいいな」と私が言った。「彼がほしがっていた理由がわかっていることを伏せておいて」

不思議そうに私の顔をみていたが、なにも言わなかった。

私はニヤッと笑った。「ただし、彼がもっているシーベリィ競馬場の二十三パーセントの株を、競馬場会社に無料で寄贈するという条件で」

解　説

平尾圭吾

ディック・フランシスの作品の魅力は、ひと口でいうなら、本物の魅力であろう。読者に対する気負い、あるいは衒いといったものがまったくない。しかし、そこにはにじみ出る真正《オーセンティシティ》の魅力がある。われわれ読者は、彼の作品を読みはじめたとたんに、たちまち引き込まれてしまう。

フランシスの作品を読むと、厩舎や飼い葉のにおいが伝わってくるようだ、とよく言われる。しかし、だからといって、厩舎や飼い葉について特別くわしい描写があるわけではない。

フランシスは、かつてわたしに、まず犯罪《クライム》を考え、それに枝葉をくっつけてストーリーを作り出す、と語ったことがある。飼い葉のにおいが感じられるのは、この枝葉の描写がうまいからである。競馬に関する深い蘊蓄《うんちく》から生まれる、簡潔だがパンチの利いた描写が随所に顔を出すせいである。これは、どの作品にも等しくみられるところで、なにも『興奮』や『血統』のような、はでやかなプロットを持った作品だけに限らず、他の作品も、フランシス・ファンに興味は尽きないのである。

本書にしても、いたるところに楽しい描写を拾うことができる。

こんなところがある。

〈優勝馬レベレイションがわずかな草で朝食をとっていた。根の近くをくいちぎっている音や噛んでいる時の馬勒の金具の音がかすかに聞こえた〉

この、根の近くを食いちぎっている音や、噛んでいる時の馬勒の金具の音、という描写などは、フランシスならではのものだと、思われる。われわれファンにとって、フランシス・ノベルズの楽しさは、各所にちりばめられた、こういう一、二行の描写を拾う楽しさでもある、といえる。

落馬事故ひとつを描写するにしても、フランシスのそれは斬新である。本書の一八一ページに、こういう描写がある。

〈時速三十マイルの馬の足についている、カミソリのように鋭い競馬用の蹄鉄である。なんでもない落馬で地面を転がっている時に、強い力で切りつけるように蹴られたのだ。

馬が競走する時は、ふだんつけている分厚い蹄鉄ではなくて、うすく軽い俗にプレートというのをつけている。蹄鉄屋が馬が出走するたびに、その前後に取り替えるのだ。調教師の中にはわずかばかりの金を節約するために、一枚のプレートを何回も使うのがいる。その場合に端がしだいにうすくなって、しまいにはナイフの刃のようになる。それもなめらかな刃ではなくてデコボコである。人体などは手斧のように切り裂くことができる。

切り裂かれた手首から血が噴き出し、折れた骨が白く見えているのを見た瞬間に、本当は、自分の騎手生活もこれでおしまいだな、とわかっていたのだ〉

引用が長くなったが、この個所などはフランシスの独壇場ともいえよう。落馬事故なら、誰でも骨折くらいで片づけたいところだ。ところがフランシスはちがう。切れるようにうすくなった蹄鉄《コーク》は、わたしもニューヨークの競馬場でよく見かけたことがある。それをこれだけの描写にふくらませ得るのは、フランシスを措いて他にないだろう。

競馬と真っ向から取り組み、刻明に描写したほかの作家による作品を、わたしは何冊か読んだことがある。

残念ながら、これらの小説からは、飼い葉のにおいが立ちこめるようなリアル感は、まったく感じ取ることはできなかった。描写がくわしければくわしいほど、その作者の読者に対する気負い、おもねりばかりを感じたのは、わたし自身が多少競馬を知っているからであろうか。

フランシスの表現力がすぐれているのは、なにも競馬に関するものだけに限らない。

たとえば、

〈ジェニイは出て行った……それ以来私は、結婚というものは片方がパーティが好きで片方が嫌いだから、というような単純な理由で破れるものではないことにしだいに気がついた。今では、ジェニイが華やかな雰囲気を求めたのは、彼女の心の奥底にあるものを私が充たしてやることができなかったからだ、と考えている。そう考えると、私の自尊心や自信が崩れた〉

また、

〈私はよく泣いたわ。このごろは泣かないけど。だんだん年をとってきたのね〉

などの描写。

いずれも、巧いものである。

ではここで、常にフランシス作品の舞台となっているイギリス競馬について、ちょっとふれてみよう。

ご存じの通り、サラブレッドという馬種はイギリスで誕生したものであり、以来王室の熱心な擁護もあってイギリスのサラブレッド競馬は繁栄をつづけた。その間に、馬匹改良によって三頭の偉大な種馬が誕生し、これらの三頭から次々に子孫が生まれ、世界に分布していった。

イギリス競馬は、こうして世界に君臨をほしいままにしていたが、それが崩れはじめたのは百年くらい前からで、今では仔馬の生産において、アメリカがイギリスをしのぎ、フランスやアルゼンチン、オーストラリアなどもイギリスに肩をならべる勢いになっている。たとえばイギリスでは、年間の総生産高が七千頭弱であるのに対し、アメリカでは二万五千頭におよび、アルゼンチンが六千頭、オーストラリアもほぼ同数の六千頭、つづいてフランスが三千頭余り、である。むろん、イタリーやスエーデン、ベネズエラ、ドイツ、メキシコなどでもサラブレッド競馬は盛んだが、その総生産高はせいぜい三百―五百頭前後である。

こうして、量の上では他国に激しく追い上げられ、追い抜かれているイギリスだが、その伝統だけは、単なる量産だけでは比べ得くもない重みをもって、永久にイギリス競馬が世界に誇示できるものといえる。

イギリスに於ける競馬の、もっとも古い記録は一〇七四年である。この頃すでに、毎金曜日に競馬が行なわれていたというのだから、まことに古い。

史上有名なアン女王が、熱心な競馬ファンだったことはあまり知られていない。だが、アスコット競馬を始めたのも、実はアン女王だった。

一七一一年、アン女王は所有地だったアスコットの広大な公園を競馬場にすることを決め、いろんな賞を制定して、自らの持ち馬をも出走させ、優勝したりしたのだから　熱意のほどが知れる。

アスコット競馬が、毎年大レースがあるたびに特に王室関係者で賑わうのは、こんな、長い歴史の裏づけがあるためといえる。

一方、エプソム・ダウンズの競馬場で最初に競馬をはじめたのは、獅子王としてまことに有名なリチャード王。東洋から輸入したアラビア馬の熱心な擁護者だったリチャード王は、やがてエプソム・ダウンズの森で、春がくると競馬を開催するようになり、優勝馬には、四十金の賞金を出すことを決めたりしていった。

馬匹改良や種馬の育成にもっとも力を入れたのは、一五〇八年に即位した熱心な競馬ファンのヘンリー八世である。

現在でもアメリカやイギリスでは、馬の背丈を計るのにハンド（手）という言葉が使われているが、一ハンドは四インチの長さを意味し、この馬の背丈は十五ハンド、などといわれる。この言葉は、実はヘンリー八世の時代からあったもので、延々現在に至った、というわけで、電子計算機全盛の現代に、アナクロニズムを感じさせるこのハンドという言葉が、尺度の単位として用いられているのは、競馬の世界以外にはない。

エプソム・ダウンズで開催されるオークス・レースは、一七七九年にはじめて行なわれたが、同じ競馬場における世界最大のレース、エプソム・ダービーが始まったのは、一年後の一七八〇年であった。このオークスやダービーの名称をまねて、後年各国でも同じ名のレースが行なわれていることは、ご承知の通りである。アメリカなどでは、ダービーと名のつくレースは各州に存在し、一八七五年に始まったケンタッキー・ダービーのほかに、サンタ・アニタ、フロリダ、ザ・ルイジアナ、カリフォルニア、アメリカン、アーカンソー、ニュージャージイなどの有名な各ダービーがいっぱいである。

フランシスが好んで取り上げるのは、自らもジョッキーだった障害レースだが、競馬ファンなら誰知らぬ者はいないグランド・ナショナル大障害レース、正式にはグランド・ナショナル・ハンディキャップ・スチープルチェイスは、一八三九年に誕生したのだから、オークスやダービーにくらべて、随分あとのことである。

しかし、こんな豊かな歴史の息吹きを身近に感じながら、存分に筆を揮うことのできるディック・フランシスは、まことに幸福な作家だということができると思う。

一九七六年

本書は、一九六七年十一月にハヤカワ・ミステリとして刊行された作品を文庫化したものです。

訳者略歴　英米文学翻訳家　訳書『ハガーマガーを守れ』『ポットショットの銃弾』パーカー，『烈風』フランシス，『鷲は舞い降りた〔完全版〕』ヒギンズ，『深夜プラス１』ライアル（以上早川書房刊）他多数

HM=Hayakawa Mystery
SF=Science Fiction
JA=Japanese Author
NV=Novel
NF=Nonfiction
FT=Fantasy

大《おお》　穴《あな》

〈HM⑫-2〉

一九七六年四月三十日　発行
二〇一二年三月十五日　二十八刷
（定価はカバーに表示してあります）

著者　ディック・フランシス
訳者　菊《きく》池《ち》光《みつ》
発行者　早川浩
発行所　株式会社　早川書房
郵便番号　一〇一 - 〇〇四六
東京都千代田区神田多町二ノ二
電話　〇三 - 三二五二 - 三一一一（大代表）
振替　〇〇一六〇 - 三 - 四七七九九
http://www.hayakawa-online.co.jp

乱丁・落丁本は小社制作部宛お送り下さい。
送料小社負担にてお取りかえいたします。

印刷・三松堂株式会社　製本・株式会社明光社
Printed and bound in Japan
ISBN978-4-15-070702-6 C0197

本書は活字が大きく読みやすい〈トールサイズ〉です。